LA REVUE DES LET  KU-530-183

collection fondée et dirigée par Michel Minard

Éditeur de *L'ICOSATHÈQUE (20th)* : Michel MINARD

L'ICOSATHÈQUE 18

FAUST 20e

échos de l'*ego*

le Démon de Faust
ou l'homme et ses démons

textes réunis et présentés par

PASCAL NOIR

lettres modernes minard

PARIS - CAEN

2001

Toute citation formellement textuelle (avec sa référence) se présente soit hors texte, en caractère romain compact, soit dans le corps du texte en *italique* entre guillemets, les soulignés du texte d'origine étant rendus par l'alternance romain / *italique* ; mais seuls les mots en PETITES CAPITALES y sont soulignés par l'auteur de l'étude.

À l'intérieur d'un même paragraphe, les séries continues de références à une même source sont allégées du sigle commun initial et réduites à la seule numérotation ; par ailleurs les références consécutives identiques ne sont pas répétées à l'intérieur de ce paragraphe.

Le signe * devant une séquence atteste l'écart typographique du texte édité (*italiques* isolées du contexte non cité, PETITES CAPITALES propres au texte cité, interférences possibles avec des sigles de l'étude) ou la restitution * [entre crochets] d'un texte existant mais non édité sous cette forme : document sonore (dialogues de films, émissions radiophoniques...) ; état typographique (redistribution de calligrammes, rébus, montage, découpage...) ; état manuscrit (forme en attente, alternative, option non résolue, avec ou sans description génétique).

1002646610

À L'HEURE où les représentations de *Faust* se multiplient, des comédiens parisiens ayant joué, ces dernières années, *Le Petit Faust* d'Hervé, le Théâtre du Châtelet ayant représenté (en 2000) le *Doktor Faustus* de Busoni, tandis que Peter Stein relève le défi de monter l'intégralité du *Faust* de Goethe en un spectacle grandiose à Hanovre et Berlin (2000-2001) et que le *Maître Faust* de Calaferte est publié chez Gallimard (2000), alors que Crespin et Dhoyen, dans un autre genre, celui de la bande dessinée, donnent une fresque érudite en deux volumes (1995 et 1998), le regain d'intérêt pour la figure de Faust paraît indubitable. Il n'est jusqu'à une troupe espagnole qui, après avoir conçu une pièce de théâtre d'après Goethe, prépare un projet de film — alors qu'elle a déjà élaboré une création qui utilise Internet et la vidéo —, a livré une mise en scène de *La Damnation de Faust* d'après Berlioz aux côtés de Gérard Mortier, directeur artistique du prestigieux festival de Salzbourg[1].

Si les dessins de Féliciens Rops, épinglant la religion sous l'œil gloussant d'un Satan, ont été exposés (Musée-galerie de la Seita, Paris, 1998), si la science fiction s'empare du mythe[2], si ne se comptent plus les productions cinématographiques — ou retransmissions télévisuelles : Arte ayant diffusé en 2001 le *Faust* de Peter Stein aussi bien en France (extraits) qu'en Allemagne (intégralité) —, force est de s'interroger sur la prégnance d'une figure qui, au XXe siècle et à l'aube du troisième millénaire, offre de nouvelles perspectives : étudier un Faust prospectif et non plus seulement rétrospectif, un Faust en devenir, tel est l'enjeu de cet ouvrage.

Mythocritique, mythanalyse ou mythographie, autant de

termes, sous couvert de néologismes aux connotations pseudo-scientifiques, qui proposent, tout simplement, une lecture ou des parcours mythiques. Ces interprétations recourent à l'ensemble du champ des sciences humaines : histoire, ethnologie, anthropologie, philosophie, sociologie, psychologie... Le mythe de Faust ne déroge à aucune de ces lectures : s'il a à voir avec l'Histoire, il ne peut se lire sans perspective sacrée et métaphysique, s'il a encore trait à la philosophie, il s'inscrit aussi dans une perspective ontologique.

Le présent ouvrage ne se veut nullement surnuméraire, encore moins apologétique : qu'il soit quête d'archétypes ou fondateur, gréco-latin ou judéo-chrétien, cosmogonique ou eschatologique — la liste des « étiquettes » est loin d'être exhaustive —, le mythe, avant tout, est assujetti au langage. Puisqu'il est devenu impossible — impensable ! diraient d'aucuns — d'échapper à une définition du « mythe », terme il est vrai fort galvaudé, disons que, pour ce qui concerne Faust, il s'agit (et l'on n'échappe pas à ces « étiquettes » qui, décidément, collent à la peau comme la tunique de Nessus au corps d'Hercule qu'elle consume) d'un mythe littérarisé : un personnage — historique ou non — donne lieu à des récits nourris, amplifiés et déformés par l'imagination populaire. Parmi une pléthore d'acceptions, « mythe » est donc entendu tout à la fois selon une conception ancienne et originelle — un récit exemplaire fournissant à une collectivité humaine un modèle à imiter ou dont on doit se détourner — mais, surtout, comme une *représentation*. Quoi qu'il en soit de la terminologie et des outils mis en œuvre, dans lesquels il suffit de puiser comme dans le tonneau sans fond des Danaïdes, le mythe — c'est une évidence nécessaire à rappeler — n'existe que par la parole et le langage : cette *représentation* réclame qu'on l'étudie à partir d'autres récits (études comparatives confrontant diverses « versions » d'un mythe, ses origines, son expression formelle, son évolution et son renouvellement), autrement dit en recourant à l'intertextualité. Répétitions, oppositions, bifurcations — ce que Pierre Brunel nomme, quant à lui, la « *pliure du mythe* »[3] —, telles sont les approches proposées :

4

car il s'agit, avant toute chose, de confronter une logique des différents possibles narratifs. Le mythe, itératif par essence, se prête, plus que tout autre récit, à une polyphonie ou à des lectures stéréoscopiques, valables et validées, d'une époque à l'autre, tout en demeurant intimement inféodé à son contexte de production.

S'il est aisé de multiplier, empiler à loisir des définitions du mythe, préférons-leur celle-ci : le mythe, en somme, n'est pas la réunion fortuite de récits artificiellement rapprochés, mais tout se passe comme si le premier rédigé avait plongé d'un seul coup, divinatoirement, dans une matière que les siècles suivants allaient ensuite laisser incuber, modifier, infléchir, pour l'approfondir beaucoup plus tard, et l'exploiter, sinon systématiquement, du moins en pleine conscience des variations à proposer sur un certain nombre de thèmes puissamment communs.

Ce n'est pas l'originalité qui distingue le « bon » du « mauvais » récit : c'est son *intérêt*. Ce sont ces continuelles *retrouvailles* qui requièrent ce recueil.

Il s'agit de mettre en perspective les linéaments d'une pensée en mouvement : invoqué ou conjuré, le mythe de Faust et ses rêveries tendent à l'homme un bien étrange miroir, celui de l'homme dans tous ses états. « Échos de l'*ego* : le Démon de Faust ou l'homme et ses démons », la lecture proposée manifeste, d'emblée, la spécularité. Il convient, justement, de s'interroger sur cet imaginaire mythique dont les siècles diffractent les multiples facettes : comment développer ce que d'une part l'Histoire et l'expérience démontrent et ce que, d'autre part, la morale et l'éthique condamnent ? comment et pourquoi ce message mythique s'exprime-t-il ? quel discours articule-t-il ? pourquoi ce mythe fait-il entendre d'aussi puissants échos de notre *ego* ?

L'étude liminaire de cet ouvrage prend en charge, dans un premier temps, entre Histoire et histoires, la genèse du mythe, de sa tradition orale et populaire au récit. Elle pose, par ailleurs, les prolégomènes des études qui la suivent. Les noms de Marlowe, ceux de Calderón, de Goethe ou de Valéry s'y côtoient en une lecture volontairement plus synchronique que diachronique tout en remettant la figure mythique en perspective : le lion — pour plagier une formule valérienne de l'innutrition — n'est-il pas fait, après tout, de moutons digérés ? Cette étude s'attache, ensuite, par-delà cinq siècles, à mettre en exergue les multiples vecteurs attestant la pérennité du mythe de Faust : drames, comédies et tragédies, opéras, romans ou films développent la surprenante actualité d'un personnage qui, au gré de contextes socioculturels différents, ne cesse de renaître, cristallisant tout à la fois nos hantises et convoitises — héros de l'action ou incarnation d'ambitions parfois blâmables —, nos désirs comme nos dérives.

Se dessine la figure d'un Faust en devenir, allant de l'avant : du magicien scripturaire aux ingénieurs, la figure mythique revêt les traits de l'homme de chaque époque : nécromant, puis habile technicien ou chirurgien rêvant d'égaler Dieu — certains façonnent un androïde plus parfait qu'Ève, d'autres pratiquent la greffe d'organes. La mythographie oscille dès lors entre ascension/perdition et, Dieu s'éloignant de l'Occident, Faust incarne soit le progrès, soit une irrépressible décadence. Entre science et jouissance, le mythe des excès comme son érotologie révèlent que le Démon faustien représente les démons des civilisations (rêves d'amours, d'immortalité, soif d'argent, de renom). Les conjurant ou les exprimant, Faust est à l'image de nos aliénations, de nos quêtes insatiables et, sans diable ni enfer, les douleurs des Faust actuels n'en sont pas moins ardentes...

Plus particulièrement développées seront des lectures faustiennes de textes tout à fait incontournables mais trop souvent minorés, voire occultés : le *Frankenstein* de Mary Shelley, *L'Ève future* de Villiers de L'Isle-Adam et, surtout, des Faust de la Décadence ou de la Belle Époque, exemplairement révélateurs d'inflexions des plus actuelles — *Méphistophéla* de Catulle Mendès, notamment. C'est que Faust peut aussi se conjuguer au féminin et l'homosexualité féminine ou la drogue — bien avant que Paul Valéry n'y songe, le roman de Mendès date de 1890 — prendre la place de Méphistophélès comme celle de Dieu... Par-delà plusieurs récits de Théophile Gautier — écrivain qui, sa vie durant, semble travaillé par la figure de Faust et dont l'œuvre contient en germe les obsessions que la Décadence exacerbera à leur paroxysme —, cette analyse propose aussi un parcours faustien du *Portrait de Dorian Gray* — Wilde incarnant également cet « esprit de décadence », si prégnant et déjà si moderne, à la fin d'un XIXᵉ siècle qui annonce ce qu'il en sera ensuite.

Les contributions de Michel Peifer et d'Anne-Marie Kosmicki, outre qu'elles articulent justement ce qu'il en est au XXᵉ siècle, mettent alors en lumière, à partir de vecteurs différents — la littérature pour la première étude et le cinéma pour la suivante — des lectures tout à la fois idéologiques et esthétiques. Ces réflexions présentent ce que l'on pourrait nommer des Faust « idéologues ». Michel Peifer constate qu'au XXᵉ siècle le mythe est volontiers désarticulé, obéissant à un régime de la fragmentation, réduit qu'il est à quelques épisodes, et reconstruit selon d'autres perspectives et discours. Thomas et Klaus Mann, Valéry certes, mais aussi Michel Leiris et Louis Calaferte, entre autres, attestent que les lectures édifiantes n'ont plus cours et que le pacte avec le Diable, s'il demeure, est mis à distance, parodié. La vision de l'homme faustien au service d'une propagande — point essentiel de rencontre avec l'étude menée, dans un autre registre, par Anne-Marie Kosmicki — amène aussi les auteurs à s'approprier le mythe en un geste éthique qui met en cause les idéologies. Si l'on voit Faust en double de soi, en artiste, les écrivains « se rêvent volontiers en créateurs démiurges » mais préfèrent — dilution d'un mythe devenu trop encombrant ? — « s'habiller en Falstaff ou Faustroll qu'en Faust », tout en revenant malgré tout au personnage primitif. Les œuvres, en outre, sont lentes à voir le jour, ont des accents testamentaires indéniables : rêve du Livre total, volonté d'élaborer une somme éthique comme esthétique. Si les formes dramatiques, au XXᵉ siècle, sont devenues plus rares et lacunaires, la tragédie — devenue le tragique — a migré au cœur des romans.

De Murnau à Wenders, c'est aussi au service d'une idéologie que Faust se plie : les adaptations du mythe au cinéma semblent liées au deuxième conflit mondial. Si les réalisateurs de *"Faust"* se rêvent, tels les écrivains, en démiurges — « au cinéma, lieu idéal du pouvoir et de l'illusion, Méphisto n'est jamais bien loin » —, la puissance visuelle de l'expressionnisme allemand a fini par hanter cinéastes et critiques : les ombres caligaresques sont autant de spectres d'une guerre qu'il faut oublier. Pourtant, le cinéma, usine à rêves, supporte difficilement l'échec. Pour exister, argent, talent, machinerie, sont autant de démons à combattre ou à flatter. Faire acte de création, ne serait-ce pas, finalement, signer son pacte avec le diable ? Renvoyant dos à dos cinéma français et américain par rapport à une revendication identitaire, Anne-Marie Kosmicki, à l'instar de ce que constatait Michel Peifer, s'attache aussi à Fellini en notant, elle aussi, que les personnages peuvent devenir « bouffons », autrement dit parodiques.

Autre *medium* privilégié de la figure mythique : l'opéra. Côté scène lyrique, cette fois, Virginie Slusarski constate que le personnage féminin peut quasiment supplanter par sa renommée — au point d'ailleurs de l'éclipser — celui de Faust. Le public allemand, à ce titre, n'a-t-il pas rebaptisé l'opéra de Gounod *Margherete* ? Nul doute que c'est à l'opéra que Marguerite connaît la fortune la plus surprenante. Le rôle que les œuvres musicales ou lyriques réservent à la femme s'en trouve exemplairement développé, exacerbé : Liszt et Schumann n'ont pas hésité, à travers la transposition musicale du mythe, à réaffirmer le caractère fondamental que revêt l'élément féminin, Berlioz et Gounod, quant à eux, placent Marguerite au centre même de leur intrigue. En revanche, chez Boito ou Busoni, si Marguerite cède quelque peu la place, ce sont d'autres figures féminines qui la suppléent et attestent la prépondérance de l'élément féminin. Qu'elle s'appelle Marguerite, Hélène ou la duchesse de Parme, la femme est une image en négatif du vieil érudit allemand. Virginie Slusarski démontre, en somme, que l'élément féminin est le pivot sur lequel s'articulent des compositions qui majorent, en le plaçant délibérément au cœur de leurs préoccupations, le personnage féminin qui, dès lors, connaît de multiples variations, nourrissant ainsi le mythe et le chargeant d'un sens plus que jamais — même si les récits scripturaires ou Goethe l'affirmaient déjà — philosophique et métaphysique.

Henri Rossi, quant à lui, développe la propension des auteurs à recourir à la parodie. Dès la publication de *The Tragical History of D. Faustus* de Marlowe, il constate, et ce, jusqu'au XXe siècle, qu'une veine parodique a vu le jour. Ce paradigme, non sans véhiculer quelques ferments d'inquiétude, d'angoisse ou de ridicule, renoue, en somme, mais dans un tout autre registre puisque l'étude porte essentiellement sur la comédie et les théâtres de vaudeville, avec certaines analyses menées dans les contributions qui précèdent. Au truchement de textes originaux (*Le Cousin de Faust, Faust et Framboisy, Le Petit Faust* d'Hervé, etc.), H. Rossi corrobore ce que Pascal Noir constatait à propos des *"Faust"* de la Belle Époque (mélange des genres, intrication du sérieux et du comique), ce qu'Anne-marie Kosmicki relevait au sujet d'un cinéma jouant volontiers sur la bouffonnerie des personnages, voire ce que Michel Peifer notait quant à cette mise à distance du pacte comme du diable dans un XXe siècle sapant les lectures édifiantes. Parodies, pastiches allant parfois jusqu'à la satire, ironie, perspectives pamphlétaires ou « excentricités burlesques », tels sont les enjeux d'une étude qui décortique les mécanismes du « rire » mais, aussi, par le recours à la satire tant politique, philosophique que sociale, met en lumière une veine bien plus sombre puisque énonçant une profonde « désespérance ». Dénaturation de l'hypotexte, d'une part, révolte contre l'esthétique de Goethe, d'autre part, les parodies faustiennes ont connu un franc succès quand bien même elles sont quelque peu oubliées de nos jours. Quoi qu'il en soit, lire l'étude de H. Rossi, c'est découvrir un humour et une débauche d'imagination — on y croise un Nigoding fiancé à une Babiole, une Sulphurine et un Fridolin, une mère de Marguerite qui abuse du valium tandis que Valentin prédit à sa sœur qu'elle finira dans un *peep-show* ! — fort plaisants. C'est que, comme l'expose H. Rossi, le théâtre de vaudeville ou de comédies est beaucoup plus familier du public que le poème dramatique de Goethe.

Goethe, néanmoins, n'est pas mort, loin s'en faut ! Le personnage de Faust n'a sans doute jamais été plus vivant qu'aujour-d'hui. Preuve en est qu'aux aurores du XXIᵉ siècle Peter Stein offre au public l'intégrale des deux *Faust* de Goethe. Sieghild Bogumil — qui s'est rendue aux représentations de Berlin — s'interroge sur cet intérêt porté au *Faust* en particulier, alors que d'autres pièces de Goethe sont *quasi* oubliées de nos jours. Non seulement Peter Stein relève le défi de monter les deux parties de l'œuvre — leur unité ne s'imposant pas d'emblée —, mais la seconde, difficile à mettre en scène, relève de la gageure. Confrontant les mises en scènes de Marthaler à Hambourg (1993), de Jan Wisniewski à Düsseldorf (1997) jusqu'à celle de Peter Stein à Hanovre/Berlin (2000-2001), Sieghild Bogumil développe, minutieusement, trois lectures du texte complètement différentes, concrétisées dans trois mises en scène parfaitement distinctes et radicales dans leurs conséquences où le texte comme le spectateur sont emportés dans un impressionnant mouvement « faustien », mais aussi dans une remarquable production de sens. Si le *Faust II* est indubitablement beaucoup moins joué que le *Faust I*, il apparaît effectivement tel un défi lancé aux metteurs en scène, un espace à conquérir, celui-là même de la création artistique où l'on aspire à faire — comme M. Peifer le consta-tait à propos du Livre — œuvre « totale ». Une nouvelle dimen-sion s'ouvre, celle du « spectaculaire » dont la mise en scène de P. Stein, entre réel et virtuel, espaces gigantesques, multiplicité des espaces scéniques, conduit un spectateur-acteur ébloui d'un lieu à un autre, d'un monde à l'autre. *In fine*, le difficultueux texte de Goethe s'avère un matériel fécond, à modeler, à créer, au point qu'il n'est plus guère considéré comme une pièce « toute faite » mais sert de matière même à Faust. Le drame goethéen est devenu lieu et support privilégié d'une réfléxion sur la dra-maturgie elle-même, l'élaboration d'un nouveau type de théâtre.

Vecteurs ne cessant de se développer et corroborant la modernité d'un mythe qu'ils véhiculent auprès d'un lectorat non négligeable, la science-fiction et la bande dessinée, en s'agrégeant la figure mythique, semblent elles-mêmes empor-tées dans ce grand mouvement faustien, centripète s'il en est puisqu'il irradie tous les arts, sollicite tous les artistes.

Lorsque Michael Swanwick, un des plus grands auteurs américains de science-fiction, publie en 1997 un *Jack Faust* — après avoir travaillé, déjà, un autre mythe, celui de Prométhée —, le roman ne tarde guère à être traduit en français et connaît même deux éditions (l'une en 2000, l'autre en 2001). L'intérêt porté à Faust, c'est à n'en point douter, est désormais acquis et le mythe, tel que Véronique Zaercher l'étudie, se plie fort bien à un canevas de science-fiction. Méphistophélès, une entité artificielle de créatures démoniaques appartenant à un autre monde, et Faust, à qui il fait don d'un savoir absolu, concourent à l'élimination de la race humaine. Au terme de ce parcours, l'entité maléfique n'est autre que l'homme lui-même et V. Zaercher développe l'ironie et la philosophie pessimiste qui régissent le roman. L'originalité de M. Swanwick consiste en l'élaboration d'une uchronie dans laquelle l'auteur concentre cinq siècles de progrès. En effet, Faust livre aux hommes toutes les découvertes qui séparent le XVIe siècle, cadre initial du récit, du XXe siècle finissant. Tous les domaines sont concernés : l'astrophysique, la médecine, les techniques de l'industrie, l'armement, etc. « Trop de science tue la science », note Véronique Zaercher. C'est que, dans cette folie programmée par Méphistophélès, la réflexion porte sur le fonctionnement des sociétés, sur une Histoire présentée comme « un acharnement perfectionniste vers une fin annoncée ». Livrer, à satiété, toutes les découvertes et progrès aux hommes, en l'espace de quelques années, génère l'implosion même de la société. Cette réflexion aborde, d'ailleurs, nombre de problèmes éthiques qui ne sont pas sans constituer autant d'échos pour un lecteur contemporain : les amphétamines, l'avortement, la pilule contraceptive, les travaux sur la matière cérébrale de fœtus jusqu'aux armes chimiques ou aux « jeunesses faustiennes » projetant l'ombre d'Hitler constituent autant de pilotis sur lesquels est bâti ce roman démontrant et démontant le mécanisme d'autodestruction des sociétés. Si l'on peut sourire dans la réécriture d'une Marguerite devenue un P.D.G. dirigeant les usines faustiennes, à voir Faust en représentant commercial, le romancier n'omet ni la pollution et les maladies engendrées par ces mêmes usines, ni la verve cynique avec laquelle Faust vante les mérites d'une arme capable d'éradiquer massivement les populations. Bref, Faust à qui Méphistophélès livre nombre d'inventions réelles et datables et qui, à son tour, les donne aux hommes, est l'instrument d'une destruction totale, une sorte d'antéchrist menant le monde non plus à une apocalypse biblique mais à une fin du monde technologique. Du sens de la fiction à la fiction du sens, ce récit de science-fiction prouve que le mythe de Faust continue à livrer de nouvelles réflexions, à être le support d'enjeux les plus contemporains, les plus futuristes aussi.

Autre lieu d'une méditation sur l'Histoire, bien que différente : la bande dessinée. L'analyse menée à « quatre mains » par Michel Peifer et nous-même appréhende un album en deux volets, élaboré par des maîtres du genre, Michel Crespin (*scenario*) et Karel Dhoyen (dessins) : *Faust, le Remords de Dieu* (1995) et *Faust d'Heidelberg, l'Étudiant* (1998). Fruit de la connaissance d'une documentation érudite — les auteurs exploitent des témoignages et lettres de Trittheim ou de Melanchton —, cette bande dessinée pose un cadre spatio-temporel qui permet le traitement du difficile passage du Moyen Âge à la Renaissance — de l'obscurantisme et des ténèbres gothiques à une nouvelle ère, un XVIᵉ siècle symbolisé par la lumière et dont le Soleil est l'emblème. Entre lettrés dépositaires d'une culture officielle et personnages incultes dominés par la superstition, entre religion et science, gens des villes et des champs, cette fresque faustienne fait se rencontrer deux mondes, manifeste le clivage de la société du XVIᵉ siècle à l'instar de ce que la littérature d'alors — songeons aux pages de Rabelais — nous a légué. L'originalité de Crespin et Dhoyen consiste, également, par-delà cette vision socioculturelle, à faire participer à la diégèse des personnages référentiels qui, s'ils n'appartiennent nullement au mythe, non seulement ancrent davantage la fiction dans ce contexte historique mais qui, par ailleurs, furent effectivement les contemporains de Faust ou laissèrent des témoignages à son sujet. On y croise « le jeune Hohenheim » — entendre Paracelse —, Trittheim, Agrippa de Nettesheim, autant de figures dont le personnel de la fiction emprunte les noms et les traits. De surcroît, et sans doute est-ce la novation cardinale de cette bande dessinée, alors que, le plus souvent, les récits faustiens présentent, dès leur seuil d'ouverture, un Faust adulte voire déjà âgé, Crespin et Dhoyen (premier des deux volumes) prêtent et développent une enfance de Faust, comblant ainsi un récit lacunaire, inventant une séquence sur laquelle bien peu se sont attardés.

En somme, la figure de Faust, par sa malléabilité même, se voit ici appréhendée de ses origines à nos jours, investissant toutes les écritures : tantôt le récit, tantôt le cinéma et le théâtre, la musique et l'opéra, la science-fiction comme la bande dessinée. Autant de regards qui, en dépit de leur spécularité, dressent le paradigme d'une pensée en mouvement mais, *a posteriori*, éminemment cohérente. Entre inflation et déflation, perpétuel réinvestissement, quête d'un sens indirectement présent, Faust, en ses modalités de réactualisations surnuméraires, à l'aube du troisième millénaire et à travers les multiples avatars qu'il a connus depuis la publication, en 1597, d'un livret de colportage, demeure un des personnages les plus mythifiés de la littérature occidentale, les plus emblématiques de nos valeurs, de nos passions, de notre part maudite. Si l'on pensait le mythe obéré par des références culturelles qui pouvaient l'écraser, l'étouffer, cet ouvrage prouve, au contraire, la surprenante actualité d'une figure demeurant l'incarnation majeure de l'état et de l'évolution de nos sensibilités morales et métaphysiques.

Pascal NOIR

---

1. Le spectacle de *La Fura dels Baus*, d'après Berlioz, a été diffusé sur Arte le 18 août 1999 tandis que le CD-Rom de *La Fura*, utilisant les nouvelles technologies, s'intitule *F@usto version 3.0*. Par ailleurs, Éric Madignier, qui a mené une enquête sur Internet, nous informe de l'existence d'importantes ressources

concernant Faust : les textes de Marlowe (www.perseus.tufts.edu/Texts/Marlowe.html) ou de Goethe (www.gutenberg.aol.de/goethe/faust1/faust_to.htm) peuvent être consultés en ligne dans leur intégralité. Une page extraite du site du Département d'allemand de l'Université de Californie (www.csuchico.edu/~goulding/faust/faustlinks.htm) indexe, par exemple, un grand nombre de liens pertinents. Naturellement, un site est également consacré à Peter Stein (www.faust-stein.de). Signalons, en outre, le tout récent spectacle, mêlant théâtre et danse, de la chorégraphie Robyn Orlin avec les danseurs du City Theater & Dance Group de Johannesburg : Théâtre de Remscheid (20 octobre 2001) et, du 3 au 11 novembre, au Théâtre de la Cité Internationale, à Paris, dans le cadre du Festival d'automne. Sur une musique de Eric Leonardson, cette libre adaptation de *Faust*, présentant un Faust blond tandis que les autres comédiens et danseurs sont tous noirs, a également pour particularité d'offrir un diable féminin (appelé « Toni » et maniant un fouet rouge sang) alors qu'au centre d'un plateau se trouve un ring... La chorégraphie joue aussi des nouvelles technologies puisque le spectateur peut suivre la mise en scène, par exemple, sur quatre moniteurs extérieurs à l'espace scénique.

2. Cf. Michael SWANWICK, *Jack Faust*, traduit de l'américain par Jean-Pierre PUGI, préface de Gérard KLEIN (Paris, Le Livre de Poche, 2001).

3. Pierre BRUNEL, *Dictionnaire des Mythes littéraires* (nouvelle édition augmentée) (Monaco, Éditions du Rocher, 1988), « ORPHÉE » : p. 1137.

1

ÉCHOS DE L'*EGO*

LE DÉMON DE FAUST

OU L'HOMME ET SES DÉMONS

par Pascal NOIR

(Université de Nantes)

> *Si Goethe a écrit* Faust, *il n'en a pas le monopole... Faust appartient à l'humanité.*
>
> Nikolaus Lenau

Faust a plus de cinq siècles ! Depuis l'Allemagne, ses aventures, auréolées de légendes, ne tardèrent guère à franchir les frontières du monde entier : en Angleterre, en France, en Autriche, en Espagne, en Russie, etc., le mythe se propagea tel une traînée de poudre — c'est que cette histoire, des siècles durant, n'était pas sans sentir le soufre...

Faust s'incarne dans la tragédie, mais aussi dans le drame ou la comédie, dans l'opéra et le ballet, dans le roman et au cinéma, autant de vecteurs privilégiés d'un mythe qui fascine tous les domaines artistiques comme le disent assez les noms de Marlowe, Calderón, Goethe, Valéry et ceux de Gounod, Berlioz, Boulgakov ou Mann, ou encore Méliès, Murnau ou René Clair, pour ne citer que quelques noms qui se côtoient dans une insolite proximité.

Chaque génération voit Faust sous des angles différents, infléchissant, majorant ou minorant tel ou tel aspect du mythe. C'est que la quête faustienne et ses motifs sont passibles de rendre compte de l'universalité de certains comportements humains : Faust incarne nos rêves comme nos hantises, nous tend un bien étrange miroir, celui de l'homme dans tous ses états.

Proie de Méphistophélès mais aussi des mutations du mythe, Faust est tour à tour — voire simultanément — le damné que la religion condamne, le magicien ou le savant avide d'accroître ses connaissances et sa puissance, l'ambitieux et génial créateur ou le jouisseur entraîné dans une effrénée recherche des plaisirs...

Exprimant et conjurant, tout à la fois, nos désirs et nos hantises, Faust aspire à l'universalité comme à l'amour. Écartelé entre l'esprit et la chair, illustrant les aspirations de chaque époque, il cristallise les ambitions humaines car l'homme doit gérer ses démons. Être de tensions, à l'image de notre propre écartèlement, Faust vainc le temps comme l'espace, voudrait vaincre la mort elle-même, empruntant, dans une surprenante compénétration avec d'autres grandes figures mythiques, certains traits dévolus à Prométhée ou Don Juan. Représentation du progrès ou de l'action, animé de désirs titanesques ou juanesques, Faust est à l'image de notre *ego* : sauvé ou damné, le personnage, malléable au gré du temps, rivalise avec Dieu et rappelle à l'homme qu'il y a des limites à ne pas franchir, qu'elles soient d'ordre éthique ou scientifique.

Bien vite, le diable n'a plus besoin d'exister pour agir, un pas est franchi vers l'intériorité : image de nos aliénations, Satan se bornait à cristalliser les mouvements de l'âme et Faust devient, dès lors, la figure de proue de l'homme moderne. Les démons sont en nous, à nous de les laisser s'exprimer ou de les réprimer...

I. HISTOIRE ET HISTOIRES.

Faust savait-il qu'il acquerrait le statut d'une authentique figure mythique ? C'est assez probable : l'homme, ayant beaucoup voyagé, d'une grande notoriété tant parmi le peuple qu'à la cour des Grands ou dans les milieux lettrés — réputation, certes, plus méprisable qu'élogieuse —, paraît avoir été mythifié dès son vivant. Amplifiées, déformées, ses tribulations, en cette fin de Moyen Âge, s'accordent parfaitement aux fascinations du temps : nécromants, astrologues, chiromanciens... et suppôts de Satan, en dépit des autorités et de l'Église qui les condamnent, font plutôt fortune — « bonne ou mauvaise », en adéquation avec les desseins biographisants des premiers récits faustiens.

Entre Histoire et histoires, il est malaisé de faire la part de ce qui ressortit à l'invention, suppléée par la légende et le folklore populaire, et à la vie de cet homme dont les prénoms eux-mêmes diffèrent d'une source à l'autre.

genèse du mythe

Georgius ou *Johann* Faustus ? Conrad Mutianus le prénomme *Georgius* en 1513, Melanchton, peu après, écrit *Johann*... Qu'importe ! Faust se fait appeler de bien d'autres noms encore... *Faustus junior*, *Georges Sabellicus*, *Prince des nécromants*... Sans doute né à Knittlingen (Wurtemberg) vers 1480, il serait mort à Staufen vers 1540[1].

Quoi qu'il en soit, l'homme est en renom : ici, on le voit établir l'horoscope de l'évêque de Bamberg (1520) ; là, on le rencontre chez l'évêque de Cologne. Il aurait fait ses études à Wittemberg ou à Ingolstadt et acquis l'art de la magie à l'Université de Cracovie.

D'un orgueil sans mesure, Faust s'arroge une pléthore de titres et de pouvoirs : chiromancien, il est aussi nécromancien ; médecin, il est encore *magister* ; cristalomancien, il se dit, également, *in hydra arte secundus*, astrologue, philosophe et *magus secundus* ! Selon le premier témoignage écrit (1507) que nous possédons, celui de l'abbé bénédictin Trittheim, humaniste alors fort connu en Allemagne, Faust est un charlatan pratiquant la magie, un vantard prétendant réitérer — en mieux, cela va de soi ! — les miracles du Christ !

Inquiétant, l'homme n'est pas sans être inquiété... Lettrés et médecins dénoncent ce « philosophe des philosophes » ; le « docteur » Faustus, un temps professeur à Kreuznach, abuse de ses élèves : « sodomite et nécromant », l'homme est expulsé d'Ingolstadt en 1528 ; quatre ans plus tard, les autorités l'interdisent à Nuremberg.

Mystificateur plus qu'homme de science, Faust est constamment en fuite : à Venise, il se serait, avec l'aide du Malin, élevé dans les airs ; son chien, étonnamment dressé, était un démon l'accompagnant dans ses péripéties... Pointent d'ores et déjà le mythe et ses arcanes : l'orgueil, le magicien, le demi-dieu maître dans tous les arts occultes, l'associé du diable... Il ne restait plus qu'aux ouï-dire d'agrémenter et de nourrir la légende.

de la tradition orale et populaire au récit

C'est à la tradition orale, grande pourvoyeuse de mythes, que l'on doit l'essentiel des éléments qui constituent le mythe de Faust, bien plus qu'à l'homme lui-même et la vie qu'il mena ou celle qu'il voulut qu'on lui prêtât.

De son vivant, Faust est déjà une légende à laquelle s'agrègent de multiples anecdotes issues d'une veine populaire (*Erzählungen*) ou folklorique, empruntées à d'autres personnages, à une tradition chrétienne comme païenne. Bien vite, cette légende est jouée dans les foires et le peuple la connaît par cœur !

Si un moine d'Erfurt, raconte-t-on, a avalé une charretée de foin, cet élément s'agrège à la légende faustienne, à l'instar d'une autre anecdote où Faust (ou un autre ?) aurait vendu des porcs à un marchand auquel il aurait spécifié de ne jamais passer l'eau : le marchand ayant oublié la recommandation, lors du passage d'un gué, ses porcs se sont changés en bottes de paille... Faust cristallise les anecdotes qui ravissent le peuple, et sur son nom se greffent maints tours de magie dus à des sorciers de toutes époques.

Colportées, développées, déformées, les anecdotes — issues de diverses chroniques, plus particulièrement celles d'Erfurt ou de Nuremberg — constituent bientôt un fond prolixe dans un contexte où le diable fascine et effraie tout à la fois. Entre rire et rictus, notamment lorsque Faust avale un magicien rival ou un garçon d'auberge — l'on songe naturellement à Rabelais puisant lui-même à des sources populaires : les facétieuses *Grandes et inestimables Cronicques du grant et enorme geant Gargantua* —, les *Erzählungen* le racontent volant dans les airs sur un cheval, pillant la cave d'un évêque... Elles en font un héros populaire et farceur, joueur de mauvais tours, recourant volontiers à la magie à l'instar des légendes élaborées autour d'un tout autre savant : Paracelse.

Ces récits, volontiers édifiants — craignez le Démon ! — sont surtout colportés dans les milieux luthériens et se voient bien vite imprimés, ce qui est plutôt cocasse, d'aucuns imputant l'invention de l'imprimerie à Faust lui-même !

De multiples *Volksbücher* — récits populaires — fleurissent, dès le XVIe et jusqu'au XVIIIe siècle, consignant, augmentant les péripéties forgées autour de la figure de Faust. La légende se voit plus ou moins fixée, valorisant, surtout, les épisodes qui plaisent au public tout en les émaillant de théologie.

On passe de la littérature orale au récit mis en forme grâce à un volume de 1587 que publie, sans nom d'auteur, le libraire et éditeur luthérien Spiess qui l'imprime à Francfort et que nous nommerons « le *Volksbuch* ». Le livre connaît le plus vif succès : réédité maintes fois, il est traduit en anglais (1590), en hollandais (1592), en français (1598). Le Faust historique est devenu un Mythe.

En 1599, Widmann, travaillant sans doute avec des documents plus anciens que ceux dont disposait Spiess, donne un autre *récit populaire*, augmenté et développant davantage la polémique luthérienne et anti-catholique. L'ouvrage de Spiess, *Histoire du*

19

docteur Johann Faust, célèbre magicien et enchanteur, comporte une dédicace, « afin de mettre en garde toute la chrétienté », ainsi qu'une préface « au lecteur chrétien » qui doit se « méfi[er] du diable et de la magie, qui est idolâtrie ». Faust, dès lors, devient un mythe littérarisé, incarne le savant orgueilleux et impie, le magicien dont les pouvoirs sont conférés par Satan et qui paie ses joies terrestres d'une éternelle damnation. L'ouvrage oscille entre Moralité et roman. Naturellement, il s'agit d'un exemple à ne pas suivre — le *mythe* étant un récit exemplaire pour une collectivité, un exemple à imiter ou, au contraire, dont on doit se détourner — mais l'essentiel des matériaux mythiques est déjà là. Le *Volksbuch* de 1587, en effet, énonce les principaux éléments que les siècles suivants, chacun à sa manière, développeront :

— Faust est étudiant mais mène bien vite une vie de luxure tout en travaillant la magie et l'astrologie ; invoquant le diable pour qu'il le serve, il signe le pacte en échange.

— Méphistophilès [*sic*] lui décrit l'enfer, les anges déchus tout en citant constamment la théologie et la Bible.

— Faust questionne Méphistophilès sur le monde — le diable nie, par ailleurs, la Création —, demande à voir les démons et entreprend de nombreux voyages, y compris au Paradis perdu.

— Grâce à sa magie (veine populaire), Faust fait apparaître Alexandre comme Hélène, pourvoit sa table de succulents repas, vole dans les airs, tue un magicien.

— Invité à se convertir, mais terrifié par Satan, il se voit contraint de rédiger un second pacte tandis qu'il a un fils d'Hélène et multiplie farces et tours de magie.

— Au terme de la vingt-quatrième année du pacte, Faust abandonne tous ses biens à son domestique Wagner. Bourrelé de remords, sous le regard sarcastique du démon, on le retrouve, au matin, mis en pièces.

— Le *Volksbuch* se clôt sur une moralité facilement résumable : il faut adorer Dieu et craindre le diable.

Faust a oublié Dieu et se trouve damné, mais la figure mythique cristallise aussi, notamment dans le motif de la soif de connaissance, l'humaniste de la Renaissance en ce siècle où le Moi comme la conscience individuelle s'imposent dans une société qui jusqu'alors ne pensait que par groupes.

Il ne manquait plus qu'à Faust de trouver son poète pour l'immortaliser parmi les gens de Lettres, qui ne s'intéressaient alors guère aux sornettes populaires : le drame de Christopher Marlowe, entre 1589 et 1592 — deux ou cinq années seulement après le *récit populaire* — se voit joué sur la scène allemande par les comédiens anglais allant de ville en ville. Le répertoire anglais, pendant plus d'un siècle, colporte ainsi la légende de Faust en mêlant des éléments populaires et des scènes issues de l'œuvre même de Marlowe : ce théâtre forain et populaire ne se verra supplanté par le théâtre de marionnettes que tardivement (seconde moitié du XVIIIe siècle). Les tréteaux forains disparaîtront peu à peu, suppléés par les *Puppenspiele* qui, à leur tour, empruntent à la fois au *Volksbuch*, à Marlowe et au répertoire forain. Quoi qu'il en soit, entre théâtre forain ou de marionnettes, le dessein est de plaire au public, de l'amuser et de l'effrayer tout à la fois.

II. LA QUÊTE FAUSTIENNE.

Avec sa *Tragique histoire du Docteur Faustus* (*The Tragical History of D. Faustus* — la première édition connue date de 1604 mais le drame a été composé vers 1589), Marlowe, premier grand auteur du théâtre élisabéthain, admiré tant par Shakespeare que par Goethe, fixe définitivement les invariants du mythe, à savoir un parcours signifiant de la quête faustienne. La structure narrative et événementielle s'articule selon un rythme ternaire (élan, aventures et abattement ou chute) constitué de quatre étapes s'enchaînant en gradation : la quête s'embraie par la méditation, Faust signe ensuite le pacte ; grâce à celui-ci, il accède et découvre le monde (voyages et amours) mais cet élan est alors brisé et le parcours achoppe sur le repentir et la mort.

Du *Volksbuch* aux représentations modernes, l'invariant de la méditation solitaire constitue l'étape liminaire et initiatique de la quête faustienne.

Marlowe présente Faust étouffant dans un savoir trop étriqué et limité qui ne peut le satisfaire : l'homme médite dans son cabinet de travail où le diable, lui promettant d'accroître sa science, vient le tenter. La même caractéristique, celle de l'insatisfaction du philosophe, figure dans *Le Magicien prodigieux* (*El Mágico prodigioso*, 1637 — le texte de cette pièce ne sera publié qu'en 1663) de Calderón : Cyprien (Faust), déçu, forge sa personnalité en méditant un extrait de Pline (vv. 81, 163, 174), à l'instar du Faust historique capable de réciter tout Aristote, tout Platon, et même de retrouver les comédies perdues de Plaute ou de Térence ! La quête est bien celle d'un humaniste avide de connaissances et maîtrisant ses *auctoritates,* la culture antique. Goethe accentuera encore ce désir d'appréhender le monde dans sa totalité : son *"Faust"* s'ouvre par un sommaire du savoir contemporain, également décevant, et Méphistophélès vient alors lui proposer son aide diabolique.

Grotte ou tout au moins séjour sylvestre et reculé chez Calderón, cabinet sombre mais studieux chez Marlowe, cellule « gothique, étroite » avec un « pupitre » chez Goethe, chambre avec une table de travail chez Christian Dietrich Grabbe (*Don Juan und Faust, eine Tragödie*, 1829, I, 2), sous-sol encombré de livres où travaille le Maître de Boulgakov (*Le Maître et Marguerite*, éd. posthume, 1966), voire vieux savant affairé à l'ouverture du film de Murnau (*Faust*, 1926), le lieu initiatique est toujours obscur, étroit et faiblement éclairé : sans doute faut-il y voir une aspiration à en sortir, à trouver la vraie lumière, la Connaissance. Naturellement, on songe à l'allégorie platonicienne de la caverne : la vraie lumière, la vérité sont ailleurs... Il n'est jusqu'à Paul Valéry qui n'ait repris tous ces mythèmes — unités minimales mythiquement signifiantes — dans sa comédie émi-

nemment intellectuelle[2], composée de « Lust » et, significativement, de « Le Solitaire ». Dans « Lust », le lieu clos, propice à
l'étude comme à la méditation, est dupliqué, constitué d'un
cabinet de travail et d'une bibliothèque, tandis que dans « Le
Solitaire » il s'agit, inversement, d'un espace ouvert mais où
l'homme est toujours seul, au sommet des montagnes — motifs
associés de la solitude comme des sommets qui figuraient déjà
chez Lenau (*Faust, ein Gedicht*, 1840 pour la version définitive)
comme à l'ouverture du *Second Faust* de Goethe[3].

Favorisant l'introspection, le lieu initial et initiatique est donc
propice au surgissement de Méphistophélès. La vacuité — désir
de connaissance de Faust — appelle à être comblée, ce que le
Démon s'empresse d'exécuter.

le pacte

Dans cette quête de la connaissance, le diable se présente tout
d'abord comme adjuvant — avant de devenir, au dernier Acte,
un opposant réclamant son dû — et le pacte constitue un contrat
bilatéral où chacun des contractants a des obligations envers
l'autre : en échange d'un savoir supérieur, Faust abandonne son
âme au Démon.

Climax des œuvres, cet invariant, le plus connu, était d'ailleurs
dupliqué dès le *Volksbuch* : en effet, Faust voulant se rétracter
par le repentir était contraint de signer un second pacte corroborant indéfectiblement le premier. Ce contrat est la promesse de
l'acquisition d'un savoir total : d'une part Faust veut un esprit
supérieur qui le serve, d'autre part, il veut lui-même devenir un
esprit supérieur. Un tel savoir s'acquiert par l'alchimie et la
magie, sciences condamnables et condamnées par la religion.

Écrit à la diable, sur un morceau de papier ou de tissu, le plus
souvent avec son propre sang, le contrat que signe Faust est éminemment paradoxal : si le diable se présente comme un serviteur
ou un valet, Faust devient, en fait, l'esclave du Démon. Dans *Le
Magicien prodigieux*[4], dès la seconde journée, Cyprien reconnaît :

Oui, je crois à ta science !
Oui, j'avoue que je suis ton esclave.
Que veux-tu que je fasse pour toi ?
Que demandes-tu ?

Le Démon de répondre :

Pour caution un billet
Signé de ton sang et de ta main.   (vv. 1958–1963[4])

Écartelé entre le désir de connaissance et Justine, la femme qu'il désire, Cyprien se soumet, s'aliène aux puissances maléfiques. Comme le dit encore le Méphistophélès de Goethe, « *Le sang* [...] *a une vertu toute spéciale* » (v. 1741[5]) et Faust connaît l'aliénation de son *ego* :

Je me voue au vertige, à la jouissance la plus douloureuse,
À la haine amoureuse, au dégoût réconfortant.   (vv. 1766–1767[5])

Et ce qui est départi à l'humanité entière,
Je veux en jouir dans mon moi intime,
Saisir en mon esprit les sommets et les abîmes,
Étreindre en mon cœur ses joies et ses douleurs,
Élargir ainsi mon moi jusqu'aux limites de son moi,
Et, comme elle-même, tomber, moi aussi, enfin au gouffre.
                                                     (vv. 1770–1775[5])

Revendiquant une philosophie de l'Action, Faust s'enferme dans son Moi, accepte euphorie comme dysphorie — dialectique typiquement faustienne que corrobore également la forme des œuvres consacrées à Faust, notamment le mélange des genres où alternent scènes comiques et tragiques —, choisit l'aliénation. Le Faust goethéen y gagne l'« éternelle » jeunesse : en effet, chez Goethe, le pacte se mue en philtre de jeunesse. Vaincre le temps, tout au moins s'y soustraire, sans doute est-ce là un des plus vieux rêves de l'humanité, immuablement d'actualité. Ce motif du rajeunissement permet, en outre, la séduction, les aventures amoureuses, comme c'est le cas pour le jeune amoureux de l'opéra de Gounod (*Faust*, 1859).

Très intéressante, également, est la reprise, symétriquement inversée, du motif de la jeunesse dans *Le Fantôme du Paradis* (*Phantom of the Paradise*, 1974), film de Brian de Palma : épigone de Gounod, de Palma, réalisateur et scénariste, transpose le motif d'un personnage l'autre car c'est Swan, jeune magnat milliardaire, producteur de disques et propriétaire de boîtes, qui contraint Winslow — artiste génial travaillant lui aussi dans un sombre studio sans fenêtre rappelant l'invariant du cabinet studieux — à signer un pacte démoniaque à la Faust. Swan-Méphisto vole à Winslow-Faust non seulement son œuvre, sa beauté, la jeune fille qu'il aime mais aussi sa jeunesse ! C'est le diable, obligeant Faust à achever sa cantate-rock qui fera l'ouverture de son nouveau music-hall, cocassement titré le « Paradise », qui, volant la jeunesse de son esclave-compositeur, jouit du rajeunissement et des amours !

Le mythe de Faust incarne bien une psychologie moderne, celle de l'homme prêt à tout pour conserver un corps juvénile et continuer à jouir de la vie.

Du rajeunissement au désir de vivre une nouvelle vie, il n'y a qu'un pas, que franchit encore Paul Valéry : si dans « "Mon Faust" » il est devenu difficile de sceller un pacte entre le Mal et Faust — le Faust valérien du XXe siècle ne croit plus vraiment au Démon... —, ce pacte se retourne ironiquement puisque, d'une part, c'est l'homme lui-même qui tente de faire signer le diable — ce que la clausule de *Maître Faust*, œuvre de Louis Calaferte publiée en l'an 2000, propose effectivement : son Faust se sauve en faisant signer Méphistophélès ! — et que, d'autre part, ce n'est nullement Faust qui est tenté mais son disciple ! Il faut bien que le diable, ne faisant plus peur, s'occupe un peu, réitérant ses « rôles » d'antan... on ne sait jamais... « Pauvre diable », dit encore ce Faust de Valéry qui, décidément, croule sous le poids de sa culture, connaît son Faust « par cœur ». Toutefois, Valéry renoue malgré tout avec le merveilleux de la tradition : c'est une fée qui, dans « Le Solitaire », propose une nouvelle vie, devenir un « roi », par exemple, mais aussi un « roi du temps » comme « des cœurs ». Il s'agit, toujours, d'un choix égotiste — « Moi »,

« Moi », « Moi », scande le personnage valérien —, lequel ne se démarque pas du texte scripturaire, c'est-à-dire des mythèmes de la tentation et de la recherche du plaisir.

Exprimant et conjurant tout à la fois les aspirations humaines, trop humaines... le mythe de Faust, par ce choix du Moi, révèle un désir de domination inhérent à l'humanité. Ce choix effectué, il ne reste plus au Démon — ou à ses avatars — qu'à remplir à son tour sa part du marché...

la découverte du monde

Cette contrepartie, promise par le Démon en échange de l'âme de Faust, consiste à répondre aux désirs multiples de l'homme. Pour appréhender le monde en sa totalité, encore faut-il le découvrir.

Faust voyage en compagnie de Méphistophélès qui, désormais, tel son ombre, ne le quitte plus. Certes, le voyage — notamment en Italie — était un pèlerinage obligatoire pour l'homme, l'humaniste de la Renaissance : il s'agissait de découvrir le monde et la culture antique, berceau de l'humanité. Dans la quête faustienne, le voyage de par le monde est un peu différent car, s'il a pour ambition de répondre à un désir de connaissance, le voyageur aspire à la fois à l'universalité et à l'amour. Cosmique, le voyage faustien atteste également la volonté de séjourner à la cour des Grands, d'être en renom, que ce soit chez Goethe où Faust paraît à la cour de l'Empereur ou encore chez Valéry où le personnage éponyme dîne même chez le « Ministre de l'Esprit » !

En toutes ces volontés, il y a bien en Faust — et en l'homme — un désir de puissance. Goethe reprend ces ambitions déjà explicites chez Marlowe : Méphistophélès fait découvrir le monde — voyages cosmiques — à Faust en parcourant le ciel sur des chevaux diaboliques ou un manteau magique. Ces voyages dans les airs ont d'ailleurs inspiré nombre d'artistes : ainsi des lithographies de Delacroix présentant un Méphistophélès ailé, aux pieds et doigts griffus, planant au-dessus des villes. Au XIXe siècle, Faust et ses aventures servent même d'illustration à divers almanachs ; c'est dire à quel point le mythe est populaire.

Ce voyage aux prétentions intellectuelles et expérimentales constitue toutefois un leurre : le Faust de Marlowe aspire à rentrer chez lui, le Méphisto de Goethe expose qu'il n'y a rien d'intéressant dans le monde, tandis que dans « Lust » l'homme préfère son « banc », ses livres plus riches que le monde.

Le dessein méphistophélique est surtout de tenter Faust, et l'instrument qu'emploie le Malin, lors de ces voyages, est naturellement la femme : dès le *Volksbuch*, Faust a un enfant d'Hélène ; au-delà, la femme incarne surtout la tentation sensuelle, d'où les scènes de sabbats propres à éloigner l'homme de Dieu — ou, ironiquement, à l'en rapprocher, il faudra y revenir.

Sans doute est-ce dans cet invariant de la découverte du monde que se situe l'hiatus du mythe : Faust escompte satisfaire son désir d'universalité, tandis que les souhaits du Tentateur sont tout autres. Il s'agit, pour ce dernier, de divertir sa proie — divertissement au sens pascalien du terme, c'est-à-dire de lutter contre l'ennui et le vide de l'homme, de le rendre heureux mais surtout de l'empêcher de penser —, de lui offrir maints spectacles pour le corrompre : ainsi, le pouvoir politique ou public, les plaisirs de la chair, et de la très chère... tous les plaisirs bien humains sont offerts. Entraîné dans une recherche effrénée de la jouissance, le diable d'homme se laisse séduire par les illusions démoniaques et oublie le contrat, le prix que Méphisto attend en retour... Il est déjà trop tard...

« *Je te donnerai ce que jamais homme n'a vu* », promet le Méphisto de Goethe (v. 1674⁵), mais à partir de Goethe le mythe évolue quelque peu : Faust reconnaît la vacuité du monde et des divertissements, il ne savoure plus les délices proposées pour elles-mêmes mais clame constamment son insatisfaction, sa propre médiocrité — ce qui est contraire à l'orgueil traditionnel —, laquelle peut le sauver.

Quoi qu'il en soit, le plus souvent, le Tentateur a pour dessein d'entraîner librement Faust hors du droit chemin : il s'agit bien de détourner *librement* la victime promise. Il faut qu'il y ait choix délibéré de l'homme pour que la dialectique faustienne s'engage et prenne tout son sens : là réside tout le problème que Méphisto et ses manœuvres — rhétoriques, magiques, psychologiques — doit résoudre, car comment *entraîner*, qui plus est, *librement* ? Sans liberté autonome, sans ce choix d'un destin (et non la prédestination divine ou la fatalité), le mythe n'aurait plus aucune raison d'être. Cette problématique du libre arbitre renvoie à l'ontologie, à la nécessité de l'homme devant gérer ses démons.

Le parcours initiatique arrivant à son terme, Méphistophélès ayant, avec plus ou moins de bonheur, rempli sa part du marché — certains Faust s'avouent très déçus par les illusions du Malin, le peu de « science » de ce dernier ; chez Goethe, par exemple, Faust ne se divertit guère avec les étudiants enivrés de la Taverne d'Auerbach —, la quête faustienne achoppe dès lors sur le repentir et la mort : il est temps de solder les comptes...

remords et mort

Peu de personnages suscitent, tel Faust, pareil intérêt pour leurs fins dernières, voire leur devenir *post mortem*. Récit d'un élan (*Streben* ou aspiration à l'infini), le projet faustien s'écroule : l'homme est écartelé entre élan et chute, dans une situation des plus inconfortables. La mort de Faust s'articule en deux temps posant non seulement la question des remords mais, surtout, celle du pardon accordé ou refusé.

Écho de l'*ego*, la repentance, à l'instar du pacte, dépend de l'homme lui-même, confronté qu'il est à deux attitudes. Il s'agit à nouveau d'un choix, *a posteriori*, entre la reconnaissance d'avoir joué la carte des illusions, de s'être fourvoyé dans une mauvaise voie ou, à rebours, de reconnaître, après tout, que l'aventure valait la peine d'être vécue. Plus que de Méphistophélès réclamant son dû, un destin inaliénable, scellé en vertu du pacte, ce choix — auto-évaluation d'une vie *a posteriori* — relève, en fait, pour une grande part, de l'homme lui-même.

Si la signature du pacte constitue effectivement un crime, la tentation charnelle, la luxure en constituent un autre. Tout se joue, certes, entre la perdition ou le salut mais la repentance est bien insuffisante. À son terme, la quête faustienne pose le problème du pardon — dans le cas des productions où Dieu existe, naturellement. On l'aura compris, l'ultime invariant du mythe, malgré la pénitence, dépend des auteurs : il y a des Faust pardonnés, d'autres non, d'autres encore qui ignorent Dieu comme le diable.

Le *"Faust"* de Marlowe, *morality play*, expose exemplairement la vanité de la quête et l'élan brisé : Faust est entraîné par les diables, à minuit, entre tonnerre et éclairs. Comme dans le *Volksbuch* initial, l'œuvre de Marlowe — « tragique » comme l'indique son titre — s'achève par une exhortation :

> Coupé, le fier rameau qui pouvait pousser droit ;
> Hélas ! il est brûlé, le laurier d'Apollon,
> Naguère florissant en ce docteur insigne !
> Faust est mort, méditez sur sa chute infernale.
> Que sa fin de démon puisse exhorter le sage
> À contempler de loin les choses défendues
>
> (sc. XVII, vv. 127–132 ; p. 119[6])

La scène finale, dans son angoisse émouvante, est une des plus belles pages de l'œuvre. À ce propos, il est tout à fait curieux que Marlowe, dont on sait peu de choses et qui, d'une certaine manière, a cultivé son propre mythe, ressemble fort à son personnage. Certains parallèles entre Faust et le dramaturge sont des plus troublants : comme pour le Faust historique, les noms et prénoms de Marlowe diffèrent ; comme Faust, le dramaturge a fait des études à l'université et, tel Faust encore, l'étudiant était dévoré par une ambition démesurée, convaincu de pouvoir s'élever, grâce à la science, dans les hautes sphères de la société de son époque. Plus troublant encore : Marlowe a voulu appréhender l'ensemble des connaissances humaines, il a lu les livres cabalistiques et s'est adonné à la magie. Comme Faust, il s'est abandonné à tous les plaisirs proscrits, notamment l'homosexualité et la pédérastie. Accusé d'athéisme, mis sous les verrous

— il aurait épelé *God* (Dieu) à l'envers pour forger *Dog* (chien), cette pratique de l'inversion ou de la récitation à rebours étant un trait typique de la démonologie —, Marlowe ressemble fort à son personnage : s'il a été le premier à composer un *"Faust"* littéraire, il est plaisant de penser que le dramaturge a dû, plus d'une fois, se reconnaître dans les *récits populaires.*

Quoi qu'il en soit de ces biographèmes, la pièce demeure étroitement liée à la tradition des Moralités et des Mystères : l'ordre a été bouleversé, il appelle donc à une restauration, que sanctionne la chute du personnage. Cet échec de la quête, par ailleurs, appert dans un retour à la situation initiale, c'est-à-dire au lieu clos qui constituait l'invariant liminaire du mythe : Faust, en fin de parcours, est à nouveau cloîtré chez lui, attendant sa fin.

En revanche, si le finale est tout autre dans *Le Magicien prodigieux*, c'est que la quête de Cyprien est double : chrétien, Cyprien tombe amoureux de Justine, elle-même chrétienne, il ne se livre au diable que pour conquérir la femme qu'il aime mais, comme la magie s'avère impuissante, le jeune homme, clamant sa foi, meurt avec Justine, tel un martyr. Foi et amour ont vaincu le Démon. Dès la première journée du drame, Cyprien déclarait :

> Je pense qu'il existe un Dieu,
> bonté suprême, suprême grâce. (vv. 285-6[4])

Ce Dieu, si justement défini, sauve l'homme du Démon, et les amants, réunis pour toujours, vont vivre une joie éternelle grâce au martyre. *Auto sacramental*, c'est-à-dire pièce religieuse — commandée pour les célébrations du Corpus Christi (Fête-Dieu) de 1637 — devant illustrer à partir d'un récit symbolique les vérités du catholicisme, *Le Magicien prodigieux* doit représenter l'homme : Cyprien illustre donc la condition humaine, l'homme commun, faible et grand tout à la fois, mais qui peut se racheter, acquérant quasiment le statut d'un Saint intercesseur, ce qu'attestent ses serviteurs, Clarín et Moscón :

> Et moi j'en conclus seulement
> Que s'il était magicien

Il a été le magicien des Cieux.
Eh bien, sans plus nous demander
Si notre amour s'est vu bien ou mal partagé
Au *Magicien prodigieux*
Demandez pardon de nos fautes.   (vv. 3137–3143[4])

Il est évident que tout mythe, toute (ré-)écriture d'un mythe dépend de son contexte de production, qu'il soit historique, idéologique, métaphysique, religieux, etc., ce que corrobore pleinement l'œuvre caldéronienne : la contrition permet le salut, tout dépend de l'homme, il suffit qu'il renonce à ses aliénations.

Enfer béant, gouffre de feu, abîme... pour les Faust perdus (les référents bibliques les plus fréquemment convoqués sont soit le Jugement dernier, soit les Trompettes de Jéricho) ; élévation, montée dans le ciel pour les Faust sauvés tandis que Méphistophélès et les diables disparaissent sous terre, les fins dernières de Faust sont spectaculaires : le public doit être impressionné, conforté dans ses convictions en ce qui concerne les œuvres relevant de la Moralité.

Le finale des Faust égarés peut, à ce propos, évoquer un autre mythe où le personnage suscite un intérêt bien au-delà de sa mort : les procédés spectaculaires (tonnerre, éclairs, terre qui s'ouvre, etc.) font songer au mythe de Don Juan — mythe né en Espagne et que Calderón, lui-même Espagnol, ne saurait ignorer. Goethe lui-même recourt à un finale des plus impressionnants. Chez lui, toutefois, les deux possibilités de fin coexistent. La *Première partie* (inachevée puisque manque le dernier invariant) semble présenter la damnation de Faust : l'homme est séparé de Marguerite, qui est « sauvée » d'après les « voix *(d'en haut)* », tandis que Méphistophélès « *disparaît avec Faust* » (didascalies, vv. 4612-4613[5]). Tout semble accréditer la damnation de l'homme, ce qu'ont d'ailleurs compris nombre de lecteurs n'ayant lu, au XIXe siècle, que cette *Première partie*. C'est cette *Première partie* ou *Premier Faust* qui est la plus connue du public : c'est ainsi que Berlioz fait jouer sa *Damnation de Faust* en 1846 tant à Paris, à Saint-Pétersbourg qu'à Berlin. L'opéra, inspiré de la traduction de Goethe par Gérard de Nerval, montre Faust se jetant

31

dans le gouffre et les diables consacrant la victoire de Méphistophélès. Dans le *Second Faust*, cependant, Goethe sauve son personnage : Faust croit en l'homme, a tenu tête au Démon et obtient la Rédemption. C'est Méphistophélès, ayant promis à Dieu qu'il avilirait Faust, qui perd son pari... Sans doute verra-t-on là un double pacte ou double enjeu : si Faust a signé un pacte avec le Démon, ce dernier aurait « parié » avec Dieu qu'il obtiendrait l'âme de Faust. Ce finale du *Second Faust*, renouant avec les derniers tableaux spectaculaires de la tradition, recourt, littéralement, à un véritable *Deus ex machina* : si, chez Calderón — que Goethe a lu —, Cyprien est devenu un Saint intercesseur, chez Goethe, la Vierge Marie, miséricordieuse, intercède pour Faust. L'homme est accueilli au Ciel par Marguerite — de même, dans le *Faust* de Murnau, Faust a rejoint Marguerite et l'Amour les sauve —, dans un Ciel qui s'ouvre, faisant pleuvoir des roses tandis que le chœur des anges entonne :

> Du Démon il est préservé,
> cet élément de la sphère divine.
> « Qui toujours à lutter s'obstine,
> il peut par nous être sauvé. »
>
> (p. 492[7])

Fidèle à son propre mysticisme, Goethe sauve l'homme par le truchement de la femme, laquelle participe pleinement à la Rédemption. L'âme de Faust est alors arrachée à Méphistophélès par les anges. Croyant en l'homme et ayant toujours clamé son insatisfaction, Faust est sauvé, entre autres, par *l'éternel féminin*, que ce soit Marguerite ou la Vierge. L'axiome goethéen : « *Et l'Éternel Féminin / toujours plus haut nous attire* » (p. 497[7]) prend ici tout son sens.

Cet *éternel féminin*, sans doute en trouve-t-on un écho chez Paul Valéry : en effet, ce sont les fées qui, dans « Le Solitaire », entourent le personnage. Toutefois, au XXᵉ siècle, il est devenu difficile d'envisager la quête du savoir comme un péché capital opposant, dans une dichotomie précédemment manichéenne, la Science à Dieu. Les fées, dans « Le Solitaire » par exemple, appartiennent au merveilleux, renouent, certes, avec la magie du mythe, mais non avec la religion. Le Faust valérien, en fait, échappe à la problématique traditionnelle de son devenir *post mortem* : Valéry supprime cet aspect ; le monde qu'il présente a évacué Dieu ou, tout au moins, il n'en est jamais question. Au XXe siècle, il est clair que Dieu ne fait plus vraiment recette... et que le Diable, concomitamment, n'est plus guère effrayant. Se comprend, dès lors, que plus la religion recule, plus le mythe de Faust incarne l'homme en général, croyant ou non.

III. Faust : miroir de la condition humaine.

Faust, tout accaparé par la satisfaction de ses besoins comme de son ambition, cet orgueilleux fasciné par le pouvoir, la science comme le plaisir, nous tend un bien étrange miroir : des convoitises faustiennes à nos convoitises personnelles, il n'y a guère loin. Du drame mythique au drame de l'humanité entière, la quête faustienne, et ce depuis des siècles, est emblématique de nos acharnements à vouloir maîtriser le monde, vaincre le temps comme l'espace, voire vaincre la mort elle-même, accéder, aussi, à la richesse, par exemple, à la puissance ou la beauté encore... Nul doute que le mythe fédère nombre de nos aspirations, nombre de nos démons surtout.

l'esprit et la chair

En Faust, se cristallise l'union des contraires : Faust est un être de tensions à l'image de notre propre écartèlement. Désir de connaissance, révolte, volonté de création, amours appartiennent à l'ontologie et animent l'humanité depuis la nuit des temps.

soif du savoir, révolte et création
Inféodé à la notion de péché, le premier mythe de Faust repose sur la tentation et la transgression : deux lectures coexistent, dans un syncrétisme absolu. La soif du savoir et son acquisition relèvent d'un art de la magie, de la sorcellerie — lectures et

pratiques païennes condamnées — ainsi que du péché originel — lecture et contexte chrétiens. C'est à la Genèse que l'on songe :

> Tu pourras manger de tous les arbres du jardin ; mais tu ne mangeras pas de l'arbre de la connaissance du bien et du mal, car le jour où tu en mangeras, tu mourras. (Gn II, 16-17)

Faust transgresse la Loi comme Adam — « Adam, le premier Faust », selon Boito, le compositeur de *Mefistofele* (1868) — qui décida de prendre le fruit défendu, écho qui figure, ironiquement, dans l'œuvre de Valéry puisque Faust se promène dans un jardin au centre duquel croît un pêcher/péché !

Faust serait donc puni pour avoir trop voulu... Sont convoqués, dès lors, de multiples référents, emblématiques du désir de connaissance : la Tour de Babel par exemple (registre judéo-chrétien) ou, davantage prolixe dans le Romantisme, le mythe de Prométhée (registre païen).

Faust emprunte maints traits au géant dont Zeus redoutait toujours la puissance : ayant dérobé sur le char du Soleil une étincelle qu'il offrit aux hommes, Prométhée incarne la volonté d'intellectualité, l'homme désirant la connaissance. Du mythe prométhéen, Faust hérite non seulement d'une ambition titanesque, mais aussi d'une propension à la révolte.

Il n'est pas indifférent que les artistes qui ont médité sur Faust se soient aussi intéressés à Prométhée : Calderón a écrit *La Statue de Prométhée* où il dénonce le caractère fallacieux de la science ; Goethe, outre son *Prométhée*, a rédigé des poèmes titaniques et les Faust du *Sturm und Drang* sont animés d'élans hors du commun : *prométhéen* rime avec *faustien*... Le lien entre les figures, naturellement, est constitué de cet élan et de cette volonté d'Action : rebelle puni par Zeus puisqu'il a défié les dieux en volant le feu, Prométhée prête ses traits à Faust dans ses aspirations à la rébellion et son châtiment final. Au siècle des Lumières, où la raison et le rationalisme l'emportent, Prométhée incarne la révolte : révolte des artistes ou des philosophes contre les théologiens, entre autres. Ce Prométhée-là, dans sa foi en le progrès, ressemble éminemment à Faust dans sa philosophie et son goût du dépassement de soi. Lorsque Lessing (vers 1755) songe à rédiger un *"Faust"*, il veut démontrer qu'à son époque l'aspiration au savoir n'est plus condamnable. Faust est devenu l'emblème d'un grand rêve : la confiance en le progrès. Incarnation dès lors positive, Faust sort grandi par sa révolte, son action : il représente le génie, la création. Dans la lignée de Lessing, Goethe, sûr de son art et de sa réputation de « sage », écrit alors :

En songeant aux moyens d'assurer mon indépendance, le talent fécond que je possédais m'en parut la garantie la plus certaine. Depuis quelques années, il ne m'abandonnait pas un seul instant... Réfléchissant sur ce don naturel, qui m'appartenait en propre, et que rien du dehors ne pouvait ni favoriser ni contrarier je me plaisais à fonder sur lui toute mon existence. Cette idée se changea en une image ; une vieille figure mythologique me frappa, celle de Prométhée, qui, séparé des dieux, peuple tout un monde du fond de son atelier. Je sentais qu'on ne peut produire rien de remarquable qu'en s'isolant. Mes ouvrages qui avaient obtenu tant de succès étaient des enfants de la solitude.[8]

Apparaissent, déjà, tous les caractères de l'homme faustien, ce Prométhée romantique : goût de la solitude, figure héroïque, être d'exception au-dessus du commun des mortels, culte et valorisation de la souffrance, génie créateur... mais aussi orgueil... Entre Lumières et Romantisme, Faust incarne une figure idéale, plus que jamais il représente l'homme, un homme magnifié jusqu'à l'existence titanesque : grand et libre.

Si l'acte faustien n'est pas toujours réalisable, il peut cependant être rêvé, et sous diverses formes. Les comparaisons entre le poète et le voleur de feu se multiplient : Faust/Prométhée incarne le génie créateur. Le rêve nervalien illustre pleinement cet aspect : le traducteur de Goethe, dans *Aurélia*, rêve d'un « art élevé » — réalisation alchimique — et des ouvriers forgeant un animal qui semble vivre, déclarent : « *C'est que nous avons, ici,* [...] *le feu primitif qui anima les premiers êtres...* »[9]. Alchimie, démiurgie, magie deviennent des allégories de la création... L'œuvre d'art sort d'un creuset faustien, l'artiste lui-même se rêve Faust, et ce, par-delà le Romantisme : dans *Le Docteur*

Faustus (1943-1947), Thomas Mann fait d'Adrian Leverkühn un musicien, son fils, Klaus Mann, quelques années plus tôt (*Mephisto*, 1936) faisait de Hendrik Höffgen un comédien, tandis que dans *Le Maître et Marguerite* Boulgakov fait de son Faust un écrivain... Il n'est pas jusqu'à Calaferte, dans *Maître Faust* (2000), qui n'attribue toujours à son personnage éponyme les fonctions d'un savant écrivain. Bien au-delà du Romantisme, les artistes appréhendent encore leur art selon une conception romantique : leur mission d'écriture, d'écrivain ou de cinéaste, est une entreprise faustienne. Faust est bien le maître de la création, l'emblème fascinant du démiurge. L'artiste voit en Faust ou Méphistophélès l'image du Créateur. Le cas de G. Méliès est tout à fait exemplaire : dans six films (de 1897 à 1909[10]), le metteur en scène joue lui-même le rôle de Méphistophélès ! Si Méphistophélès est le magicien maître en illusions, le cinéaste, maniant à son tour les images, crée lui-même l'illusion enchanteresse...

désir d'égaler Dieu

Quand *savoir* rime avec *pouvoir*, le désir de création peut aussi se doubler d'une menace : la quête effrénée du savoir suscite la démesure. Le rêve d'un Faust triomphant peut n'être qu'une chimère — ce qu'entrevoyait déjà Lessing : les fragments qui nous restent de son *Faust* (« Scénario de Berlin », publié en 1786) énoncent le danger. En effet, son personnage est plongé dans le sommeil par son ange gardien et le Démon n'a donc prise que sur une illusion. Se réveillant, Faust rend alors grâce à la Providence, heureux que ses aventures n'aient été qu'un mauvais rêve. La soif de connaissance, transposée dans un monde onirique, revêt bien le caractère d'une mise en garde.

L'homme faustien, à trop oser, et le mythe est là pour nous le rappeler, peut connaître la chute. Trop confiant en sa valeur et ses possibilités, l'homme peut engendrer des monstres...

Ainsi, à reprendre le motif du rajeunissement, l'on dérive facilement vers le désir d'immortalité. Immortel, l'homme ne serait plus homme : il serait un dieu. Entrent en corrélation, à nouveau, la mythologie prométhéenne et faustienne : selon les chrétiens,

Prométhée est assimilé à un dangereux rival de Dieu : le Titan, qui obtint l'immortalité, aurait créé le premier homme... L'on songe au mythe primitif où Faust prétendait réitérer les miracles divins. Prométhée et Faust, ainsi, s'apparentent à Lucifer, le singe de Dieu, celui qui rivalise avec le Créateur. La révolte, le péché d'orgueil — chez Marlowe, l'Orgueil est la première allégorie qui mène le défilé des péchés capitaux — sont d'ailleurs l'apanage même de Lucifer : le plus beau des anges, porteur de la Lumière divine (*Lux-fero*), se prit pour la source même de cette Lumière, ce pour quoi il fut précipité dans l'abîme. Comme Lucifer, Faust rivalise avec Dieu et connaît parfois une fin similaire. À vouloir devenir un dieu, l'homme ne peut, tout au plus, que devenir un suppôt de Satan ou demeurer un simple mortel : chez Marlowe déjà, Faust pensait égaler Dieu mais, abusé par Méphisto et sa magie, il n'accédait pas à un tel statut. Pire encore, le diable de Marlowe souffre lui-même de ne pas être Dieu et doit rappeler à celui qui vient de lui léguer son âme sa sombre destinée :

> Mais mon exemple est là pour te montrer ton erreur ;
> Faust, je suis damné ; Faust, je suis en enfer,   (sc. VI, ll. 140-141[6])

déclare-t-il à celui qui aspire à devenir un « *esprit en forme ainsi qu'en substance* » (sc. VI, l. 96-97, p. 45[6]). Bien souvent, le Démon n'est qu'un double de Faust : comme Faust — que ce soit chez Marlowe ou Calderón, entre autres —, Lucifer a lui-même des limites et, comme Faust encore, le Démon confesse fréquemment être lui-même frustré dans ses ambitions.

Se comprend, dès lors, pourquoi le Romantisme exacerbe particulièrement cet aspect du mythe, l'Ange déchu étant par excellence le héros romantique. Hautain, mystérieux et impénétrable, aimant la solitude, tourmenté et mélancolique, arborant un sourire satanique sur un visage au regard sombre, le personnage romantique ne peut occulter le référent faustien. Cette figure du Romantisme européen doit beaucoup à Byron — Goethe lui-même admirait *Manfred* dont le héros éponyme, fatal, entraîne le malheur dans son sillage —, le poète maudit à la réputation satanique, dont les personnages, d'ailleurs, s'opposent parfois à Dieu : Lara, le Giaour (dans les *Contes orientaux*) ne se réconcilient pas avec Dieu, ce sont des rebelles indomptables et fiers dont les modèles s'élaboraient déjà dans *Le Paradis perdu* (*Paradise Lost*, 1667) de Milton. De cet orgueil sans bornes, par le truchement de Milton et de Byron, le roman de Mary Shelley, *Frankenstein*[11], exacerbe à son paroxysme le désir d'égaler Dieu[12]. Contemporain, à quelques années près, du *Faust* de Goethe, ce récit diffracte maints mythèmes faustiens : Victor Frankenstein étudie à Ingolstadt — la ville d'où fut expulsé le Faust historique en 1528 —, en outre, l'étudiant se fascine pour les alchimistes, Cornelius Agrippa, Albert le Grand et Paracelse. La culture de Victor s'assimile donc à celle de Faust (« *Mes auteurs favoris me promettaient l'évocation des esprits et des démons* » (p. 42[11]), déclare Victor dès l'âge de quinze ans) et la créature qu'il assemble n'est qu'un avatar, par exemple, de l'homuncule forgé par Wagner chez Goethe. Paracelse, à ce titre, croyait lui-même en la tradition antique et hermétiste de la création des *homunculi*. Comme Wagner, le domestique de Faust, Victor travaille dans un « laboratoire » (cf. « Le Laboratoire » du *Second Faust*) et crée un *homunculus* démoniaque similaire, par ce caractère tout au moins, à celui de Goethe qui se dit le « cousin du démon » et entraîne Faust dans la « Nuit de Walpurgis ». À partir de différents corps, Victor donne vie à une chose, « *The Thing* », qu'il voudrait voir comme un être humain : à l'instar de Faust — ou du diable —, Victor s'assimile au Créateur, *he mocks* (il singe, parodie) l'œuvre de Dieu. Pire encore, « *The Thing* », évoquant sa solitude tel Adam, souhaite avoir une compagne... Si Victor détruit celle-ci avant qu'elle ne soit achevée, de peur que les monstres prolifèrent, le savant singe encore le Dieu de la Genèse, celui qui créa Adam et Ève ! La créature, toutefois, s'estime elle-même démoniaque, et son dieu, Victor — qualifié de « Créateur maudit ! » —, n'a en fait que forgé un monstre : l'orgueilleux, voulant égaler Dieu, laisse une œuvre inachevée car il manque à la Chose *the spark of live*,

« l'étincelle de la vie », expression évoquant certes l'électricité qui servit à animer le monstre mais rappelant, également, le feu que Prométhée vola aux dieux pour le donner aux hommes — le sous-titre du roman de Mrs. Shelley est explicite : *The modern Prometheus*. Parodiant le Créateur du monde, Victor s'isole de l'humanité, recherche la « solitude », une « retraite » pour « fuir la société » — attitude solipsiste éminemment faustienne — et, comme chez Faust encore, les motifs prométhéens sont inversés : Prométhée est habituellement considéré comme un bienfaiteur de l'humanité — ce que Victor croit être —; or, inséré dans le mythe de Faust, le référent prométhéen témoigne d'un dangereux désir. Mrs. Shelley étoile, dès lors, son récit de mythèmes issus, à notre sens, de Goethe : le Sage de Weimar avait publié en 1808 la *Première Partie* de sa tragédie, fragment qui contenait déjà le drame de Marguerite, et dans *Frankenstein*, rédigé en 1817, Justine — on notera le prénom sadien la vouant aux malheurs — est accusée d'avoir tué un enfant à cause d'une manœuvre élaborée par l'espèce d'*homunculus* fabriqué par Victor. Justine est donc, à l'instar de la Marguerite de Goethe, mise au cachot pour infanticide... En outre, il n'est pas fortuit que la sœur de Walton, l'ami à qui Victor se confie, se prénomme, précisément, Marguerite et que le monstre, ayant appris à lire, s'absorbe non seulement dans la lecture du *Paradis perdu* mais aussi dans celle des *Souffrances de Werther* [*sic*]...

Nul doute que *Frankenstein* n'opère une variation sur le mythe de Faust : on y retrouve le désir de redonner vie aux morts, l'immortalité — « *The Thing* » est fabriqué avec différents cadavres —, la problématique de l'*homunculus* et, surtout, l'orgueil d'un savant voulant égaler Dieu à l'instar du diable (Victor se dit lui-même « *semblable à l'Archange qui voulait la toute-puissance* » (p. 239[11]) et n'a eu que l'Enfer...). Comme Faust, il vit une tragédie, est « maudit », « damné ». Nous sommes proches des histoires de Golem ou de nos clones actuels... De la magie faustienne à la science moderne, du savant docteur aux médecins, biologistes ou habiles techniciens contemporains, le parallèle est aisé à établir : d'un point de vue psychologique, l'homme faustien croit en sa puissance et croit cette puissance illimitée. La chute n'en est que plus rude : si le monstre de Frankenstein tue, le mythe nous rappelle qu'imiter Dieu ou trop attendre de la science n'est pas sans danger — à Londres, en 1803, les expériences de réanimation effectuées par Giovanni Aldini déchaînèrent la presse et l'on crut la science moderne sans limites, capable de redonner vie aux morts (tels sont bien les desseins, romancés, de Victor voulant « *renouveler la vie lorsque la mort [a] livré le corps à la corruption* » (p. 56[11])). Une telle problématique est encore développée chez Boulgakov, notamment dans ses nouvelles qui présentent de nombreux savants travaillant au progrès de l'humanité mais qui, rapidement, se trouvent dépassés par leurs inventions et suscitent des catastrophes. À ce propos, si Boulgakov a écrit son *"Faust"*, il n'est pas fortuit que « Cœur de chien », nouvelle traitant de la réalité politique sous la direction stalinienne mais, surtout, de la folie humaine, est précisément une adaptation libre de *Frankenstein*. L'œuvre de Boulgakov manie des thèmes qui sont restés d'une actualité brûlante : la transplantation d'organes et les expériences sur l'être humain.

Faust cristallise certes nos aspirations, mais le mythe nous rappelle constamment qu'il y a des limites : l'homme moderne ne doit pas, précisément, oublier son caractère d'homme.

Maîtriser le pouvoir pour rendre le monde plus humain, telle est l'ambition de l'*homo technologicus* dont le mythe de Faust, à l'ère des machines, se plaît à saper les espérances en dénonçant le paradoxe. Si Faust a été l'emblème de l'action et du progrès, d'aucuns rappellent à l'homme son humaine condition. Roman sans doute le plus moderne du xixᵉ siècle, *L'Ève future* de Villiers de L'Isle-Adam, paru en feuilleton dès 1880 dans *Le Gaulois* puis édité en 1886, est exemplaire : un savant ingénieur, voulant consoler un ami, lui offre une femme-machine, idéale, pour le rendre heureux. Si l'homme doute dans un premier temps, il s'éprend ensuite du cadeau au point que, l'Andréide sombrant lors d'une traversée en mer, le jeune homme se suicide. Sans doute retrouve-t-on là l'aliénation faustienne et, en tout état de cause, l'échec de l'entreprise : comme dans de nombreux

"Faust", la quête se boucle par un retour à la situation initiale. Lord Ewald voulait se donner la mort tant il était déçu par Miss Alicia Clary, femme très belle mais trop commune, voire sotte et écervelée. Comme Faust, le lord rêve d'idéal, d'une femme aussi belle qu'intelligente : il la voudrait parfaite. Son souhait est exaucé par Edison, un brillant ingénieur qui lui propose de réaliser ses rêves et de lui redonner, ainsi, goût à la vie. Victime de l'« illusion » comme Faust l'était des illusions de Méphisto, le jeune lord tombe amoureux de l'Andréide tel Pygmalion de sa statue : celle-ci disparaissant, il revient à ses premières pensées et l'on suppose qu'il se suicide : le parcours a été vain et Villiers de L'Isle-Adam, par cet échec final, exhibe l'échec du scientisme.

En effet, Edison crée un être parfait comme Victor Frankenstein voulait créer un homme fort, grand et intelligent. Dans les deux œuvres, l'intention liminaire est humaniste, altruiste : rendre les hommes plus heureux ; or, à trop vouloir, le rêve se retourne en son contraire, dénonçant l'*ego*. Dans sa Préface, Mary Shelley voulait « *décrire des passions humaines plus étendues et plus impérieuses que ne le comport[aient] ordinairement les récits d'événements réels* » (p. 7[11]), Villiers, quant à lui, qui a toujours voulu créer un *"Faust"* français et égaler Goethe[13], empile les épigraphes : il cite *L'Enfer* de Dante, le *Faust* et le *Second Faust* de Goethe, *Le Paradis perdu*, etc. La référence se fait déférence et il place explicitement son roman, dès l'Avis au Lecteur, sous la figure emblématique du « docteur Johannes Faust » tout en déclarant « interprét[er] une légende moderne », ce qui n'est pas sans rappeler le sous-titre même de *Frankenstein* : *The Modern Prometheus*. Symboliquement, Edison représente l'*ego* : s'il a des mots « *titaniens* » (p. 95[14]), l'ingénieur affirme que « *tout homme a nom Prométhée sans le savoir* » (p. 99) et, comme Victor, il croit avoir trouvé « *cette étincelle, léguée par Prométhée* » (p. 189). *"Faust"* moderne, *L'Ève future* multiplie les références à l'industrie — révélée notamment par l'Exposition de 1878 —, accréditant que le mythe est d'une grande actualité : dans un monde de machines, il ne perd rien de son acuité. Le roman suit d'ailleurs les invariants mythiques : Edison travaille dans un « laboratoire » souterrain, il est à la fois Méphisto et Faust ; Ewald constitue un autre Faust qui remonte de sous terre « *avec son génial compagnon, chez les vivants* » (p. 245[14]). L'on songe au *Volksbuch* où Faust, accompagné de son Démon, descendait en Enfer. De même, comme dans le *"Faust"* primitif, mais par le biais de la technologie, Edison fait apparaître un « *souper de féerie* » (p.249), et le second livre du roman s'intitule, précisément, « *Le Pacte* » (p.199). L'inventeur propose à son ami de lui offrir une femme-machine, belle, animée de sentiments, capable de parler et de jouer toute la palette des émotions humaines... Hésitant un temps, comme Faust face au Démon, convaincu d'être insensé et « *sacrilège* » (p.283), le jeune lord, tiraillé entre sa bonne et sa mauvaise conscience, finit pas se résoudre à s'enfermer avec sa « *ténébreuse idole* » (p.301). Si Ewald croit être chez Paracelse, Raymond de Lulle... au Moyen Âge et qu'il compare le travail de l'ingénieur au « *Grand Œuvre* » (p.277) des alchimistes, la science a cependant remplacé la magie faustienne : le génial ingénieur, maître des illusions, n'est qu'un Méphisto moderne, un scientifique usant de moyens modernes dont les appellatifs renouent avec le mythe primitif et sa magie. Edison est le « sorcier de Menlo Park », un « enchanteur », un « magicien » ou encore un *deus ex machina*... Dans les machines qu'il crée, le jeune lord pense que se trouve enfermée « *quelque hottée de démons* » (p.139) — machines-oiseaux qui, ironiquement, peuvent chanter tout le *Faust* de Berlioz, tandis qu'au théâtre de New York est donné le *Faust* de Charles Gounod.

Si Victor Frankenstein voulait créer un être humain résistant aux maladies, Edison, quant à lui, élabore une femme-machine dont il a éradiqué toutes les imperfections humaines : son « Ève » se veut plus parfaite qu'Ève... L'Andréide est « *non plus une femme, mais un ange : non plus une maîtresse, mais une amante ; non plus la Réalité, mais l'IDÉAL* » (p.76[11]).

Orgueilleux, Edison veut surpasser le Créateur ! Son chef-d'œuvre renoue avec les ambitions faustiennes : l'Andréide est mieux qu'une femme de chair — la chair vieillit —, elle est le fruit d'un ingénieur convaincu que sa science surpasse la fade humanité. Ewald-Faust sait qu'il tente Dieu (p.95[11]), sait qu'il brave Dieu (p.115) et que son mentor, qui considère que les femmes ne sont bonnes qu'à offrir des « *pommes* » (p.164), ne croit plus aux mythes de la Genèse mais en la toute-puissance de la science. Fruit de la « *GÉNÉRATION ARTIFICIELLE* » (p.146), Hadaly, l'Andréide, demeure toutefois « *CE QUE NOUS SOMMES À DIEU* » (p.93). Villiers, en mettant en relief certaines expressions, oppose de manière notable la science à l'œuvre divine et Edison parle de « *transsubstantiation* » (p.76), terme certes scientifique mais renvoyant aussi au mystère central de la religion chrétienne... D'un *ego* démesuré, l'ingénieur est le Créateur de l'Être ! Lord Ewald succombe à cette nouvelle Ève (forgée sous terre, donc issue des abîmes) comme Faust aux illusions de Méphisto. Si le navire transportant Hadaly prend feu, détruisant l'Idéale créature, le dernier chapitre du roman est exemplairement placé sous le signe de la Genèse citée en épigraphe. Comme Faust, Ewald n'a été qu'une victime : la belle Hadaly n'était qu'un leurre propre à susciter les fantasmes et les désirs, à l'instar des apparitions ou fantômes que Méphisto donnait en pâture à Faust pour le distraire. Si nous ne sommes plus au Moyen Âge et au temps des tours de magie, l'échec final de *L'Ève future* est édifiant : la magie primitive a été remplacée par la science et Villiers dénonce l'*ego* de l'homme trop confiant en la technique. Échec du scientisme qui se retourne, *L'Ève future* prouve que, même à une époque où la technique domine le monde et où le diable n'a plus guère sa place, Faust demeure une image de l'homme obnubilé, comme au Moyen Âge, par ses démons, ses rêves de grandeur et d'amour.

Le suicide de lord Ewald, pour une machine, peut paraître curieux mais c'est que, comme Faust, le jeune homme connaît l'aliénation : la trame faustienne de *L'Ève future* opère une satire des prétentions parfois ridicules de la science ; Faust est devenu le symbole, ironique mais surtout anxieux, des possibilités ouvertes désormais à la technologie. L'échec d'Edison, responsable de la tragédie de son ami, rappelle qu'il y a des limites.

Ewald, qui s'est repu d'illusions, se tue lorsqu'il est replongé dans la réalité : confrontés au Réel, les rêves faustiens ne peuvent que s'écrouler.

Éros faustien

Que la créature de Frankenstein réclame une compagne, que lord Ewald s'éprenne d'une femme-machine..., bien avant ces variations libres sur une trame faustienne, où le diable n'apparaît guère que dans le lexique, le mythe, dès ses origines, octroyait déjà une place tout à fait privilégiée à la femme. Une authentique érotologie faustienne s'est élaborée au cours des siècles — érotologie sensuelle, parfois débridée et dominée par un désir inextinguible de possession charnelle.

La tentation charnelle est le truchement privilégié dont use le Démon pour éloigner l'homme de Dieu. Cette manœuvre diabolique trouve sans doute une de ses plus belles représentations dans les Écritures, à savoir l'extraordinaire dialogue entre Ève et le serpent dans la Genèse. Rusés, le serpent comme Méphisto tentent de *séduire* l'homme au sens premier du terme : il s'agit de l'éloigner du droit chemin (*seducere*).

Pendant des siècles, Faust demeure animé par un élan de sensualité : « *Il me faut une épouse, la plus belle vierge d'Allemagne, car je me sens folâtre et lascif* [...] » (sc. VI, ll. 144–146[6]), ordonne le Faust de Marlowe sitôt le pacte signé — c'est son tout premier souhait. Même désir chez Calderón où Cyprien songe à violer Justine dans un bois et clame :

> [...] pour jouir de cette femme,
> je donnerais mon âme. (vv. 1198-1199[4])

Chez Goethe, encore, Faust exige que Méphisto lui livre Marguerite :

> Écoute, il faut que tu me procures cette fille ! (v. 2619[5])

Il ne s'agit pas de différer, mais de consommer... *hic et nunc*... et le dessein méphistophélique est clair : mettre Éros à la place de Dieu.

Fréquemment, d'ailleurs, cette sensualité — cette sexualité, plutôt — se trouve exacerbée par les doubles de Faust, le *gracioso* ou le valet : Ralph, Robin, Wagner, doublets le plus souvent comiques et caricaturaux, chez Marlowe, n'aspirent qu'aux plaisirs terrestres ; ils aiment faire bombance, aiment le vin et souhaitent voir les filles du village danser nues pour eux. Cette jouissance, chez Calderón, se voit dupliquée par le *gracioso* et notamment la servante Livie qui, sur un mode comique, désire plusieurs hommes, établissant déjà un planning pour accorder ses charmes selon les jours pairs ou impairs... La femme, son sexe, revêt bien une fonction de dissipation et d'aliénation par les plaisirs terrestres : l'ici et maintenant s'opposent à la transcendance et l'au-delà. Méphisto abreuve Faust d'illusions sensuelles, l'entraîne dans une frénésie de jouissances faisant de la femme — comme dans la Genèse — l'agent même de la perdition.

Le tourbillon dans lequel le Démon goethéen emporte sa victime pour vaincre Dieu et obtenir l'âme de Faust relève même des bacchanales, voire du priapisme. Faust danse avec une jeune sorcière nue, les danseurs de la « Nuit de Walpurgis » sont des plus grivois et le dialogue entre Méphisto et la vieille sorcière, lors du sabbat, relève de l'obscénité.

L'intention de Lucifer est de changer l'homme en animal, en bête brute afin qu'il oublie l'au-delà : le Démon est le maître des instincts, de la sexualité ; nul doute qu'il incarne la part maudite ou tout au moins refoulée qui sommeille en l'homme. La femme, conformément à une misogynie traditionnelle — d'origine chrétienne d'ailleurs — est l'instrument d'une idylle mortifère, en tout état de cause l'agent de la chute. Boulgakov, qui a assisté maintes fois à l'opéra de Gounod à Kiev, transfère exemplairement les caractères faustiens sur le personnage féminin lui-même : c'est Marguerite, voulant retrouver son amant, qui participe à un bal nocturne et sabbatique au bord d'un fleuve où dansent des sorcières nues. Écho de *Walpurgisnacht*, mais de manière symétriquement inversée, la femme, chez Boulgakov, tient le rôle de Faust : c'est elle qui se rend au sabbat, qui devient sorcière, et elle encore qui, par ses tractations avec le

Démon, obtient le rajeunissement. *Le Maître et Marguerite* reprend à son compte le mythème du philtre de jeunesse que Goethe avait forgé — celui-ci permettant justement les aventures érotiques.

Taraudé par le désir, Faust côtoie le plus souvent deux types de femmes : Hélène — issue de la tradition et présente dès le *Volksbuch* — ou Marguerite, figure élaborée par Goethe. Hélène est la grande figure mythique, symbole des illusions, incarnation de la Beauté et de la tentation sensuelle : elle détourne l'homme de Dieu au point que, chez Marlowe, Faustus pense que le Ciel se trouve sur les lèvres d'Hélène ! Figure païenne, Hélène s'oppose à Marguerite qui, le plus souvent, incarne la jeune fille chrétienne, résistant aux sens. Toutefois, les deux types de femmes symbolisent l'attrait de la chair et leurs caractères peuvent aussi se mêler : chez Calderón, Cyprien désire effeuiller une Marguerite, mais Justine est une Hélène qui résiste aux sens. Justine, la Beauté, pourrait faire oublier Dieu à Cyprien (« *Oh ! ciel, j'adore Justine* » (v. 1056[4])) mais celle-ci est précisément protégée par Dieu et le Démon ne peut la corrompre. Si Cyprien renonce à Minerve pour Vénus, Justine refuse de céder et le Démon ne peut livrer à Cyprien qu'un fantôme... Justine se révèle alors être l'instrument de Dieu pour sauver Cyprien : en fait, elle œuvre pour Dieu, rappelant à l'homme que la Beauté n'est qu'éphémère et lui promettant de l'aimer mais uniquement dans la mort. Cyprien-Faust renonce alors à la jouissance pour Dieu et les amants martyrs se trouvent réunis dans le même tombeau. Certes, on s'en souvient, Calderón illustre un dogme : idéologie et éthique du Siècle d'Or, desseins de l'*auto sacramental*, et l'apothéose de ses martyrs est inféodée au catholicisme espagnol, rigoureux voire ascétique, mais il s'agit d'un catholicisme qui n'ignore pas le message du Nouveau Testament : Dieu est miséricordieux et Calderón demeure fidèle à ses maîtres jésuites du Colegio Imperial pour lesquels la Grâce dépend du libre arbitre, du choix effectué par l'homme. Cyprien se sauve en renonçant aux plaisirs terrestres au profit de l'au-delà. En outre, le code éthique de la galanterie espagnole implique de juguler sa sexualité (c'est pourquoi ce sont les valets et la servante Livie qui incarnent les désirs charnels). En revanche, Marlowe demeure plus proche de la tradition populaire ignorant le message du Nouveau Testament : Faustus est châtié par un Dieu sévère plus conforme au Dieu implacable de l'Ancien Testament. Son châtiment est expiatoire : il s'agit d'éliminer celui qui a enfreint la Loi — châtiment fidèle à la tradition didactique du théâtre religieux médiéval.

C'est à Goethe, incontestablement, que l'on doit l'évolution la plus considérable de la figure féminine : depuis le *Volksbuch* et Marlowe, Faust recevait Hélène des mains de Méphisto. Chez Goethe, elle est remplacée par un autre agent : la jeune sorcière nue de la Nuit du Sabbat. Admiratif de la mythologie et de l'Antiquité classique, Goethe remodèle le personnage en une image païenne mais non démoniaque : Hélène incarne l'Idéal, la Beauté classique qui donne à Faust un enfant merveilleux, Euphorion. Lors de la disparition de l'enfant, Hélène disparaît à son tour mais Faust n'est nullement brisé : il a connu une sorte de grand rêve dans un Moyen Âge idéal mêlant amour courtois et mythologies. Bref, dans un monde idéalisé, Faust a vécu une expérience merveilleuse et surtout esthétique. Quant à Marguerite, dont la mort bouleverse tout autrement Faust, elle est, certes, l'instrument de la tentation sensuelle dont use Méphisto, mais est aussi une croyante ; son aventure constitue une authentique tragédie au sein même de l'œuvre de Goethe, et Faust suscite des catastrophes : mort de la mère et de Valentin, accusation d'infanticide, exécution de la jeune fille... Incarnation de la détresse, en l'occurrence lors de la scène du cachot, Marguerite est l'image même de la Douleur — une douleur qui participe d'ailleurs au salut de Faust. En effet, conformément à la tradition qui fait de lui un jouisseur, Faust songe d'abord à s'amuser avec la jeune fille ; or, sans doute est-ce là l'erreur de Méphisto qui ne comprend rien à l'amour, le jeune homme s'éprend ensuite réellement de Marguerite, laquelle, en outre, éprouve de vrais sentiments à son égard. Lorsque Marguerite apparaît à Faust sous une forme spectrale et arborant des marques de strangulation sur son frêle cou, Faust éprouve, pour la première fois, une authentique pitié : il finira par s'incliner devant celle qui prie la Mater dolorosa et représente elle-même la Douloureuse. C'est parce qu'il a reconnu l'*autre* que Faust se sauve ; sortant de son *ego* et prenant conscience de l'autre en éprouvant un vrai sentiment humain, il a renoncé à son Moi et obtient le salut.

La reconnaissance de l'autre permet le pardon. À partir du moment où l'autre n'est plus simple objet de plaisirs mais reconnu comme un être à part entière, il y a renonciation au Moi. Ce sont les libertins, emprisonnés dans leur *ego*, qui considèrent leurs partenaires comme de simples objets leur permettant d'arriver à leurs fins et de satisfaire leur désir égotiste. Se comprend, dès lors, pourquoi nombre de Faust partagent certains traits avec une autre grande figure mythique et libertine : Don Juan.

Comme il était remarquable que les auteurs de *"Faust"* étaient fréquemment des auteurs de *"Prométhée"*, Geneviève Bianquis constate, quant à elle, un autre fait curieux :

Lenau publie en 1836 un *Faust* ; ses papiers posthumes contiennent un *Don Juan* qui est de 1843. Son ami Braun von Braunthal publie en 1835 un *Faust*, en 1842 un *Don Juan*. Un peu auparavant, Holtei a publié en 1829 un *Faust*, en 1832 un *Don Juan*. Il y a donc en Allemagne, à partir de 1830 environ, une confluence des deux légendes dramatiques les plus illustres de l'Europe moderne. Divers écrivains traitent successivement l'une et l'autre. Hebbel, qui a songé à un *Faust*, conseille de rapprocher les deux fables et les deux héros. C'est ce qu'ont essayé au moins deux auteurs allemands, à l'aide d'un léger décalage dans le temps. Nikolaus Vogt, dès 1809, dans un drame bizarre, inachevé, *Der Färberhof oder die Buchdruckerei in Mainz* [...], Christian Dietrich Grabbe dans le drame de *Don Juan et Faust*, 1822.[15]

Les exemples peuvent être multipliés, que l'on songe à Adolphe Dumas (*Fin de la Comédie, ou la mort de Faust et de Don Juan* — 1836), voire à G. Hesekiel (*Faust und Don Juan*, 1846), etc. Il est vrai que les deux figures mythiques sont nées à peu d'intervalle l'une de l'autre et qu'elles partagent certains mythèmes et invariants, notamment le destin similaire des héros. Le donjuanisme de Faust, d'ailleurs, appert dès les premières œuvres qui lui sont consacrées : le désir de jouissance, la volonté de braver Dieu et de profiter de l'instant sont des traits communs aux deux personnages. Les analogies sont nombreuses mais sans doute est-ce au Romantisme que l'on doit une authentique contamination entre les deux personnages : sur la base d'un individualisme commun, pierre de touche inhérente aux deux figures, le Romantisme magnifie l'*hybris*, tant dans le désir exacerbé de connaissance que dans l'excès de la tentation amoureuse. En effet, se mêlent, dans ces communes propensions orgueilleuses, désir de puissance obtenu par la science chez l'un, désir de puissance acquis par la conquête amoureuse chez l'autre. Fédérant les deux figures, le Romantisme, en exacerbant la sensualité de Faust, d'une part, et en prêtant, d'autre part, un caractère plus mélancolique à Don Juan (peur de vieillir[16], par exemple, et donc désir d'une éternelle jeunesse et beauté — mythèmes faustiens s'il en est), fond les deux mythes. Science et jouissance finissent par se rejoindre : les deux hommes tendant à un dessein parallèle, la volonté d'aller au-delà des limites et de dépasser l'humaine condition. Figures de la démesure, Faust comme Don Juan connaissent souvent un destin similaire : la chute finale, l'un et l'autre jouant leur âme pour conquérir les Belles... Le *Don Juan et Faust* de Grabbe est explicite : Faust se pose en rival de Don Juan en voulant séduire doña Anna et, entre spiritualité et sensualité, l'un finit étranglé par le Démon, l'autre, après son terrible souper où il refuse de se repentir, est alors emporté par un diable ricanant.

À ce compte, hormis la chute naturellement, tout le monde se ferait volontiers diable pour être dieu, serait volontiers diabolique pour être séduit et séducteur...

la beauté du diable

Si la beauté du diable, comme dans le film du même nom (R. Clair et A. Salacrou, *La Beauté du diable*, 1949), peut être la jeunesse, sans doute convient-il de s'interroger sur les ambiguïtés et l'étrange fascination qu'exercent le diabolique et l'amour maudit sur l'homme.

Par-delà les poussées de phobies diaboliques du Moyen Âge où l'Église entretient la terreur, notamment dans les *exempla* (anecdotes émaillant les sermons de prédicateurs voulant renforcer le pouvoir de l'Église sur les hommes) pour assujettir les fidèles en leur faisant redouter l'au-delà par la peinture de démons repoussants et horribles qu'il faut combattre, l'homme, imaginant le diable, ne se le représente pas forcément monstrueux.

« *Chevauchant un serpent tout recouvert d'écailles* » (v. 3100⁴), mais arborant ailleurs panache et plumes, chez Calderón le diable peut également revêtir l'apparence d'un galant homme. Goethe présente Méphisto fort bien vêtu, tandis que Valéry le montre « très élégant ». Il est même des œuvres où le diable est un authentique dandy ! Tel est le cas, entre autres, de Lord Henry Wotton, avatar de Méphistophélès ou mauvais ange, mise en abyme d'Oscar Wilde lui-même, dans *Le Portrait de Dorian Gray*. De même, le Démon présenté dans *Les Noces de Sathan* de Jules Bois est un « *gommeux* [...] *en smoking* »[17]. La séduction de l'archange déchu — le plus beau des anges — émane donc de son caractère protéiforme et de son ambiguïté :

> Viens-tu du ciel profond ou sors-tu de l'abîme,
> Ô Beauté ? ton regard, infernal et divin,
> Verse confusément le bienfait et le crime,
> [...]
> Tu marches sur des morts, Beauté, dont tu te moques ;
> De tes bijoux l'Horreur n'est pas le moins charmant,
> Et le Meurtre, parmi tes plus chères breloques,
> Sur ton ventre orgueilleux danse amoureusement.
> [...]
> Que tu viennes du ciel ou de l'enfer, qu'importe,
> Ô Beauté ! monstre énorme, effrayant, ingénu !
> [...]
> De Satan ou de Dieu, qu'importe ? [...],
>
> (*Les Fleurs du Mal*, XXI : « *Hymne à la Beauté* »)

clame Baudelaire. La théorie baudelairienne de la double postulation — « *Chacun de nous porte en soi le ciel et l'enfer* » (p.197[18]), affirme encore Dorian Gray devant la toile qui lui sera fatale —, l'idée du Beau qui est un mal constituent un paradoxe éthique comme esthétique[19] ! L'on comprend pourquoi le Démon s'incarne volontiers en la belle femme devenant l'agent de la perdition : au caractère maudit de la beauté correspond le caractère maudit de l'amour.

Le Diable amoureux de Cazotte (1772), premier grand récit fantastique français, illustre parfaitement cette conception : la tentation charnelle y est mise au premier plan. Don Alvare invoque Belzébuth et, réussissant à maîtriser sa terreur, il croit le réduire en esclavage : sous les traits d'une sylphide d'une extraordinaire beauté, Biondetta incarne la séduction, le Démon et ses ruses. Le séducteur diabolique, sous l'apparence de Biondetta, se plaît à triompher d'Alvare et le transforme en amoureux transi. Ayant séduit l'homme, il se métamorphose en horrible « tête de chameau », heureux d'avoir vaincu Alvare qu'il laisse en proie à de grotesques visions.

La beauté du diable, on le voit, peut jouer de l'indécision sexuelle : Biondetta s'était d'ailleurs présentée en habit de page, en Biondetto... Il est vrai que le diable, dans l'iconographie — songeons aussi à l'arcane XV du Tarot — arbore, de manière ostentatoire, les attributs masculins et féminins.

Dans l'imagerie, Satan incarne une sexualité souvent perverse ou, tout au moins, représente fort bien l'homme et sa dualité innée. La figure satanique, composite, à la fois masculine et féminine, brouille volontiers les codes culturels : chez Goethe déjà, les anges venant ravir à Méphisto l'âme de Faust, le diable laisse échapper sa victime car il est troublé par les anges qu'il trouve fort à son goût... séduit qu'il est par leur beauté qui « *lui inspire des paroles de désir et d'amour* » (*Second Faust*, épilogue[7]). Le diable est alors pris à son propre piège, à ses propres manœuvres : il reproche aux anges d'user d'artifices diaboliques !

Le mythe de Faust, on le voit, est un récit ironique, recourant fréquemment à la compénétration du comique et du tragique. Sans doute est-ce la littérature décadente et de la Belle Époque qui offre les retournements les plus flagrants, les écarts les plus

significatifs par rapport aux données léguées par le texte scripturaire : Satan n'est plus forcément la grande incarnation du Mal
et peut être ridiculisé ! Naissent dès lors de multiples parodies du
mythe, non plus des tragédies mais des comédies. En 1900,
H. Monréal et H. Blondeau représentent, sur la scène du Pari-
siana, une *Madame Méphisto* : le diable est giflé, il a perdu ses
cornes dans un accident d'ascenseur ! Marié, il accepte d'être
cocu pour qu'elles repoussent ! L'on assiste à une inversion complète des rôles comme des pouvoirs : Satan, longtemps la grande
incarnation phallique, se voit lésé de ses prérogatives. Le diable
fait désormais rire. En 1888, Richard Garnett développait déjà,
dans « Madam Lucifer »[20], un diable qui avait plus peur de sa
femme que des saints ! Songeons, également, à *Mefistofela* de
J. Benavente, comédie-opérette jouée en 1918, où un diable
féminin accompagne Méphistophélès et dont l'intrigue multiplie
les travestis. Satan n'est plus héroïque ; s'il incarne encore la sensualité, celle-ci, plus trouble, mêle volontiers le masculin et le
féminin. L'on comprend que certains auteurs recourent à la caricature et que leurs démons soient bouffons. Il n'est pas jusqu'à
Valéry qui n'use encore des procédés issus de ces comédies :
l'un des trois démons qui accompagnent Méphisto, Goungoune,
la Sensualité, mêle les pôles masculin/féminin et Valéry reprend
le personnage du travesti, forgeant un avatar de pacotille d'un
démon androgyne : « *Goungoune* [est un] *incube-succube, paré,
fardé, perruque dorée,* [aux] *lèvres énormes couleur de feu* [...]. »
(III, 1²).

Un constat s'impose : la fin du XIXe siècle et le début du
XXe siècle s'adonnent à une entreprise de « démolitions »[21] des
mythes : Don Juan, Narcisse ou Faust, par le truchement de la
parodie et le changement de registre, se voient désacralisés par
la dérision.

Si les Faust de la Belle Époque ont perdu de leur caractère
tragique au profit du rire, les Faust décadents, en revanche, usant
aussi de l'ambiguïté sexuelle, sont souvent plus grinçants et
renouent avec un finale des plus sordides. Le *topos* décadent
majeur étant l'hésitation sexuelle, c'est donc tout naturellement

que cette littérature s'est intéressée à Faust. *Méphistophéla,* le chef-d'œuvre de Catulle Mendès, demande à ce qu'on s'y arrête et pose exemplairement une éthographie typiquement finiséculaire.

Précisons qu'en 1870 Mendès effectue un voyage à Weimar en compagnie de Villiers de L'Isle-Adam, ce dernier, comme nous l'avons signalé, ambitionnant d'égaler le chef-d'œuvre de Goethe. *Méphistophéla,* roman de quelques 550 pages, paru le 20 mars 1890, pose d'emblée la figure du Diable au féminin : Méphistophéla est une féminisation du nom germanique (appellatif sans doute issu de Heinrich Heine : *Der Doktor Faustus, ein Tanzpoem, nebst Kuriosen Berichten über Teufel, Hexen Dichtkunst* — 1851). La baronne Sophie d'Hermelinge est

[...] véritablement la parfaite damnée ! Et si c'est d'un mauvais esprit qu'elle est possédée, le démon, — ou la démone — qui l'acquit, n'a point triché ni lésiné en l'accomplissement du pacte, puisqu'à cette créature, [...] il a donné en échange d'une âme vouée à l'incertain enfer, toute l'immonde gloire et l'orgueil sans doute de l'incomparable péché.   (pp. 43-4[22])

La baronne a contracté un « *pacte avec quelque satan* » (p. 519[22]) mais est aussi une « *déesse infernale* » (p. 346), elle a « *la suprême arrogance d'un Lucifer qui, un instant, aurait vaincu Dieu* » (p. 356). Bref, la Décadence, très encline aux produits de fusion et à l'hybridation, fond en un seul personnage l'ensemble des figures du mythe : la baronne est à la fois Satan, Faust et Méphisto. Mariée mais ayant vécu sa nuit de noces comme un viol, la baronne, devenue une « *vierge saignante* » (p. 152), rejette la brutalité du mâle et devient l'incarnation même du saphisme : elle multiplie les conquêtes féminines, devenant simultanément la Tentatrice et la Damnée. La tentation, en effet, se présente à elle sous deux formes : Lesbos et la drogue[23]. C'est ici le lesbianisme qui supplée le motif du péché. Conformément au titre de son roman, crypté et emblématique de tous les renversements à venir (désinence féminine en [a] travestissant un nom masculin depuis des siècles — en Décadence, d'ailleurs, les Fausta ou Faustine sont légion), Mendès renverse le sens dessus dessous : la baronne aux airs de garçon et aux viriles activités bouleverse l'ordre de la morphologie comme celui de la grammaire. En effet, elle s'apparente au mythe de l'hermaphrodisme ou de l'androgyne — véhiculé, entre autres, par l'iconographie miltonienne — et, de Sophie (*Sophia*, la sagesse — on goûtera l'ironie), se voit baptisée du nom masculin de « Sophor ». L'androgynie, renouant avec l'ambiguïté même de Satan, comme l'hybridation gagnent tous les personnages féminins : Phédo, Magalo, femmes aux désinences masculines, et aux amours corrompues ou féminines... doublent Sophor dont le nom est saturé de référents polyphoniques : *Sophor* rime avec *Gomorrhe* et le nom composite combine encore *Sapho* et le *soufre*... Sophor est une monstrueuse « créature » (leitmotiv de l'œuvre), substantif très huysmansien, lui-même ambigu, morphologiquement féminin, sémantiquement extensif à la distinction des sexes : englobant à la fois le masculin et le féminin, il est, à notre sens, le diabolique. Sémantiquement encore, il doit être en lui-même considéré comme la thématisation du parcours de l'héroïne : le soufre infernal qui châtiera la « *démoniaque appétence* » (p. 180[22]) dans un « *céleste enfer* » — autant d'oxymores corroborant l'hybridation et les contraires unis en un même personnage. Rejetant le mari et voulant à son tour devenir « *le mari de son amie* » d'enfance (p. 151) Emmeline, Sophor entraîne, dans sa descente aux enfers, désolation, morts et meurtres... Vouée à l'abîme, elle mène aux abîmes. Constamment, tinte à son oreille le « Rire » qui se moque d'elle et lui rappelle sa destinée. On le voit, la Décadence brouille tous les codes, transpose tous les invariants mythiques : la science des textes scripturaires, par exemple, est remplacée par la connaissance et l'accession à l'amour lesbien. Sophor a acquis la connaissance de la Femme grâce, notamment, à Magalo : elle se jette dans ses bras à cause de « *la science qu'elle suppos[e] en Magalo* » (p. 232). Après une nuit passée avec une femme, Sophor devient « *savante* » (p. 355), « *toutes les sciences [lui sont] révélées, et si vite acquises !* » (p. 277). Elle s'est instruite des vices et des péchés, de « *toutes les sciences acquises en de longues perversités* » (p. 445). Autre transposition décadente :

Sophor se meut en Don Juan, mais encore marqué du sceau féminin. Elle a ces « *regards* [...] *de Don Juan sur une foule féminine, qui lui appartiendra* » (p. 270). En Décadence, d'ailleurs, Don Juan est volontiers une Don Juane... Quant aux invariants du dépassement des limites et du désir d'égaler Dieu, ils s'accréditent de manière notable : Sophor déclare « *Je suis celle que je suis !* » (p. 399), plagiant, au féminin toujours, les propos de Dieu à Moïse (« Je suis celui que je suis » (Ex III, 14)). S'affichant avec des femmes, son dessein est encore de lancer un défi à l'humanité, de « *se rebeller contre l'interdiction* » (p. 398) ; Sophor est une « *révoltée* » (p. 428) d'un « *orgueil sans bornes* » (p. 355) et son choix de l'homosexualité est une manière de refuser le commun pour devenir un être d'exception en affirmant la toute-puissance de son *ego* : « *Dire non à Dieu, c'est devenir une espèce de Dieu. L'être qui se fait différent de ce qu'il devait être, se recrée, s'égale au créateur, avec orgueil* [...]. » (p. 398).

Sophor semble même voler la jeunesse de ses compagnes, renouant avec les désirs faustiens : Magalo, abandonnée par Sophor, réapparaît tout à coup mais elle a « *l'air d'une petite vieille presque du jour au lendemain* » (p. 367[22]) tandis qu'ailleurs on lit que Sophor demeure belle « *malgré les ans et les ans* » (p. 417)[24]. Il est exemplaire que Magalo pense qu'en retrouvant Sophor le « *regard de son amie la referait jeune* » (p. 371). Sophor cumule donc à la fois les traits de Faust et ceux de Méphisto détenant le secret de l'éternelle jeunesse. La réapparition de Magalo dans la vie de l'héroïne constitue sans doute une scène clef du roman qui permet aussi au romancier de reprendre le motif faustien de la mise en garde. Chez Marlowe, Faust est écartelé entre un bon ange et un mauvais ange ; chez Mendès, les propos de Magalo répondent à cette problématique : la rhétorique permet la reprise du canevas originel puisque Magalo, à l'agonie, pense au Salut et se repent tout en voulant que sa compagne d'antan fasse de même :

Je crois que le diable existe. [...] Ce doit être lui qui a imaginé, pour nous perdre et pour agacer le bon Dieu, de faire se caresser les femmes. J'ai eu un démon en moi, tu as en toi un démon aussi [...]. Il y avait bien des possédées, dans le temps de jadis ? pourquoi n'y en aurait-il pas encore ? Je t'en prie, ce mauvais esprit, ne l'écoute plus, renvoie-le, [...] il te donne de mauvais conseils ; écoute les miens. Je suis comme ton bon ange, qui te parlerait. (p. 390[22])

supplie la mourante. Sophor est appelée à se repentir tel Faust mais Mendès retourne encore la situation en jouant sur le caractère du personnage hybride qu'il a élaboré : Sophor exige, tel Méphisto cette fois, que Magalo se « *rétract[e]* » (p. 391), et ne renie pas sa vie passée. Certes, Sophor essaiera de se sauver de son vice mais il ne s'agira en aucun cas d'obtenir un quelconque Salut : elle veut, comme Faust, revenir en arrière mais, parce qu'elle a goûté à toutes les luxures, est écœurée de ne pouvoir conquérir d'autres plaisirs fangeux ! Elle n'arrive plus à aller plus avant dans le vice (enjeu de la limite infléchi par la Décadence) et fait deux tentatives qui aboutissent à de cuisants échecs : d'une part, elle pense renouer avec l'amie d'enfance, mais celle-ci s'est mariée et lui présente l'image abhorrée de la femme qui allaite un enfant — la Décadence prônant la stérilité, on conçoit que l'enfance comme les images de maternité suscitent l'aversion : la procréation est « *un usage de basse-cour* »[25] —, d'autre part, elle voudrait retrouver sa fille — fruit du viol nuptial et abandonnée sitôt la naissance — pour oublier les femmes, mais, voyant le corsage de Carola ouvert, elle en vient à désirer sa propre fille ! Sophor est alors horrifiée par ses monstrueux sentiments, la pensée d'ajouter l'inceste à son homosexualité[26]... Elle entre dès lors dans « *l'irrémissible* » (p. 551), se jette davantage dans la luxure même si les plaisirs infâmes l'ennuient tant elle les connaît et ne peut en découvrir de nouveaux. À l'acmé de la débauche, Sophor connaît la limite tel Faust déçu par ce que le Démon lui proposait :

On donne son âme, et l'on reçoit — si peu de chose. (p. 497[22])

Elle se trouvait toujours en face de la limite, de la clôture. (p. 499[22])

Les Possédés sont des dupes, puisque Celui qui leur promit l'infini leur

ouvre un espace à peine plus grand que la fosse où ils seront couchés tout
à l'heure.   (p. 496[22])

Il n'est pas jusqu'à l'invariant du Sabbat que ne reprenne
Mendès en l'inféodant aux tropismes décadents et à la problématique des amours lesbiennes. Réunissant des amies, Sophor
s'enivre, est victime d'une hallucination :

Et voici que, hors d'une fumée qui se déchira comme un voile, apparut sur
l'autel une colossale forme. Avait-elle surgi des infernales profondeurs ?
[...] elle était noire, rouge et dorée. Elle se dressait, diabolique et céleste,
prodigieuse [...]. Femme par les cheveux lourds et longs et par le mystère
des regards et par la rougeur des lèvres fraîches comme un baiser sanglant,
bête par la poilure d'or dont se couvraient ses bras et ses jambes, et par
ses pieds de chèvre, elle était le satan femelle d'un sabbat sans hommes,
et tandis que son front cornu comme celui des satyresses, flamboyait étrangement un diadème de diamants sombres, qui éveillait l'idée d'une constel-
lation d'étoiles damnées, la Démone aux divins yeux, troussant jusqu'au
nombril sa robe d'écarlate et d'or, montrait impudemment et offrait aux
adorations son sexe fauve pareil à un ostensoir !   (pp. 406-7[22])

La Décadence, férue de culture médiévale et gothique, présente
dès lors un Satan mi-femme mi-chèvre (transposition du bouc
sabbatique en son équivalent féminin), aux couleurs de l'Apocalypse (rouge et noir), et qui exhibe son sexe en des termes
empruntés au lexique religieux[27] ! Mendès, en des associations
très baudelairiennes, lie sexe, mort et enfer ; la vulve de la
Démone est une miniaturisation de l'abîme :

[...] le diabolique ostensoir se déployait prodigieusement, s'approfondissait
plein de remous de feux et de ténèbres, et, à l'emportement des femmes
ruées en troupeaux, il s'offrait comme une entrée vertigineuse de gouffre[28].
                                                                        (p. 412[22])

Sophor est damnée en vertu du sexe féminin, la sexualité est
éminemment mortifère... la vulve de la Démone est devenue son
dieu. Idolâtre, Sophor, qui hait le mâle, mourra par la femme. Le
tour de force de Mendès, toutefois, réside dans le fait que son
œuvre n'expose ni Dieu ni diable : le Mal, Satan seraient consti-

tués par le saphisme. Nul Sabbat comme chez Goethe, puisque Sophor est enivrée et délire. Quant au Créateur, il n'apparaît pas davantage et Sophor, dans un monde sans Dieu, recourt à la morphine : la drogue remplace Dieu au sens où, ainsi qu'un dieu, elle exauce ses fidèles, leur permet l'oubli à défaut du pardon dans un monde sans foi. La fin de Sophor n'en est que plus désespérée : devenue toxicomane, c'est le divin Poison qu'elle s'injecte dans les veines qui lui apporte un substitut de repos. Peut-on dire alors que le saphisme constitue un péché puisque l'univers de Mendès est sans Dieu ? Mendès répond lui-même : « *Le péché, c'était* [on notera l'imparfait] *la transgression de la loi divine ; maintenant, c'est la transgression de la loi humaine* [...]. » (p. 259-60[22]).

Les damnés de Mendès sont des damnés sans enfer et sans démon mais leurs douleurs n'en sont pas moins ardentes : Sophor est condamnée à se rouler sur les tapis, les dents serrées, après ses injections de morphine ; elle continue à multiplier les conquêtes féminines, « *car s'il n'y a plus de Tentateur, il y a encore la Tentation* » (p. 26[22])... Lire Mendès, c'est comprendre que le Paradis comme l'Enfer peuvent être terrestres.

Le Paradis est remplacé par les Paradis artificiels (ou les Enfers ?), l'alcool comme la drogue permettent l'illusion de la puissance, la réalisation, sur terre, des désirs surhumains et faustiens (voir p. 37[22]). À ce titre, sans doute faut-il relire, outre Baudelaire, maître en la matière, les textes de Théophile Gautier qui énoncent, déjà, les problématiques que la Décadence développera de manière paroxystique. Souvent, chez Gautier, le Sabbat comme la référence à Faust apparaissent dans des œuvres exposant les hallucinations suscitées par la drogue : dans « Le Club des Hachichins », les convives, après ingestion de la « pâte verte » constituée de haschich, voient un spectacle directement issu de Goethe : « *Cela grouillait, cela rampait, cela trottait, cela sautait, cela grognait, cela sifflait, comme dit Goethe dans la nuit de Walpurgis.* » (p. 38[29]). Une autre hallucination, cette fois due à l'opium, en réfère à nouveau à Goethe : dans « La Pipe d'opium », le magicien Esquiros se présente à l'assemblée « *comme le barbet*

de Faust qui sort de derrière le poêle » (p. 64-5) — référence à une
scène du *Premier Faust* se déroulant dans le cabinet de travail :
Gautier reprend d'ailleurs ce motif, trois ans plus tard, dans un
autre récit fantastique, « Deux acteurs pour un rôle »[30]. En outre,
le narrateur de « La Pipe d'opium », rapportant son rêve, s'imagine dans un cabriolet sans cocher, tiré par des chevaux noirs qui
finissent par s'évanouir en vapeurs. Les arbres défilent tels « *une
armée de manches à balai en déroute* » (p. 69[29]) et le rêveur pense
être rentré chez lui « *sur un nuage ou sur une chauve-souris
gigantesque* » (p. 72). Il est clair que le Sabbat faustien et goethéen
est devenu la source majeure d'auteurs cherchant à rendre compte
des Paradis artificiels.

Sa vie durant, Gautier n'a cessé de réfléchir au mythe de Faust.
« Deux acteurs pour un rôle » opère un retournement typique
quant à la reprise des mythes au XIXe siècle. Henrich, qui a étudié
la théologie (p. 199[30]), tient le rôle de Méphistophélès dans une
pièce de théâtre. Sa compagne, Katy, le met en garde : « [...] *j'ai
bien peur que ce rôle, profitable à votre gloire, ne le soit pas à
votre salut* » (p. 200). Le jeune comédien, endossant son rôle
à merveille, tétanise toute la salle par son air « *diabolique* » et
« *sardonique* » (p. 202). Si toutes les femmes sont admiratives et
Goethe étant cité (p. 203), le récit se noue lors d'une scène qui
n'est pas sans rappeler la Taverne d'Auerbach : dans un *Gasthof*,
L'Aigle-à-deux-têtes, à la sortie d'une représentation, le jeune
acteur est félicité par des amis mais un curieux personnage
demeure muet. Ce dernier, renouant avec une démonologie
issue des romans gothiques[31], a des yeux « *verts* », des dents
« *aiguës* », des ongles tels des « *griffes* » (p. 203), etc. Il disparaît
après avoir proposé à la foule réunie un authentique rire démoniaque, jugeant le comédien bien en-deçà du personnage qu'il
prétend si admirablement endosser. Le lendemain, cet inconnu
s'assied au premier rang du théâtre et, dans les coulisses, se substitue à Henrich lors du deuxième Acte. « Le Diable en personne » joue son propre rôle, galvanisant le public et Henrich,
qui a échappé de justesse à la damnation comme à la mort grâce
à une petite croix qu'il porte sur son cœur, renonce à la carrière

de comédien. « Deux acteurs pour un rôle », une taverne appelée ·L'Aigle-à-deux-têtes disent combien la duplicité est prégnante dans le mythe, combien un individu peut être bicéphale ou, tout au moins, partagé entre deux forces qui l'écartèlent au point de ne plus savoir qui il est vraiment. Vouloir incarner le Démon, en tant que comédien, relèverait du défi, la *mimesis*, ou tout au moins l'identification, pourrait faire perdre son âme à celui qui se prendrait trop sérieusement au jeu... Ce récit de Gautier, publié en 1841, a peut-être d'ailleurs inspiré Klaus Mann puisque son *Mephisto* propose, alors que les contenus sont très différents — Klaus Mann dénonce le nazisme —, un personnage qui n'est pas sans analogie avec celui de Gautier : chez les deux écrivains, les personnages sont des acteurs qui, en outre, tiennent le même rôle. L'un et l'autre jouent Méphistophélès. De surcroît, leurs prénoms entretiennent d'étranges échos : Henrich (GAUTIER) et Hendrik (MANN). La comparaison, cependant, s'arrête là.

Un autre texte de Gautier présente, en revanche, une bien curieuse association : « Avatar » — publié en 1856 — donne à voir simultanément une « *Psyché dépaysée* » et un « *miroir magique où Méphistophélès fait voir à Faust l'image d'Hélène* » (p. 315[30])[32]. Le personnage des *Métamorphoses* d'Apulée côtoie étrangement Faust alors que les deux figures n'ont *a priori* rien à voir l'une avec l'autre. Sans doute trouve-t-on chez Gautier les prémices de ces surprenants agrégats que la Décadence, par-delà les anachronismes, l'imbrication de sources multiples, enjambera sans guère se soucier des philologies ou des cultures. Pourtant, ce texte de Gautier, en son étonnante compénétration de figures apparemment sans rapport, ne semble guère une création relevant du hapax. En effet, lorsque Charles Maurras publie en 1893 « Pour Psyché »[33], il réunit à nouveau ce couple. Trois ans plus tôt, Jules Bois, dans *Les Noces de Sathan*[17], avait fait déjà de même. L'œuvre propose d'ailleurs une variation intéressante : ce ne sont plus les péchés capitaux qui défilent devant Faust mais la procession a lieu sous les yeux de Psyché. En outre, le motif du cortège propose un retournement exemplaire puisque, devant Psyché, processionnent non pas les péchés mais les démons, des incubes et succubes, des sorciers, Caïn le maudit et, précisément, Méphistophélès et Faust ! Que penser d'une telle imbrication ? Sans doute, le point commun entre Psyché et Faust est-il la vanité du monde, les « illusions » — terme récurrent chez Gautier — et la quête de l'amour comme celle de la connaissance mais le fait de trouver côte à côte ces deux figures mythiques pourrait trouver une autre explication. Il se peut, c'est une pure conjecture de notre part, qu'existe une histoire ressemblant à celle de Faust chez Apulée, non pas dans son œuvre mais quant à la vie même de l'écrivain latin. Psyché, l'héroïne de sa fable (*Amour et Psyché*), serait liée à Faust chez les auteurs cités par association avec la biographie d'Apulée. En effet, lorsqu'Apulée s'installe à Carthage avec Pudentilla — qui lui donne un fils curieusement appelé Faustinus —, Pudentilla avait déjà eu un premier époux. Le frère de ce premier mari, Sicinius Emilianus, intente alors un procès à Apulée : celui-ci est tout à la fois accusé de sorcellerie — il s'agit de prouver qu'il est un *magus* (un mage) ayant jeté un sort à Pudentilla —, de prouver qu'il hypnotise de jeunes garçons, etc. Ces chefs d'accusation, *magus* et sodomie, caractérisent étrangement le Johann Faustus qui serait né plus d'un millénaire plus tard, vers 1480, mais, surtout, tel est l'enjeu du frère du premier époux de Pudentilla, cette action en justice dénoncerait la captation d'héritage commise par Apulée. Bref, ce procès en sorcellerie de l'Antiquité romaine, intenté par Sicinius Emilianus et plaidé par Tannonius innocente Apulée. Bois, Maurras ou Gautier ont peut-être songé à cet incident, ont peut-être vu dans cette affaire les linéaments d'une légende de Faust bien avant l'heure, ce qui expliquerait leurs textes élaborés sur l'entrelacs des deux figures mythiques : le créateur de Psyché se verrait, par une contamination l'assimilant à Faust, à l'origine de ces œuvres qui mêleraient un personnage de fiction, Psyché, à une figure authentique, son auteur lui-même.

À fermer cette parenthèse — que nous laissons ouverte d'ailleurs puisqu'il s'agit d'une conjecture : certains philologues trouveront peut-être à combler cet immense « blanc » qui sépare

170 (date supposée de la mort d'Apulée) de 1480 afin de mettre à jour des textes qui pourraient constituer des maillons qui nous manqueraient pour établir une autre origine et filiation du mythe de Faust —, il est clair que, de Gautier à Baudelaire et jusqu'à Oscar Wilde, une authentique famille d'esprit s'est constituée, fondée sur la pierre angulaire de « l'art pour l'art » et sur une démonologie non sans parentés. *Le Portrait de Dorian Gray*, publié en 1891, se prête exemplairement à une lecture faustienne et ressortit à une éthique typiquement décadente :

— *Fin de siècle,* murmura Lord Henry.
— *Fin de globe*, enchérit l'hôtesse [*Lady Narborough*].
— Plût au Ciel que ce fût la fin du globe ! dit Dorian.   (p. 224[18])

En français dans le texte, les formules de la finitude ancrent le roman dans une perception d'un monde où tout décade. Wilde, usant des expressions finiséculaires françaises alors à la mode, revendique une filiation française de son récit : la mythologie baudelairienne de la prostitution et des Paradis artificiels — *via* de Quincey pour l'opium et le meurtre considéré comme un des beaux-arts — se mêle à la mythologie de Gautier, cité quatre fois. De surcroît, sans être jamais mentionnée, l'œuvre qui absorbe et fascine Dorian Gray est un roman à un seul personnage, évoquant les sensations d'un jeune Parisien de la fin du XIXe siècle : « *C'est le livre le plus étrange qu'il eût jamais lu. Il lui semblait voir tous les péchés du monde défiler devant lui* [...]. » (p. 158[18]). L'on songe à l'anthologie même de la Décadence : *À rebours*, dont Wilde distille maints motifs dans son propre récit. Le livre « empoisonné » — leitmotiv — de Huysmans a été remis à Dorian par Lord Henry, qui n'est autre que le corrupteur, un avatar de Méphistophélès. Preuve en est, Henry admirant une orchidée : « *C'est une merveille, toute semée de taches, émouvante comme les sept péchés mortels.* » (p. 243). Écho des floraisons luxuriantes et luxurieuses que des Esseintes cultive dans sa retraite de Fontenay-aux-roses, le propos renvoie à la séquence faustienne du défilé des péchés capitaux et Henry se complaît dans le rôle du Tentateur : «[...] *vous raffolez toujours de moi* [déclare-t-il à Dorian]. *J'incarne à vos yeux tous les péchés que vous n'avez osé commettre.*» (p. 104).

Dorian s'assimile à Faust et le mythème cardinal du roman est faustien par excellence : Henry-Méphisto se lance dans un «*panégyrique de la jeunesse*» (p. 36[18]) qui met le jeune aristocrate en son pouvoir. Ainsi, entre autres scansions surnuméraires :

— [...] vous possédez la jeunesse, et [...] la jeunesse est le seul bien digne d'envie.   (p. 32[18])

— Elle fait prince quiconque la possède.   (p. 33)

— Ah! tant que la jeunesse est à vous, demandez-lui tout ce qu'elle peut donner.   (p. 33)

Certes, Henry n'a aucun pouvoir — le seul objet magique et fantastique de l'œuvre étant le fameux portrait — mais la métaphorique et son «cynisme» le placent du côté du diabolique quand bien même, dans ce roman comme dans celui de Mendès, il n'y a ni diable ni *deus ex machina*. Aucune mention de Faust ni de Méphisto dans le roman de Wilde, mais le pacte est néanmoins présent. Influencé par celui qui devient son mentor, Dorian forme un vœu : «*Pour ce miracle, je donnerais tout.* [...] *Pour ce miracle, je donnerais mon âme*» (p. 37[18]), songe le jeune homme une fois confronté à son portrait exécuté par Basil Hallward. Le souhait du rajeunissement s'accomplit : la toile vieillira et Dorian conserve, jusqu'à 38 ans, le visage d'un adolescent. Le cynique Henry, surnommé par Dorian «*Prince Paradoxe*» (p. 243) — appellation qui sera d'ailleurs attribuée à Wilde lui-même —, donne constamment à voir les transgressions que Méphisto propose à Faust. Si Henry, «*fort orgueilleux*» (p. 14), renoue avec le péché d'orgueil qui précipita Satan en Enfer, s'il peut, en «*une phrase,* [...] *résumer l'univers*» (p. 21), il duplique celui qui se prit pour le Créateur : Lord Henry est devenu Lord Satan. Ses maximes, aphorismes ou affirmations au présent gnomique en font, tel le Tentateur, un maître de la parole corruptrice :

Le seul moyen de se délivrer de la tentation, c'est d'y céder.   (p. 28[18])

Le péché est, du reste, la seule note de couleur vive qui subsiste dans la vie moderne.   (p. 41)

Seules, les choses sacrées méritent qu'on porte la main sur elles, Dorian [...].   (p. 69)

Sans l'égoïsme, les gens sont incolores. Ils manquent de personnalité.   (p. 97)

Seul le plaisir mérite qu'on lui consacre une théorie [...].   (p. 101)

À l'envi, les formules brillantes et dandies de celui qui prend la pose invitent à la transgression et au sacrilège. Passer la mesure, dépasser les limites, ne songer qu'à soi, etc. Lord Satan, vantant les péchés, énonce une philosophie du plaisir récurrente dans les récits faustiens : un *carpe diem* dévoyé. « *Vivez !* » (p. 33[18]) exige-t-il de Dorian ; « *N'avez-vous pas tout ce qu'un homme peut désirer au monde ?* » (p. 255), lui demande-t-il encore tel Méphisto pourvoyant à tous les besoins de Faust. Les propos d'Henry plagient les ruses du Malin exhortant Faust à jouir de la vie sans se soucier d'autrui.

Lord Henry est le maître du discours, de la rhétorique : la parole — fascinante et perverse — a remplacé la magie des siècles passés et Wilde en fait la pièce maîtresse de son texte. Le corrupteur est avant tout un beau parleur et le jeune homme, tel Faust victime des discours de Méphisto, succombe au charme du langage : « *Sa voix* [celle d'Henry] *grave et dolente exerçait sur lui une véritable fascination.* » (p. 31[18]). Dorian, tel Faust encore ne pouvant plus se passer de Méphisto, réclame non plus la magie, obsolète et appartenant à un passé révolu, celui du « *Moyen Âge*[34] » (p. 102), mais le discours : « [...] *promettez-moi de parler, tout le temps* [...], *personne ne parle comme vous, c'est une merveille.* » (p. 59). « Votre voix » — entendons bien celle du Tentateur telle qu'elle a été analysée à propos du dialogue fameux et fondateur du serpent dans la Genèse — est « *inoubliable* » (p. 68), dit-il encore à celui qui désormais est son mentor. Dorian, dès lors, se range du côté du maître au verbe séducteur, victime qu'il est des pouvoirs du langage : « *C'est un de vos aphorismes. Je suis en train de l'expérimenter, comme d'ailleurs tout ce que vous dites.* » (p. 63).

Les propos d'Henry font force de Loi, telles les formules injonctives d'un Décalogue à rebours ; procédé du contrepoint décadent s'il en est, et la descente de Dorian dans les bas-fonds londoniens s'assimile à une chute : le jeune aristocrate va s'encrapulant telle la baronne d'Hermelinge — le derme et le linge ? — de Mendès s'avilissant dans les bouges. Comme dans le mythe de Faust, la femme est au cœur du *Portrait de Dorian Gray*. Les persiflages misogynes de Lord Henry — et la misogynie est un *topos* décadent surexploité — sont constants : vantant l'adultère, comparant les femmes à « *Ève* » (p. 49[18]) ou encore affirmant à M. Erskine : « *L'humanité se prend trop au sérieux. C'est le péché originel de notre monde.* » (p. 55), Lord Satan incarne, corseté qu'il est dans son dandysme et ses mondanités, la provocation, faisant miroiter, tel Méphisto, les bienfaits d'une remise en cause des normes sociales comme éthiques. Lorsque Dorian rencontre l'actrice Sibyl Vane, Wilde dresse un portrait qui emprunte encore ses métaphores aux Écritures : telle la Vierge, Sibyl et un « *lis blanc* » aux « *mains d'ivoire* » (p. 107). Parce que pure, la jeune fille, selon Henry, doit être profanée... L'interdit suscite sa transgression, la virginité son outrage...

Deux visions du monde entrent alors en conflit : celle de la toute jeune actrice croyant à l'amour pur et éternel — il est tout à fait notable que lors de la rencontre liminaire de Dorian avec Sibyl, cette dernière se produise dans *Roméo et Juliette* —, autrement dit une jeune fille éprise d'un romanesque bovarysme pensant encore qu'un prince peut épouser une bergère (elle est pauvre, simple et appartient au peuple tandis que Dorian est aristocrate). D'ailleurs, d'emblée, elle surnomme Dorian le « Prince charmant » comme si elle vivait un conte de fées. À rebours, s'élabore la conception d'un univers corrompu, celui du plaisir vanté à Dorian par son mentor : « *L'éternelle jeunesse, l'insatiable passion, les plaisirs secrets et raffinés, les joies délirantes, les péchés plus délirants encore :* [Dorian] *connaîtrait tous ces délices.* » (p. 135[18]). Les aspirations faustiennes sont déclinées à la lettre et, quand bien même le nom de Marguerite n'appert jamais dans ce roman, l'héroïne mythique y est néanmoins cryptée : dès la toute première entrevue entre Dorian et Lord Henry, dans l'atelier de Basil — l'atelier d'artiste est souvent, en Décadence, le lieu des transgressions : c'est précisément dans cette pièce que Dorian émet le souhait d'une jeunesse inaltérable —, une notation de Wilde s'avère, *a posteriori*, primordiale : « *Dans le gazon tremblaient des marguerites blanches.* » (p. 11)[35]. En outre, si Sibyl a « *une petite tête grecque* » (p. 65) et que Lord Henry accompagnant Dorian au théâtre pour y voir la jeune fille s'exclame : « *Drôle d'endroit où venir dénicher une déesse !* » (p. 105), l'on songe, cette fois, à une autre femme d'ascendance divine, Hélène. Sibyl est donc une création hybride empruntant tout à la fois ses traits aux deux femmes du mythe : l'une incarnant la pureté, l'autre la beauté. Toutefois, Sibyl est davantage une Marguerite qu'une Hélène : « *Elle ne connaît rien de la vie. Elle habite avec sa mère* » (p. 71), a un frère cadet, James, à l'instar de Marguerite encore. Ces parents meurent tous deux comme dans le canevas traditionnel et ce sont encore les métaphores qui la constituent en figure mythique. En effet, l'amour de Sibyl pour Dorian est qualifié de « *prison d'amour* » ou encore de « *gaieté d'oiseau en cage* » (p. 80). La métaphorique fait écho à Marguerite emprisonnée mais Wilde distille d'autres mythèmes, plus convaincants : Dorian séduit puis abandonne, tel Faust, la jeune fille. S'il rechigne quant à l'application des aphorismes de son Méphisto, les propos de ce dernier relèvent du défi lancé à Faust par l'esprit du Mal : Dorian cède et abandonne *in fine* sa Marguerite. Celle-ci morte, James, son jeune frère, aspire à venger l'honneur bafoué de sa sœur éconduite et qui s'est suicidée mais il échoue. Lors d'une partie de chasse, Dorian arrête Sir Geoffrey mettant en joue un lièvre :

— Ne tirez pas, Geoffrey. Laissez-le vivre !
— Quelle plaisanterie, Dorian ! [...] Et comme le lièvre sautait dans

les taillis, il fit feu. Deux cris fendirent l'air : le cri, vraiment affreux, d'un lièvre mis à mal, le cri, plus déchirant encore, d'un homme à l'agonie. (p. 252-3[18])

Embusquée, la victime, armée d'un revolver, n'est autre que James Vane à l'affût d'un moment propice pour exercer son ressentiment à l'égard de Dorian. Ayant retardé le coup de feu du chasseur, Dorian est en quelque sorte responsable du meurtre de James comme il le fut de la mort de Sibyl. L'épisode opère une variation sur la mort du frère de Marguerite : Valentin (voir, également, la scène que Delacroix mit en renom : *Duel de Faust et de Valentin*, quatre années avant la publication du *Portrait de Dorian Gray*).

Quelles sont les sources d'un roman qui n'en fournit aucune ? De trois ordres en fait : la tradition, Marlowe et Goethe. En ce qui concerne la veine traditionnelle, Dorian a un parcours similaire à celui du Faust primitif : le cabinet de travail trouve un écho moderne dans l'atelier du peintre — c'est bien là, même si Dorian n'y travaille pas mais se contente de poser pour Basil, qu'il se forme, va sortir métamorphosé par l'entremise de sa rencontre avec Lord Henry —, et le roman essaime des personnages référentiels chers à Faust. Il est question de Giordano Bruno (p. 77[18]), le philosophe qualifié d'hérétique et brûlé vif par l'Inquisition, du « *grand alchimiste Pierre de Boniface* » (p. 171), voire — par le truchement de la lecture de *À rebours* — d'Ezzelin, « *fils du Diable [qui] avait triché son père aux dés, dans une partie dont son âme était l'enjeu* » (p. 183). Même rituel initiatique et mêmes curiosités que celles du Faust primitif : l'alchimie du Moyen Âge se mêle à l'occultisme alors à la mode en cette fin de XIXe siècle. Mêmes mythèmes encore, dans le registre ontologique, quant aux sentiments qui animent Dorian : le jeune homme a « *l'âme assoiffée de rébellion* » (p. 238) et, comme dans la tradition, Lord Henry-Méphisto n'est que le révélateur des pulsions qui sont en l'homme lui-même. Ainsi, Dorian « *sentait agir en lui des influences toutes nouvelles, mais qui [...] émanaient pourtant de lui seul* » (p. 29). Henry ne met à jour, ne fait accoucher, chez Dorian, que ce « *qui provenait de sa propre nature* » (p. 152) : Lord Henry ou la maïeutique du Mal...

Le récit wildien distille d'autres invariants encore, notamment la propension à l'accumulation des richesses flatteuses : « *J'aime les beaux objets qu'on peut toucher et manier. Vieux brocarts, bronzes verts, laque, ivoire* » (p. 141[18]), avoue Dorian. À l'instar du Faust primitif, ce qu'exige le jeune aristocrate de Lord Henry renoue également avec la tradition : « *Vous qui savez tous les secrets de la vie, dites-moi par quel enchantement me faire aimer de Sibyl Vane !* » (p. 73). Et, tel son modèle encore, Dorian connaît la « *désillusion* » (p. 258), constate, alors qu'il possède tout pour être heureux, la vanité de sa quête : « *Je voudrais bien pouvoir aimer !* » (p. 256). Par ailleurs, le remaniement que Wilde opère à partir du texte de Marlowe mérite qu'on s'y attarde. Jamais le dramaturge n'est mentionné, tout au plus, mais c'est une conjecture qui pourrait relever du clin d'œil, il est question d'un « *séjour à Marlow* » (p. 141). Comme *La Tragique histoire du docteur Faust* extériorise la psychomachie — lutte du Bien et du Mal qui se disputent une âme — au truchement d'un Bon Ange et d'un Mauvais Ange, le récit de Wilde recourt au même procédé d'extériorisation du conflit par le biais du dialogue. Puisque le XIXe siècle, mécréant s'il en est, ne peut plus guère jouer des allégories ou de porte-parole divins ou malins, ce sont les deux amis de Dorian qui suppléent ces partis : Lord Henry et le peintre Basil Hallward mettent en scène le manichéisme du mythe, se disputant l'un comme l'autre le jeune homme. En un incessant va-et-vient, Dorian passe sous l'influence de ses deux acolytes. Basil, avatar du Bon Ange, veut préserver la pureté du jeune homme et, au corrupteur, Lord Henry, mondain par excellence et qui ne se fait plus aucune illusion quant au monde, justement, il s'oppose parfois farouchement :

[...] je ne tiens pas à ce que vous [...] approchiez [Dorian].   (p. 22[18])

N'essayez pas sur lui votre influence. Elle serait mauvaise.   (p. 23[18])

Également :

Vous exercez [sur Dorian] une prodigieuse séduction. Que ce soit pour le bien, non pour le mal. (p. 191[18])

Les conversations entre Basil et Henry constituent en effet d'authentiques scènes de duettistes où s'affrontent les éthiques, diamétralement antithétiques, de chacun des protagonistes : ces scènes relèvent de l'*agôn*, les confrontatons dans la Tragédie. Henry est fier de rivaliser avec son ami le peintre et la lutte d'influences sur Dorian tourne à son avantage. Son projet de séduction — «*Il chercherait à le dominer*» (p. 51[18]) — en fait un démiurge tel Edison chez Villiers de L'Isle-Adam, fier de son Andréide, ou tel Frankenstein ébloui, dans un premier temps, par sa créature : «*Dans une large mesure cet adolescent était sa création.*» (p. 76).

Le choix du Mauvais Ange par Dorian se voit consommé lors d'une scène éminemment symbolique où les trois amis se rendent au théâtre pour y voir jouer Sibyl : Dorian et Henry montent dans le même coupé tandis que Basil, qui se sent abandonné, les suit dans un cab (p. 104[18]). La fin de ce chapitre VI évacue l'un des membres du trio jusqu'alors quasi inséparable, mais Dorian avait déjà énoncé son choix du Mal. Au sujet de Basil, imitant le cynisme de Lord Henry, le jeune homme avait dit, déjà : «*Je ne tiens pas à le voir seul. Ses propos m'irritent. Il me donne de bons conseils.*» (p. 74). Désormais, Basil évincé, Lord Henry suit Dorian tel son ombre, tel Méphisto sa proie : «*Au dossier de son fauteuil, s'appuyait Lord Henry.*» (p. 136).

Si Sibyl s'est empoisonnée — motif du poison récurrent dans nombre de *"Faust"* — Dorian se sent coupable — «*J'ai assassiné Sibyl Vane !*» (p. 127[18]) — mais, aussitôt, son Mauvais Ange le convainc qu'il n'est en rien responsable, jouant, tel Méphisto, sur «*l'égoïsme*» (p. 129) du jeune homme. La jeune fille est alors hissée à la hauteur de son modèle mythique : «*Constamment, elle a fait figure d'héroïne.*» (p. 140). «*Sa mort a l'inutilité touchante et la beauté superflue du martyre.*» Tel le Démon, Henry exulte, heureux de pouvoir, lui aussi, renouer avec les origines du mythe et de son personnage difficile à endosser en un siècle où l'on ne meurt plus guère d'amour : « *Je me félicite de vivre dans un siècle capable de tels prodiges* » (p. 131), déclare Henry voyant sans doute, dans ce suicide par amour, la « *tragédie* » (pp. 121 et 129) se dérouler en plein XIXe siècle finissant. Certes, il y a eu des luttes en Dorian, à l'instar de Faust voulant se rétracter : « *Il résisterait aux tentations. Il cesserait de voir Lord Henry, d'écouter, en tous cas, ses théories* [...] *empoisonnées* » (p. 119), mais, quand bien même son Bon Ange lui demande de prier pour son âme, lui rappelle qu'existent le « *remords* », la « *souffrance* », la « *dégradation* » (p. 102), Dorian « *ne donne plus beaucoup dans l'art religieux* » (p. 153) comme il le confie à M. Hubbard, son marchand d'antiquités. D'ailleurs, Dieu est évacué du roman — les « *péchés, s'il exista jamais rien de tel* » (p. 27) — et l'on ne peut même pas affirmer que Dorian soit maudit ou damné. L'œuvre reste ouverte et lorsque Dorian poignarde son portrait, vieillit subitement et en meurt alors que la toile retrouve sa facture originale, celle d'un adolescent à la beauté pléthorique et aux traits purs, la clausule du récit ressortit au fantastique. Ce sont, en fait, fréquemment des personnages secondaires qui prennent en charge le motif de la damnation : Wilde met dans leur bouche le pacte et son châtiment sans jamais corroborer ces discours. « *Tiens, le vendu au diable qui s'en va !* » (p. 237) « *On dit qu'il s'est vendu au diable pour un joli visage* » (p. 241), crie une prostituée.

La partition entre le Bon Ange et le Mauvais Ange, incarnations des tensions en Dorian et issue de Marlowe, est néanmoins réactualisée : comme Dorian n'a pas affaire à des allégories, il assassine Basil, tuant ainsi, symboliquement, la part encore bonne qui était en lui. Pourtant, « *Basil l'eût aidé à se défendre contre l'influence de Lord Henry* [...]. » (p. 152[18]). Cette trame renoue certes avec le désir de Rédemption ou du Salut des récits faustiens mais n'a plus guère à voir avec la religion. Wilde reprend, en fait, la philosophie de Goethe, à savoir que c'est l'élément féminin qui tire l'homme vers le haut. Ainsi, Dorian de déclarer : « *Seule, Sibyl aurait pu me sauver.* » (p. 128). Il ne s'agit pas de gagner le Ciel, vide qu'il est, mais de « *changer de vie* » (p. 263), c'est-à-dire faire un trait sur le monde de corruption dans lequel Dorian s'est jeté. S'il pense faire une « *bonne action* » (p. 263), se sauver (entendons de la débauche et de sa vie allant à vau-l'eau) en ne compromettant pas une autre femme, Hetty Merton, candide et pure — autre Marguerite encore —, sa tentative échoue. S'il n'a pas, comme pour Sibyl, bafoué l'honneur de Hetty, qu'il l'épargne, Dorian, en fait, puisqu'il se vante auprès d'Henry de cette « *bonne action* », commet un crime surnuméraire : la « *vanité* » (p. 277). On le voit, l'axiome goethéen, « *Et l'Éternel Féminin / toujours plus haut nous attire* » (p. 497[7]), est mis en échec mais, tel Faust, Dorian conserve la même déception, celle de ne pas avoir connu l'amour. Cette fin n'a d'ailleurs rien de surprenant si l'on considère *Le Portrait de Dorian Gray* comme un roman décadent : en Décadence, nul amour heureux mais un *ethos* désenchanté, un sentiment de *désêtre* pourrait-on dire, celui de l'homme qui se désagrège. Le plus grand mythe de l'humanité, c'est un cliché, est bien celui de l'amour.

Approcher l'érotologie faustienne, c'est comprendre que, si la femme peut être la médiatrice permettant la Rédemption, elle peut aussi être l'image même de la Perdition ou, comme chez Mendès ou Wilde, mener à une mort sans au-delà, quel qu'il soit. L'amour, s'il peut cependant sauver, constitue toujours un danger, ce qu'expose encore Valéry au XXe siècle : Faust veut une Demoiselle « Transparente », de « Cristal » pour ne pas être pris au piège de l'amour. Convoitée par le Disciple du maître, Lust — entendons bien, en allemand, le *plaisir*, la *joie*, mais aussi le *désir*... — avertit encore du danger encouru : « *Prenez garde à l'amour, Monsieur* » (III, 7[2]). L'on conçoit, dès lors, que le Faust valérien veuille un au-delà de l'amour, aspire à maîtriser *Érôs énergumène* pour le dépasser et atteindre une plénitude (l'instant faustien), une sorte d'ataraxie.

En dépit du recul de la religion, il est tout à fait notable que le canevas faustien continue de fasciner. Malléable au gré du temps, le personnage de Faust incarne nos désirs comme nos hantises, et Dieu ou le Diable n'ont plus besoin d'exister pour agir...

ni Dieu ni Diable : Faust, un récit ironique

Nombre d'œuvres laissent la place de Dieu ou celle du Diable vacante. Le roman de Mendès, déjà, demeure ouvert : Sophor est-elle victime de Méphistophéla ? « Névrose » ou « Possession » (p. 558[22]) ? Il est impossible de trancher. Sans doute faut-il revenir sur la figure même du diable et l'évolution qu'elle a connue.

Satan est originellement le maître du dialogue — ce qui explique, sans doute, que Faust s'exprime souvent au théâtre —, que l'on songe au serpent de la Genèse tentant Ève ou encore à la Tentation du Christ. Dans Le Magicien prodigieux, Lucifer propose une disputatio avec Cyprien. Maître de la parole, l'interlocuteur diabolique se présente comme un simple personnage à qui l'on parle, et la plus simple des mises en scène consistait à s'en tenir à un dialogue entre Méphistophélès et Faust, un Tentateur et un Tenté. Une autre solution consiste, comme chez Marlowe ou Wilde, à faire intervenir un Bon Ange et un Mauvais Ange, incarnations d'une fracture, d'une dichotomie entre le Bien et le Mal discourant avec Faust.

Toutefois, ces solutions dramatiques, et ce dès le XVIe siècle, dépassent leur apparente simplicité : Satan ou le Mauvais Ange ont pour fonction de cristalliser les mouvements de l'âme de Faust mais ne sont pas à l'origine de ces mouvements ! Les incarnations démoniaques ou le recours aux allégories mettent en scène les pensées mêmes de Faust. Tout au plus, l'interlocuteur démoniaque rend-il conscient ou exacerbe-t-il les pulsions et désirs enfouis de l'homme : tel est le cas chez Marlowe, Goethe ou Wilde.

Au fil du temps, l'interlocuteur diabolique ou divin n'a même plus besoin d'être présent pour agir : la psychomachie, présente dès les premières versions du mythe, se voit de plus en plus intériorisée. Le mythe évolue de plus en plus du dialogue au monologue ou à l'introspection, au sens où le débat se situe dès lors dans le for intérieur de l'homme. Si Méphisto suivait Faust tel son ombre, l'homme a perdu son ombre : elle est désormais en lui.

Le débat s'articule à l'intérieur de la conscience : Faust est lui-même serviteur *et* double de Satan, la dichotomie ou la duplicité de l'Être n'ont plus forcément besoin d'être mises en scène ou, si elles le sont, l'identification des deux personnages est très révélatrice. La distribution de *La Beauté du diable* démontre bien que Faust et Méphistophélès ne font qu'un, sont interchangeables et complémentaires : les deux acteurs tiennent les deux rôles, Michel Simon jouant le vieux Faust puis Méphisto, tandis que Gérard Philipe incarne dans un premier temps Méphisto puis Faust jeune, rajeuni par la magie diabolique.

Faust renvoie à tout homme car c'est en l'homme que se confondent Dieu et le Diable, le masculin et le féminin, le comique et le tragique... La schize s'est intériorisée, donnant lieu, d'ailleurs, à des Faust proches de la schizophrénie : tel était le cas, déjà, de Sophor chez Mendès où « le Rire » qui l'accablait relevait soit de la possession (schéma faustien traditionnel) soit de la névrose (lecture psychanalytique)[36].

Bref, plus que jamais, les œuvres démontrent qu'il y a un Faust en nous ! L'Avis au Lecteur que Valéry donne à « "Mon Faust" »[2] est explicite : « *Un certain jour de 1940, je me suis surpris me parlant à deux voix et me suis laissé aller à écrire ce qui venait* ». Le théâtre est désormais intérieur et si l'on continue, cependant, à mettre en scène un interlocuteur diabolique, celui-ci a de moins en moins de pouvoir. Dieu disparaissant en Europe, Faust n'est plus le serviteur du Démon mais bien souvent son maître : la structure mythique s'est diamétralement renversée et le diable comme ses diableries n'effrayant plus guère, c'est, dans un magistral retournement, l'homme qui se proclame supérieur au Démon, voire au Créateur. L'on comprend pourquoi sont nées de nombreuses parodies du mythe — la parodie exprimant le recul du sacré : « *Assez de cette infâme parodie !* », s'exclame le Méphisto de « Lust » (III, 2) —, pourquoi certaines œuvres laissent même la place de Dieu vacante...

En fait, dès les premières versions du mythe, Méphistophélès veut ce que veut Faust ! Il ne fait rien que Dieu ne permette — chez Calderón, déjà, le diable avait « *licence de poursuivre Justine de [sa] rage* » (vv. 314-315[4]) — et, plus la conscience du sacré s'affaiblit, plus le mythe de Faust devient ironique.

La figure du retournement préside dans les récits. Outre les parodies de la Belle Époque ridiculisant, par auto-dérision, le Diable, « "Mon Faust" » multiplie les jeux de mots : si le sang du pacte goethéen était sacré, chez Valéry Faust en a assez des « transfusions » ! Le Diable est mis à distance ; pire encore, le Tentateur peut être tenté : c'est Faust qui veut faire signer un pacte à Méphisto ! À ce titre, d'ailleurs, le fait que tout un chacun dise « Méphisto », recourant à un diminutif, exprime peut-être la perte de pouvoir du Démon... En outre, qu'apportait le Démon ? Rien, puisque Faust ne devenait pas un Dieu. Méphisto ne remplissait guère sa part du marché... La quête faustienne est éminemment ironique : le désir de possession charnelle n'empêchait pas la mort, comme chez Goethe, de la femme aimée, dénonçant ainsi l'impuissance de la magie démoniaque. Toutes les aspirations faustiennes, en fait, s'écroulaient et se retournaient dès les premiers récits : Faust voulait être libre, il devenait l'esclave du Démon ! Le diable pouvait même être pris à son propre piège : le Démon de Calderón s'avère avoir œuvré pour Dieu, tandis que les anges de Goethe lui ravissent sa victime...

Avec Valéry, l'homme domine exemplairement un Malin guère malin : l'ironie porte aussi bien sur le Diable que sur Dieu car les mentalités ont changé (« *Ici vit et se moque de l'Enfer un certain Faust...* », lit-on dans « Lust » (III, 2)). Laïcisé, le mythe, dès le XIXe siècle, se moque volontiers des valeurs tragiques et religieuses, de leurs représentations : l'on se trouve dans un monde sans dieu et le diable est devenu une forme vide, presque un stéréotype. Il n'est jusqu'à Faust lui-même qui ne perde son identité, croulant sous sa propre culture : « *On a tant écrit sur moi que je ne sais plus qui je suis* », déclare le Faust de « Lust » ; cela n'empêche pas Valéry d'écrire *son "Faust"*... Le mythe serait-il mort, saturé ? Il prend surtout d'autres dimensions et subit de nouveaux infléchissements liés à l'Histoire et à l'évolution des mentalités.

Faust et nos démons... ou l'homme faustien

Écouter le Tentateur ou céder à sa voix intérieure, c'est s'écouter soi-même. Chez Valéry, l'homme n'a plus peur du diable, il a peur de lui-même ! La tentation de Lust, appelée « petite Moi » par les démons, a pour dessein de flatter l'*ego* : « *Ô quelle voix me parle qui est la mienne et qui me tourmente comme une autre...* », se demande la jeune fille que les diables, explicitement invisibles, veulent faire chanter « *AIME-TOI... AIME-TOI... AIME TOUS TES DÉSIRS !* » (III, 3). Intériorisée, la Tentation peut se passer du Malin, c'est pourquoi, d'ailleurs, il n'y a plus de pacte dans de nombreuses œuvres : le pacte est devenu un choix de soi-même et la magie diabolique fait désormais rire. Elle est devenue ridicule par rapport à ce que la science peut obtenir. Fort des progrès scientifiques, l'homme est flatté dans son *ego*, ce qui le conduit à un certain narcissisme, que ce soit Edison chez Villiers, ébloui par ce qu'il peut créer, ou le Faust valérien. Ce Moi narcissique est des plus dangereux : il développe un ultra-individualisme, un égotisme faisant croire l'homme en sa toute-puissance. Chez Valéry, le narcissisme peut conduire à une aporie : comment résister à l'amour sans s'enfermer dans son Moi ? Le problème se situe bien face à l'Autre, mais Faust refuse d'annihiler son individualité. En ce sens, le mythe de Faust, focalisé sur le Moi est devenu le mythe de l'égocentrisme.

Cet égocentrisme, ailleurs, puisqu'il n'y a plus ni dieu ni

diable, se voit métamorphosé en une autre dialectique : le choix n'est plus d'ordre religieux (salut ou damnation) mais d'ordre éthique.

En effet, la création ou découverte scientifique travaillent-elles pour le bien de l'humanité ou pour sa destruction ?

Le mythe est ainsi devenu le révélateur non plus d'un destin individuel, mais celui de l'humanité entière, renouant, certes, avec la problématique du XVIIᵉ siècle : théâtre du monde, monde du théâtre... Lorsque dans « Le Solitaire » Faust se réveille il constate, ironique, que « *l'humanité faustienne fait des progrès immenses* » (p. 172²). La notation renvoie directement à une conception de l'évolution de la civilisation occidentale, celle que Spengler présente dans *Le Déclin de l'Occident* (1918). En effet, Faust, par le biais du renom de Goethe, est devenu le héros allemand : les soldats allemands de la Première Guerre mondiale lisent Goethe dans les tranchées, y voient un modèle héroïque s'accordant bien aux désirs du pangermanisme et du nationalisme... Héros de l'action, de la puissance, Faust devient emblème : Spengler définit alors un « homme faustien ». Cette philosophie de l'histoire est une théorie de la Décadence : dès le XIXᵉ siècle, arrivé à son apogée tant dans les arts que dans la science, l'Occident, épuisé, ne progresserait plus et serait voué au déclin. L'Allemagne, fière de son héros incarnant le Progrès, se devait de sauvegarder le monde de la chute au prix d'une guerre de conquête... Maîtriser le temps, l'espace, être puissant, dominer, tels sont bien les enjeux véhiculés par le mythe. L'on retrouve l'élan prométhéen, le rebelle refusant la passivité et prônant l'action. Le national-socialisme de la Seconde Guerre mondiale ne fera qu'exacerber ce modèle faustien du nationalisme hérité de Spengler ou de la volonté de puissance nietzschéenne. Si Goethe est irrécupérable par le nazisme, Faust est plus que jamais une figure nationale que l'on plie à des fins de propagande : Hitler n'a-t-il pas lui-même vanté son admiration pour la philosophie de l'Action forgée par Goethe ? Quant à Nietzsche, outre son célèbre *Dieu est mort*, ses conceptions du surhomme, vantant le « péché actif » (le bien de l'humanité s'obtient par l'action du surhomme concevant la nécessité du crime...), s'accordent assez bien à une problématique faustienne corrompue par le nazisme.

Les réactions ne se font guère attendre, bien avant même l'éclatement de la Seconde Guerre mondiale, empruntant le schéma faustien pour exhorter les Allemands à combattre le Mal : le nazisme a pris la place du Démon, l'Allemagne a vendu son âme à Hitler, au diable. *Le Doktor Faustus* (1943–47) de Thomas Mann ou le *Mephisto* (1936) de son fils Klaus dénoncent le régime nazi. Les Mann exhibent la limite — motif faustien s'il en est — que l'Allemagne franchit. La structure mythique n'évoque plus un destin individuel mais le destin de toute l'Europe : Faust est l'Humanité, il faut qu'il sauve son âme, refuse le Mal. Si Faust a été l'emblème de la Liberté, sans doute peut-on voir dans la récupération du mythe par le nazisme un surprenant paradoxe : le nazisme ne laisse pas de choix (entre Dieu ou le diable, le bien ou le mal, etc.), aucune liberté ! Ce problème central de la liberté est d'ailleurs repris au cinéma par Murnau ou Wenders : les deux réalisateurs mêlent référents bibliques et référents nazis ; la peste de Murnau est reprise dans *Les Ailes du désir* (1987) par Wenders présentant Berlin malade... L'ange Damiel de Wenders renverse d'ailleurs les enjeux faustiens : il veut devenir mortel, de même que l'ange Cassiel de *Si loin, si proche* (1993). Devenir humain, comme les anges de Wenders, va à rebours du mythe puisque Faust voulait devenir un Dieu... Wenders nous rappelle donc qu'il faut parfois accepter la limite si l'on veut vraiment être libre.

Si Faust a incarné l'humanité, le progrès, sans doute la défaite de l'Allemagne comme la bombe atomique ont-elles mis un terme à ce rêve d'une humanité allant toujours de l'avant.

Il semble bien que, de nos jours, Faust soit quelque peu démystifié mais non démythifié. Si le canevas fait toujours fortune, compte tenu de l'évolution des mentalités et du lourd passé du mythe, l'on assiste surtout à des *"Faust"* substituant aux invariants scripturaires des éléments davantage d'actualité. La structure mythique demeure impérissable, sans cesse reconduite, prouvant la pérennité du mythe. Les auteurs de *"Faust"*, aujourd'hui, s'adonnent, avec le plus grand plaisir, à d'innombrables variations car, si le diable ne fait plus forcément peur, il semble, en cette fin de millénaire et début d'un autre, à nouveau faire recette, tant en littérature qu'au cinéma. Le *Maître Faust* de Calaferte, publié à la fin de l'an 2000, fait même signer le Démon qui, on peut le supposer, va aller tenter sa chance ailleurs... Une autre illustration récente retient aussi l'attention et expose la manière dont procèdent certains de ces nouveaux Faust : *The Devil's Advocate* (1997) de l'Américain Taylor Hackford (*L'Associé du Diable* dans la version française). Kevin Lomax (Keanu Reeves), jeune avocat qui ne perd aucun procès, est recruté par John Milton (Al Pacino) qui dirige un colossal cabinet à New York. Payé à prix d'or, bénéficiant d'un immense appartement de fonction, le jeune ambitieux et arriviste ne tarde pas à perdre son âme : la vénalité, les belles femmes et la volonté de réussir à tout prix sont les armes dont use le Démon pour le corrompre. Au nom référentiel, Milton incarne un Satan moderne, maître du dialogue (et les avocats ne sont-ils pas de beaux parleurs ?), et lui confie une mission des plus diaboliques : défendre et faire acquitter non pas les innocents mais d'odieux criminels ! Sans doute retrouve-t-on là une variation sur Faust prêt à tout pour l'argent et qui pose de bien actuels problèmes de corruption et d'éthique dans une société où, à l'instar de Faust chez les Grands, l'ascension sociale est devenue un nouveau démon...

Au XXe siècle, la notion de sacrilège s'est donc atténuée mais se voit parfois remplacée par la conscience d'un interdit moral : Faust demeure celui qui veut tout avoir, veut dépasser les limites (judiciaires, politiques, idéologiques, scientifiques, etc.), connaître l'amour, le luxe... être libre de son destin dans un monde où l'individualisme et la loi du plus fort semblent souvent de mise. Il demeure le révélateur de nos désirs comme de nos dérives, incarnant nos espoirs comme nos craintes, une projection idéale ou dangereuse de nos fantasmes, un modèle ou un monstre...

Sans doute est-ce la médecine qui, de nos jours, paraît vendre son âme... Si la bombe atomique, en tant que création humaine et symbole de puissance a rappelé à l'Humanité que tout n'était pas progrès, à s'interroger sur les avancées de la médecine en ce qui concerne la procréation artificielle, l'on n'est guère loin des désirs faustiens. L'homme a certes toujours voulu créer, à l'égal de Dieu : il y a eu l'homuncule, puis l'automate et d'innombrables machines anthropomorphes imaginées par l'homme. De la création divine à la création humaine, au XXᵉ siècle l'homme substitue la génétique à la Genèse : il veut, plus que jamais, créer un être parfait. Certes, ces désirs égocentriques se doublent souvent de motivations altruistes mais c'est oublier qu'en vendant son âme à la science, l'homme peut produire, à son image, ce qu'il y a de meilleur en lui comme de pire... Sans doute les hommes devraient-ils relire les récits faustiens et leurs mises en garde éthiques. Le mythe qui, actuellement, est idéalisé, représente la réussite, le bonheur, l'homme qui s'est accompli, nous rappelle aussi qu'à trop vouloir la chute peut être rude. À l'ère des productions transgéniques et des clones, que nous réservent les nouveaux apprentis-sorciers ? La plus belle ruse du diable, de nos jours, ne serait-elle pas de nous faire croire qu'il n'existe plus ?

1. Voir André DABEZIES, *Le Mythe de Faust* (Paris, A. Colin, « U2 », 1972), pp.10-1.
2. Paul VALÉRY, *"Mon Faust"* (Paris, Gallimard, « Folio/Essais », 1988).
3. Le sommet, par ailleurs, semble bien l'emblème du désir de puissance. Le Faust de Grabbe, qui étale le monde à ses pieds, se réfugie dans les glaces du Mont-Blanc où le Chevalier noir (Satan) lui offre un château.
4. CALDERÓN, *Le Magicien prodigieux*, introduction, traduction et notes par Bernard SESÉ (Paris, Aubier, éd. Montaigne, 1969).
5. GOETHE, *Faust*, traduction et préface par Henri LICHTENBERGER (Paris, Aubier, 1976).
6. Christopher MARLOWE, *La Tragique histoire du Docteur Faustus*, traduction de F. C. DANCHIN (Paris, Les Belles Lettres, « Théâtre anglais de la Renaissance », 1988).

7. GOETHE, *Faust II*, traduction de Jean MALAPLATE, préface et notes de Bernard LORTHOLARY (Paris, Flammarion, 1984).

8. Cité par Dominique LECOURT, *Prométhée, Faust, Frankenstein. Fondements imaginaires de l'Éthique* (Le Plessis-Robinson, édité par Synthélabo, « Les Empêcheurs de penser en rond », 1996), pp.124-5.

9. NERVAL, *Œuvres*, éd. établie par H. LEMAITRE (Paris, Garnier, 1966), pp.785-6.

10. G. MÉLIÈS, 1897 : *Faust et Marguerite, les amours passionnées d'un grand savant* (d'après Gounod), *La Damnation de Faust* (d'après Berlioz), *Le Cabinet de Méphistophélès*. — 1903 : *Faust aux Enfers* (d'après Berlioz). — 1904 : *Faust et Marguerite* (d'après Gounod). — 1909 : *Faust* (d'après Gounod).

11. Mary SHELLEY, *Frankenstein ou le Prométhée moderne*, traduction de Eugène ROCART et Georges CUVELIER (Paris, La Société Nouvelle, 1994).

12. Cf. la préface à *Frankenstein* que Mary Shelley rédigea en 1817 : elle en réfère au *Paradis perdu* de Milton et rappelle que l'origine de son récit vient d'un pari. Si les protagonistes du jeu ne sont pas cités, rappelons qu'il s'agissait du couple Shelley, de Lord Byron et de son médecin, le Docteur Polidori. Séjournant près de Genève en 1816, ils passent leurs soirées à lire des histoires de magie et de fantômes. Byron lança alors un concours : chacun devait rédiger un récit terrifiant. C'est ainsi que Mary Shelley eut l'idée de son roman.

13. Voir sa lettre à Baudelaire, *Correspondance générale de Villiers de L'Isle-Adam* (Paris, Mercure de France, t. I, 1962), pp.52-3.

Nous ne développerons pas *Axël*, drame faustien par excellence, une littérature critique abondante étant consacrée à cette œuvre de Villiers. Fasciné par Faust, Villiers a également composé un poème qui porte le nom du personnage mythique.

14. VILLIERS DE L'ISLE-ADAM, *L'Ève future* (Paris, P.O.L., « La Collection », 1992).

15. Geneviève BIANQUIS, *Faust à travers quatre siècles*, éd. revue et augmentée (Paris, Aubier - Montaigne, 1955), p. 202. La pièce de Grabbe a été jouée en 1829 mais il ne s'agit pas d'un drame, comme le dit G. Bianquis, mais de *eine Tragödie*.

16. C'est au XIXe siècle, surtout, enclin à la déconstruction des mythes, que l'on doit le plus grand nombre de Don Juan âgés. Voir entre autres, la nouvelle de Barbey d'Aurevilly : « Le Plus bel amour de Don Juan ». Ravila de Ravilès y est un Don Juan « au cinquième Acte », en fin de carrière...

17. Jules BOIS, *Les Noces de Sathan* (Paris, Savine, 1890), p. 8. Jules Bois traite encore de Faust dans une autre œuvre : *L'Ève nouvelle* (Paris, Chailley, 1896).

18. Oscar WILDE, *Le Portrait de Dorian Gray*, nouvelle traduction d'Edmond JALOUX et Félix FRAPEREAU (Paris, Stock, « Le Livre de Poche », 1978).

19. Théorie de la double postulation que l'on retrouve, par ailleurs, chez le traducteur de Goethe. En effet, dans *Les Chimères*, Nerval déclare, à la clausule du sonnet « *Artémis* » : « *La sainte de l'abîme est plus sainte à mes yeux !* »

20. Richard GARNETT, *The Twilight of the Gods* (London, John Lane, 1927), p. 193.

21. Voir le texte, fort révélateur, que Léon Bloy publie en 1884 : *Propos d'un entrepreneur de démolitions*.

22. Catulle MENDÈS, *Méphistophéla*, présentation par Jean DE PALACIO (Paris, Séguier, « Bibliothèque Décadente », 1993).

23. En 1930, Valéry écrit être à la recherche d'un diable usant de tentations modernes : « Troisième Faust. *Tout ce que Goethe a ignoré. Drogues.* » (*Cahiers*, [Paris, C.N.R.S., 1960], XIII, p. 894). Cette idée, souvent glosée, n'a donc rien d'original puisque l'œuvre de Mendès date de 1890...

24. L'on songe au récit que Wilde publie, un an à peine après le roman de Mendès, *Le Portrait de Dorian Gray*.

25. RACHILDE, *Le Grand Saigneur* (Paris, Flammarion, 1922), p. 270.

26. Le cumul des transgressions est une problématique typiquement décadente. Il s'agit toujours de développer le surnuméraire, le pléthorique.

27. L'alliance entre le sacré et la sexualité forme, dans les littératures de la Décadence, une molécule sémique des plus récurrentes.

28. En Décadence, le sexe féminin est souvent gouffre ou abîme. S'il n'est pas précipice, il est alors vagin muni de dents... Voir, par exemple, *Monsieur de Phocas* (1901) de Jean Lorrain : une petite tête de mort ricane au bas-ventre d'Astarté.

29. Théophile GAUTIER, *Le Club des Hachichins*, suivi de *La Pipe d'opium* (Paris, L'Esprit Frappeur, n° 6, 1997).

30. « [...] [*U*]*n barbet noir accompagnait* [*Katy*]*, chaperon commode* [...] » (GAUTIER, *Récits fantastiques* [Paris, Garnier Flammarion, n° 383, 1981], p. 198 — répété p. 200). La première parution de ce texte date de juillet 1841.

31. Dans « Avatar », d'ailleurs, il est question des « *épouvantails des romans d'Anne* [sic] *Radcliffe* » et d'une « *grande salle d'un manoir gothique* » (*Récits fantastiques, op. cit.*[30], pp. 333 et 349).

32. Psyché est encore mentionnée (*op. cit.*[30]), pp. 321, 324 et 370. Tous les mythèmes faustiens sont présents dans le récit : le laboratoire du docteur Balthazar Cherbonneau, le rajeunissement, les références à Prométhée comme à Paracelse, la rébellion, la quête de l'amour, la passion « terrestre », etc. En outre, tant dans « Deux acteurs pour un rôle » que dans « Avatar », la femme tient un rôle privilégié et similaire : les deux textes dupliquent le même motif. Katy a « *cet esprit de divination que donne l'amour, cette seconde vue de l'âme* » (p. 206), tandis que Prascovie, qui se méfie d'Octave, semble l'avoir « *deviné par cette seconde vue de l'âme* » (p. 348). Le don de voyance prêté à la femme, commun aux deux récits, accrédite bien leur parenté quant à la mission dévolue au personnage féminin.

33. Charles MAURRAS, « Pour Psyché », *Revue hebdomadaire*, n° 53, mai 1893.

34. « *Mon cher, l'art du Moyen Âge est charmant, mais les émotions du Moyen Âge, bien démodées !* », déclare Lord Henry à Basil Hallward (p. 102[18]).

35. On notera d'emblée l'antithèse entre les personnages : si Henry apprécie les « orchidées », Basil, bon ange de Dorian, cultive, quant à lui, les « marguerites ».

36. Le « possédé » comme le « névrosé » constituent, en outre, un paradigme, deux « types » décadents qui sont légion à la fin du xixe siècle.

2

FAUST, MIROIR DES ARTISTES
ET INTELLECTUELS DU XXe SIÈCLE

par Michel PEIFER

(Université de Nancy)

S'IL est devenu difficile, au XXe siècle, de mettre en scène Dieu ou le Diable — les valeurs de la religion ayant perdu de leur acuité en Occident —, le mythe de Faust n'en demeure pas moins un sujet fécond de production de récits et de textes. Plus qu'un parcours faustien inféodé à de multiples étapes ou invariants, le mythe donne lieu, par sa dilution même, à une *esthesis* doublée d'un *ethos* particulier : Faust se lit dès lors sous la plume d'écrivains magnifiant un régime de la fragmentation, un mode parodique, et faisant du personnage mythique le vecteur d'une contre-idéologie souvent prégnante, les œuvres les plus connues ayant été écrites durant la montée des nationalismes ou durant la guerre.

Le mythe est d'ailleurs transposé, désarticulé, amalgamé à d'autres figures, et l'on serait bien en peine de trouver une œuvre reposant de bout en bout sur l'histoire du magicien du XVIe siècle. En revanche, les épisodes les plus fameux sont convoqués et retournés dans leur forme ou signification. Ils peuvent également être dupliqués à l'envi. Ainsi, Louis Calaferte, dans les soixante-quatre fragments de son *Maître Faust*, réitère la visite du disciple — tour à tour homme ou femme — et, surtout, multiplie les renvois au pacte. En aucun cas, cependant, le mythe n'est désormais raconté. C'est la figure même de Faust qui, par-dessus tout, intéresse : davantage artiste que savant, il est, plus encore qu'au XIXe siècle, le miroir où les écrivains se retrouvent, artistes tourmentés par leur art et, accessoirement, les affres de l'Histoire.

Naturellement, les significations édifiantes des *"Faust"* primitifs sont très peu évoquées. L'on fait le plus souvent silence sur la damnation du héros et l'on refuse toute interprétation monologique du destin du personnage. Le pacte avec le diable est, d'ailleurs, volontiers parodié. En outre, le siècle est largement profane, et la croyance au diable recule, sans qu'on soit forcément athée comme Paul Valéry. Chez Calaferte, Faust affirme croire en Dieu. Mais, en fait, cette profession de foi déiste paraît liée à des perspectives spécifiquement eschatologiques : si le Diable, incarné par Méphistophélès, existe, Dieu existe nécessairement. Chez Calaferte, la croyance de Faust en Dieu s'appuie exclusivement sur la conception chrétienne d'un Dieu de Pardon. Par là, la rédemption de Faust est acquise par avance, sous couvert d'une dialectique réduite à sa plus simple expression, permettant tout aussi bien d'escamoter le moment de la fin dernière.

En revanche, les lectures idéologiques du mythe réveillent les vocations. Les auteurs s'opposent aux propagandes issues d'un faustisme caricatural, tel celui prévalant en Allemagne. La vision faustienne des auteurs est, elle, riche et critique. Si Klaus Mann délivre un message relativement simple — et, par là même, efficace —, *Le Docteur Faustus* de Thomas Mann offre une complexité, une profondeur résistant à l'analyse. Moins manichéen que Klaus, Thomas, qui condamne les déchaînements d'un nazisme assurément diabolique, fait de son héros un personnage infiniment plus ambigu, son pacte avec le démon n'étant pas de même nature que celui qu'a contracté l'Allemagne avec le Mal...

S'il symbolise presque toujours dans les esprits une tentation assurément dangereuse, Faust devient néanmoins une figure en laquelle se reconnaissent et se projettent les écrivains. Ceux-ci se rêvent en créateurs quasi-démiurges, sous les traits de l'alchimiste de la légende. Les auteurs, toutefois, connaissent la fin de l'histoire et ont, par ailleurs, fait leur deuil des utopies des générations qui les ont précédés. Aussi préfère-t-on s'habiller en Faustroll ou Falstaff qu'en Faust, tant le portrait de l'artiste en saltimbanque, en singe ou en « pitre châtié » demeure vivace, même s'il s'accompagne de plus d'humour que de dolorisme romantique. L'attitude d'écrivains tels Boulgakov ou Leiris est exemplaire, à ce propos.

Les écrivains s'approprient le mythe pour construire, malgré tout, des œuvres ambitieuses. Ils sont travaillés, souvent longtemps, souvent souterrainement, par le mythe, ainsi que par le cas de Goethe. Non qu'ils veuillent tous écrire leur *Troisième Faust*", mais, indéniablement, la plupart des œuvres ont des accents testamentaires.

situation du diable

Sans doute Valéry a-t-il le mieux exposé la nouvelle situation du diable. À la scène deuxième du premier Acte de « Lust » (« "Mon Faust" »[1]), apparaît Méphistophélès dans son emploi traditionnel, lequel ne correspond en rien aux attentes de Faust.

Valéry s'en prend tout d'abord à l'épisode goethéen des amours de Faust et de Marguerite, popularisé par l'opéra de Gounod[2]. D'emblée, Faust prévient le diable : « *Il ne s'agit pas du tout d'effeuiller une nouvelle Marguerite.* » (p. 29[1]). « *J'espère bien que le genre est épuisé* » (p. 30), renchérit Méphistophélès. Ainsi se trouve renvoyé aux oubliettes l'épisode, souvent employé, du rajeunissement de Faust à des fins de séduction : « *Nous n'en sommes plus, ni toi ni moi (chacun selon sa nature), à combiner un rajeunissement supplémentaire avec une virginité complémentaire.* » (p. 30). Cependant, le diable reste d'opérette (ou d'opéra), en persistant dans son rôle ordinaire de tentateur : Lust, la secrétaire de Faust, est, en bonne fille d'Ève, « *bien curieuse du diable* » (p. 28), et Valéry rappelle dans ces pages l'épisode biblique du serpent, dont il a déjà exploité les ressources (« *Ébauche d'un serpent* »). Il le parodiera à la dernière scène de l'Acte II, où Lust mange une pêche (bien sûr !), tandis que le diable, « *en vert serpent* » (p. 84), commente la « reprise » en se

85

plaignant de l'ingratitude des hommes, qui ont oublié son rôle quant au péché originel, l'arbre de la Connaissance n'étant décidément pas celui « *de la Reconnaissance* » (p. 84) !

Précisons que, de tout cela, Louis Calaferte semble se souvenir précisément, pour renchérir ou se démarquer. Au contraire de Valéry, le thème de la vieillesse, ainsi que son corollaire, la jeunesse, est, dans *Maître Faust*[3] amplement développé. L'âge de Faust est même mentionné (quatre-vingt-douze ans). La vieillesse est une déchéance que refuse Faust. C'est d'ailleurs la première raison pour laquelle il conclut le pacte. Faust rajeuni éprouve toutefois, de temps à autre, les douleurs du vieillissement, et la vieillesse s'accompagne partout d'une insupportable et répétée détresse. Quant à Marguerite, il en est question trois fois, mais de façon fugace : elle incarne essentiellement la femme aimée, une sorte de souvenir lointain de l'histoire traditionnelle de Faust. Dans l'un des fragments (p. 131-2[3]), elle a tous les attributs de la femme d'aujourd'hui (elle revient de chez le coiffeur et désire se faire offrir une robe rouge), et sa présence paraît bien parodique ! De même, l'épisode du péché originel est rappelé par deux fois sous la plume de Calaferte, et Méphistophélès se plaint lui aussi, à diverses reprises, d'un malentendu entre lui et les hommes.

Plus radicalement, chez Valéry, Méphistophélès se voit, dès le début de l'œuvre, opposer une fin de non-recevoir : Faust n'en est plus — dit-il — à l'amour, soit-il charnel ou éthéré[4]. S'amorce un second mouvement dialogal : « *Écoute. Je ne puis te cacher que tu ne tiens plus dans le monde la grande situation que tu occupais jadis.* » (p. 33[1]), occasion d'un premier renversement du mythe :

FAUST
Tu ne fais guère peur. L'Enfer n'apparaît plus qu'au dernier Acte. Tu ne hantes plus les esprits de ce temps. Il y a bien quelques petits groupes d'amateurs et des populations arriérées... Mais tes méthodes sont surannées, ta physique ridicule...

MÉPHISTOPHÉLÈS
Et tu t'es mis en tête de me rajeunir, peut-être ?

FAUST
Pourquoi pas ? Chacun son tour.

MÉPHISTOPHÉLÈS

Tentateur...   (p. 34[1])

Le diable appartient bien à d'anciennes superstitions : «*Au fond, tu es infiniment simple*» (p. 34), précise Faust. «*Tu ne te doutes même pas qu'il y a bien autre chose dans le monde que du Bien et du Mal*», ajoute-t-il (p. 35).

Deux explications viennent prolonger la démonstration valérienne. Les progrès de la connaissance et des sciences en sont une première :

Tu ne sembles pas concevoir l'effrayante nouveauté de cet âge de l'homme. [...] Jusqu'ici les moyens de l'esprit de l'homme étaient si faibles qu'il ne faisait qu'effleurer la surface des choses, et attenter à peine à la substance de la vie. Le plus grand monarque ne pouvait que tuer et construire. Tout ce que l'on imaginait qui passât ce pouvoir si borné était supposé appartenir à un ordre surnaturel. La magie vivait de cette croyance. [...] Tu le devrais savoir d'autant mieux que toi-même, tu n'es qu'un produit de tradition...   (p. 39-40[1])

Valéry poursuit donc le dépoussiérage du mythe — entendu dans toute sa polysémie —, ce que relève immédiatement Méphistophélès : «*Tu me prends pour un mythe...*» (p. 40) ! Cette première explication est suivie d'une autre, sa conséquence. L'homme tendant à s'égaler à Dieu, la religion elle-même apparaît dépassée : «[...] *l'esprit de l'homme, déniaisé par toi-même !... a fini par s'attaquer aux dessous de la Création... Figure-toi qu'ils ont retrouvé dans l'intime des corps, et comme en deçà de leur réalité, le vieux CHAOS...*» (p. 41). À l'ère nucléaire, à l'époque de la physique quantique, le Diable, Dieu font pâle figure...

En fait, l'originalité de Valéry consiste surtout à produire une singulière inversion. Faust et Méphistophélès échangent, en effet, leurs rôles. Faust conclut ce mouvement dialogal par «*il fallait bien t'éclairer ce qui est pour achever de te séduire*» (p. 41[1]), tout en en soulignant ironiquement les conséquences («*Pauvre

87

diable ! » (p. 46), dit-il à Méphistophélès[5]). La fin de la scène consacre un inouï renversement :

MÉPHISTOPHÉLÈS

Après tout... Il se peut que je ne serve à rien. Je repose peut-être sur une idée fausse...

FAUST

Laquelle ?

MÉPHISTOPHÉLÈS

Que les gens ne sont pas assez... malins pour se perdre tout seuls, par leurs propres moyens.

FAUST

Ma foi, je ne vois rien qui ne te donne raison... Mais te décides-tu ?

MÉPHISTOPHÉLÈS

Allons... Soit !... Je signe.   (p. 46-7)

De manière somme toute analogue, dans l'avant-dernier fragment de *Maître Faust*, Faust demande à Méphistophélès de devenir lui. On peut se demander si cet échange de rôle n'est pas une ruse de Faust, au titre d'une ruse proprement diabolique, afin de s'emparer des pouvoirs de son compagnon, ou d'éviter la damnation. Il est vrai que Faust, au début de l'ouvrage, en prévenait son compagnon : « *Toi, je finirai par te tromper !* » (p. 17[3]). D'ailleurs, l'ouvrage de Calaferte propose nettement un trajet : du printemps ou de l'été à l'automne, de l'aurore au soir, de la première apparition de Méphistophélès prédiquée comme « *indésirable* » (p. 13) à l'éviction de celui-ci. À la fin du livre, Faust reste donc seul en compagnie d'enfants avec lesquels il chante : « *La Mort vient en beau pantalon / En escarpins et manteau long* » (p. 188). Et, si l'on s'en rapporte à l'épigraphe de l'ouvrage, cette inversion de rôle apparaît comme programmatique : « *Ici, cet échange pervers, donc innocent, entre Faust et son âme qui, peut-être, fut la moins vendue de toutes.* » (p. 11). La dernière perversion de l'homme faustien moderne (en l'occurrence : contemporain) ne serait-elle pas de vouloir, sous certaines conditions, être Méphistophélès plutôt que Faust — et pouvoir ainsi recommencer à l'infini un pacte, devenu, dès lors, nul et non avenu ?

L'on pourrait le croire, en tout cas, à lire les dernières répliques de l'avant-dernier fragment de Calaferte :

MÉPHISTOPHÉLÈS, *timidement*
Je vais essayer de recommencer...

FAUST
Voilà !... On signe !   (p. 186[3])

— mot de la (presque) fin qui justifie peut-être la « reprise » du mythe par Calaferte et lui confère son éventuelle originalité.

Que reste-t-il à Méphistophélès, dans ces conditions ? Au moins, chez Valéry, après avoir apposé sa signature sur un poème qu'il donne pour son propre « *Décalogue* » (p. 63[1]), peut-il (métaphoriquement) emporter le disciple, venu, dans la tradition renouvelée de Goethe, dire son admiration au Maître, à la scène 3 du second Acte. Métaphoriquement : car la séduction exercée sur le disciple au troisième Acte échoue totalement, tant on ne peut plus (ni ne doit) jouer *Faust* sur ce registre... L'échec est le même chez Calaferte, dans ses variations autour des admirateurs et disciples. Le Faust de Calaferte refuse à l'évidence l'admiration qu'on lui voue, récusée comme servilité. Il s'arrange, également, pour décourager « La Demoiselle » venue pour lui proposer d'être sa secrétaire — ce qu'est Lust, la « *Demoiselle de cristal* » (p. 23[1]), chez Valéry. L'on songe aussi à *Docteur Faustus*, lorsque Thomas Mann fait d'un impresario, Saül Fitelberg, personnage grotesque, une figure méphistophélique dégradée, échouant pareillement auprès du héros... Si les récits du XVIe siècle vouaient Faust à la damnation, si les Romantiques, eux, le sauvaient *in extremis* sous l'impulsion — après Lessing — de la réécriture goethéenne, l'incroyance au diable ne permet plus d'en référer ni à lui, ni au pacte. C'est ce qu'ironiquement souligne chez Valéry le disciple même, s'adressant à Méphisto : « *Satan n'est plus, qui était la complaisance même. On l'évoquait. Il accourait. On se vendait. Il vous comblait... Et puis, on s'empressait au bon mauvais moment de faire ce qu'il fallait pour lui tirer des griffes cette chère âme immortelle...* » (p. 122[1]).

Bref, comme le dit Méphistophélès, en se plaignant à des démons parodiques et farcesques : « *Ici vit et se moque de l'Enfer un certain Faust...* » (p. 99). La formule vaut aussi bien pour Valéry...

Elle vaut plus encore pour « Le Solitaire », où Méphisto ne figure que dans la scène initiale. Il a d'ailleurs « *le mal des sommets* » et se plaint à Faust : « *Pourquoi m'as-tu entraîné vers le haut ?* » (p. 152¹) La suite réaffirme la fin du manichéisme, et se fait à nouveau parodique :

FAUST

Tu n'as pas encore compris qu'il n'y a ni haut, ni bas... Eh bien, va-t'en !

MÉPHISTOPHÉLÈS

Va-t'en Satan ! Toi aussi, tu m'envoies du Retro par le visage ! Merci.
(p. 152¹)

Aussi Méphistophélès, qui semble ne pouvoir suivre Faust dans les hauteurs qui sont les siennes, cède-t-il la place à un ermite, prédiqué comme plus effrayant que le diable[6]. Éviction du Diable à nouveau bien symbolique...

Naturellement, Paul Valéry aurait mauvaise grâce à nier tout diabolisme, d'autant qu'il rédige « "Mon Faust" » durant l'occupation nazie. Mais — et ce point de vue semble majoritairement partagé par les écrivains du siècle — le diable n'a plus besoin de s'incarner qu'en l'homme même, celui-ci abritant suffisamment de puissants démons intérieurs. Le refus semble *quasi* général des « *diablerie[s]* » pour « *celui-qui-a-signé-un-pacte-avec-le-diable* » (p. 52[7]), face à « *un Méphistophélès (méfie-toi-fiston-de-ce-félin-céleste !)* » (p. 73[8]), et « *perdant la face par feu aux fesses* » (p. 75[8])... Chez Louis Calaferte, en dépit du déisme du héros, en dépit des références répétées au pacte, et si Méphistophélès apparaît comme l'ombre de Faust que convoquent constamment les pensées de ce dernier (à l'instar d'ailleurs de Valéry), Faust a nettement par avance la certitude de pouvoir déjouer le pacte ou de connaître la rédemption. Faust, en ce sens, apparaît lui aussi comme humain, trop humain, incarnant l'homme faustien, un mythe qui devait vivre et ne peut mourir :

MÉPHISTOPHÉLÈS

Au moment de ta mort...

FAUST

Je ne mourrai pas !

MÉPHISTOPHÉLÈS

Fantasque !

FAUST

Je ne mourrai pas, parce que le monde ne peut vivre sans ce que j'exprime.

MÉPHISTOPHÉLÈS

Le monde vit fort bien sans toi et sans personne.

FAUST

Il le croit — mais ne commence à vivre pleinement que lorsqu'il me distingue.[9]   (p. 127[3])

Dans son roman *Le Docteur Faustus*, vaste fresque de l'histoire allemande depuis les derniers lustres du XIXe siècle jusqu'à la fin du régime nazi, Thomas Mann fait pourtant signer à son héros, Adrian Leverkühn, un pacte avec le démon dans le chapitre le plus long du livre. L'auteur, lui, dit avoir rédigé ces pages avec « *l'écho dans l'oreille des "déclarations hystériques des speakers allemands sur la lutte sacrée de la liberté contre les masses privées d'âme"* »[10]. La parabole du roman en est d'autant plus claire... Ces pages sont, toutefois, l'objet d'un relais de narration, puisque le narrateur principal, Sérénus Zeitblom, reproduit un récit d'Adrian, si bien que les événements se brouillent alors et peuvent paraître controuvés. D'autre part, ce récit est l'occasion d'un savoureux pastiche en vieil allemand du XVIe siècle comme si, décidément, le pacte ne pouvait plus se décliner dans une langue contemporaine. Enfin, si Valéry ironise sur la signature du pacte et la « prise de sang » qui l'accompagne, Thomas Mann fait dire à son héros : « *Point ne cuidez, mes chiers frères et sœurs, que pour le serment promissoire et la conclusion du pacte il m'ait fallu un carrefour dans la forêt et moult cercles magiques et grossières pratiques conjuratoires.* » (p. 651[10]).

Dans un autre grand roman de Faust du XXᵉ siècle, *Le Maître et Marguerite*, Mikaïl Boulgakov fait, lui aussi, du diable un protagoniste essentiel. La figure satanique, cependant, a de très nets accents parodiques. Elle apparaît même comme une sorte, sinon de rédempteur, du moins de vengeur, tandis qu'on observe un déplacement des principaux rôles de la légende faustienne : le Maître (avatar de Faust) a vu son âme détruite par l'idéologie soviétique[11], c'est Marguerite qui contracte le pacte, rajeunit et devient sorcière afin de le retrouver, cependant que le diable, Woland, s'avère un joyeux destructeur des pantins inféodés au régime. Mathieu Lévi, sorti du récit sur Pilate écrit par le Maître et abymé dans le roman, vient en outre jouer les intercesseurs divins, afin que soit accordé le repos éternel au Maître et à Marguerite — ce à quoi consent volontiers Woland[12]. D'où des renversements auxquels n'auraient pas songé les écrivains des siècles précédents...

Faust idéologue

L'on voit, avec les exemples de Mikaïl Boulgakov et de Thomas Mann, que le mythe faustien est un terreau fertile tant pour les idéologies que pour les lectures critiques de ces idéologies[13]. Il faut dire que, dans le premier demi-siècle, des dérives idéologiques ont attribué à l'histoire de Faust une exemplarité prométhéenne, transformant, sous couvert de nietzschéisme, le héros en surhomme. La plus dangereuse de ces dérives est celle de la propagande nazie. Elle s'empare du Faust goethéen comme d'un héros national, et ne retient de l'œuvre du maître de Weimar que quelques axiomes — dont le fameux *Au commencement était l'action* — et situations — telles les guerres et annexions de l'Acte V du *Second Faust*.

Tout cet entour idéologique paraît aujourd'hui si évidemment irrecevable que l'on serait tenté de le passer sous silence. Mais, précisément, c'est à ce faustisme caricatural que s'en prennent les Mann père et fils. Klaus Mann, en publiant en 1936 son *Mephisto*[14], a d'ailleurs précédé d'une décennie son père. Le titre de l'œuvre s'explique en partie parce que ce « roman d'une carrière » retrace l'ascension de Hendrik Höffgen, acteur demeuré célèbre pour son interprétation de Méphisto dans le *Faust* de Goethe : arriviste, comédien, imposteur, il signe un pacte symbolique avec un régime tout aussi arriviste, comédien, imposteur que lui. En ce sens, il est la parfaite émanation de son temps, avec lequel il coïncide. Les dernières phrases du roman résument toute la lâcheté autant que la complaisance à soi du personnage : « *Que me veulent les hommes ? Pourquoi me poursuivent-ils ? Pourquoi sont-ils si durs ? Je ne suis pourtant qu'un comédien tout à fait ordinaire !...* » (p. 347[14]) — en même temps qu'elles anticipent les excuses et justifications, ordinaires elles aussi, dont on a eu, depuis, maint exemple... Si Thomas Mann fait dire au diable que « [*l'*]*artiste est frère du criminel et du dément* » (p. 321[10]), Klaus montre qu'il peut être leur collaborateur !

Cependant, Höffgen est *aussi* Faust, du fait d'une ambition sans bornes. Comme Faust, il se montre divisé et le taraude, ne serait-ce que par instants, sa mauvaise conscience. Faust, Höffgen l'est d'autant plus qu'un Goering méphistophélique signe avec lui l'incontournable pacte (cf. chap. VII[14]), fustigé en ces termes : « *On eût dit que le potentat voulait conclure un pacte avec l'acteur.* » (p. 234[14]). Goering, les hauts dignitaires nazis ou leur chef, ne sont d'ailleurs jamais nommés dans le roman que par leur titre ou des périphrases confirmant à tout jamais leur monstruosité — Goering est *l'Obèse*, le *Ventripotent*, Goebbels, *le nabot* ou *le boiteux*, Hitler, « *l'homme à la voix glapissante* » (p. 248) — et demeurent, proprement, figurément, innommables... La duplicité de Höffgen a pour point de fuite la confusion Méphisto-Faust dont il reste investi, ce qui permet à Klaus Mann de mettre à plat (et renverser) les impostures du faustisme des nazis, et ce, de manière particulièrement efficace. Ainsi de ces paroles de Goering au comédien, à propos du rôle de Méphistophélès :

« Vous m'avez, le premier, permis de bien comprendre ce gaillard mon ami, disait le général. C'est vraiment un type formidable ! Et n'avons-nous pas tous quelque chose de lui ? Je veux dire, au fond de tout véritable Allemand, n'y a-t-il pas un peu de Méphistophélès, quelque chose d'espiègle et de fripon ? Si nous n'avions en nous rien que l'âme de Faust, comment nous débrouillerions-nous ? Ce serait très avantageux pour nos nombreux ennemis ! Non, non, Méphisto est, lui aussi, un héros national allemand. Seulement il ne faut pas le dire aux gens », conclut le ministre de l'Aviation, et il poussa un grognement satisfait.   (p. 248[14])

C'est donc par référence aux dérives idéologiques que s'expliquent certains partis pris et que l'on doit lire les œuvres écrites durant la montée des totalitarismes. Le roman de Thomas Mann anticipe, par exemple, le procès qui sera fait à Faust — c'est-à-dire à l'Allemagne — après la Seconde Guerre mondiale[15]. Mais, tout aussi bien, le silence de Valéry dans « "Mon Faust" » sur la germanité du mythe ou l'absence de toute allusion à l'actualité contemporaine relèvent d'un refus du faustisme caricatural qui prévaut à l'époque — et qu'il ne pouvait méconnaître. L'attestent des formules telles que « *la formidable figure du diable* » ou le « *Lucifer totalitaire* » datant de 1939[16]. À l'inverse, un demi-siècle plus tard, Louis Calaferte semble pouvoir faire à nouveau du *Streben* faustien la pièce essentielle de son édifice. La quête de Faust est, en effet, animée d'une soif de connaissance et d'absolu où « Sexe » et « Vie » figurent en bonne place — tandis que doutes et découragements du héros sont moindres qu'ils ne l'étaient chez Goethe par exemple.

Même refus, semble-t-il, du faustisme chez Michel Leiris, qui émaille de références au mythe maint passage de son œuvre autobiographique (de *L'Âge d'homme* à *Langage tangage*)... Ce sont d'ailleurs le célèbre axiome « *vers le début du drame goethéen* » (p. 60[17]) et le même Acte où « *Faust rêve d'une action utile, menée sur un sol libre, au milieu d'un peuple libre* » (p. 63[17])[18] que l'écrivain glose, en en montrant les limites et en en dénonçant les illusions. Mais, un quart de siècle plus tard, ce n'est plus à l'Allemagne nazie qu'on doit s'en prendre, ce n'est plus à la réhabilitation d'un Goethe entaché de propagande qu'il faut travailler. Tout à rebours, c'est contre l'écrivain allemand que Leiris retourne ses propres principes : « *Grand bourgeois de Weimar, Goethe songea-t-il à jauger sa vie d'après un critère pragmatique ou crut-il que génial et promis à laisser un sillage presti-*

94

gieux il avait gagné son salut ? »[19]. Cela dit, on reste dans l'idéologie, d'une façon somme toute proche des intellectuels est-allemands qui, après la guerre, se sont aussi prononcés contre, ou se sont au contraire annexé l'embarrassant créateur... Juste retournement des choses, pourrait-on dire, après les dérives grossières dont le faustisme est l'incarnation la plus aberrante, le mythe, dans son exemplarité, servira, tout à rebours, les fondements d'une éthique, ainsi que l'exprime Dominique Lecourt dans le titre d'un ouvrage récent[20]. Avec Calaferte, un demi-siècle plus tard, en revanche, c'est un peu comme si le faustisme ne prévalait désormais plus. D'ailleurs, son Faust évolue en un temps et un lieu imprécis, qui ne laissent pas de regretter ce que l'écrivain aurait pu faire des motifs de la mort et du vieillissement, pourtant bien présents, s'il les avait explicitement liés aux illusions scientistes de notre époque contemporaine, comme y invite, précisément, Dominique Lecourt dans son analyse du mythe... Quoi qu'il en soit, son ouvrage, par son absence apparente d'enjeu idéologique, contrairement aux œuvres de ses aînés, semble venir à point nommé pour refermer le livre des *"Faust"* du XXe siècle, tout en confirmant la spécificité des investissements contre-idéologiques des auteurs écrivant avant 1950, pour qui l'entour historique est déterminant.

Mais, plus encore qu'un miroir des idéologies, le mythe détourné par les auteurs laisse surtout transparaître des partis pris esthétiques.

portrait de l'artiste en Faust

À Goethe, « *matelassé de gloire* », Leiris dit préférer « *ce fou, Nerval, premier traducteur de* Faust *dans sa langue et, de tous les romantiques français, le plus tragiquement subjugué par la voix mélodieuse de la Lorelei* » (p. 64[17]) : tel est le dernier mot du long fragment qu'il consacre dans *Frêle bruit* à sa glose goethéenne. En fait, tous les *"Faust"* de ces deux derniers siècles s'avèrent écrits par référence à Goethe. Aussi n'est-ce que très rarement en Goethe — ce serait plutôt contre lui —, mais en Faust que se rêvent les écrivains.

Précisons. Pour Thomas Mann, la référence n'est jamais son génial (et sans doute encombrant) prédécesseur, mais le *Volksbuch* de 1587. Outre de fréquents développements sur l'humanisme, Adrian manie volontiers, on s'en souvient, une langue vieille allemande, dont le référent historique pourrait être contemporain du magicien des origines. Quant à Boulgakov, son « *Maître* » est si diminué que sa « génialité » ne saurait guère être rapportée à l'auteur de *Werther*... Si de nombreux artistes au XIXᵉ siècle ont rêvé d'écrire leur "*Troisième Faust*", le lien avec Goethe ne peut guère être que parodique, et ce, même lorsque l'écrivain apparaît, tel Valéry, entouré d'une aura d'officialité. Il semble que soit notamment auscultée, bousculée, la notion de « génialité » même :

> Goethe et Victor Hugo ne seraient-ils pas des exemples de génies à bonne conscience ? Exemples aussi de génies sans humour ?
> Il se peut [...] que seul le génie *moderne* doive avoir mauvaise conscience et humour.[21]

— principe que pourrait particulièrement illustrer Valéry faisant déclarer à son personnage : « *Je crois bien que mon génie n'est que mon habitude de faire ce que je puis. [...] J'en ai conclu ou bien que je n'ai point de génie ; ou bien, que ce génie dont parlent les gens n'est point du tout ce qu'ils croient qu'il est...* » (p. 55[1]) — tant, au fond, « [i]*l est gênant et fatigant de faire figure de grand homme*[22] » et tant « *ceux qui s'y plaisent font pitié* » (p. 56) !

Aussi ne s'étonnera-t-on pas non plus que les œuvres d'Adrian, le héros de Thomas Mann, aient partie liée avec la parodie, que celle-ci et l'ironie soient perpétuellement déclinées dans le roman, notamment à travers les rappels constants de la froideur et du rire du personnage.

Quoi qu'il en soit, le génie demeure naturellement encore à l'horizon, de même que l'ambition (sinon l'orgueil) de faire œuvre totale...

À ce titre, chez Valéry, les déclarations de Faust sur le livre qu'il ambitionne d'écrire ne sont pas sans faire songer au projet mallarméen du *Livre* : « *Je veux faire une grande œuvre, un livre... [...] On pourra le prendre en tout point, le laisser en tout autre... [...] Personne, peut-être, ne le lira ; mais celui qui l'aura lu n'en pourra plus lire d'autre.* » (p. 37[1]). Ce à quoi Méphistophélès conclut : « *Il se voit que tu m'as fréquenté. Ce style-là me paraît tout méphistophélique, monsieur l'Auteur !* » — et, détournant la célèbre formule de Buffon : « *En somme, le style... c'est le diable !* » (p. 38). La réplique suivante est, également, significative, qui, n'en doutons pas, égratigne Goethe au passage : « *Les plus grands m'ont donné l'exemple des emprunts.* ». Ajoutons que ce Faust qui « *veu[t] finir en homme de lettres* » (p. 39), comme le souligne ironiquement son interlocuteur, a une autre formule que l'on dirait démarquée de la fameuse « disparition élocutoire du poète » mallarméenne : « *J'ai donc ce grand ouvrage en tête, qui doit finalement me débarrasser tout à fait de moi-même* » (p. 39) — et tout aussi paradoxale qu'elle, tout aussi aporétique... La poétique des œuvres musicales d'Adrian Leverkühn, elle, devient la métaphore des exigences de Thomas Mann quant au montage de son propre roman. Ainsi l'*"Oratorio Fausti ad studiosus"* de son héros propose exemplairement « *une forme de la dernière rigueur, [...] où l'ordonnance du matériau devient totale et à l'intérieur de laquelle l'idée d'une fugue semble absurde, [...] parce qu'il n'y a pas une note de libre* » (p. 637-8[10]).

Sans doute faut-il dire que bien des choses ont pu changer après la mort de Dieu, prétendument proclamée par Nietzsche. Dieu mort, le diable, on l'a vu, lui survit à peine. C'est d'ailleurs à Nietzsche que songe constamment Paul Valéry — surtout dans « Le Solitaire » —, mais aussi Thomas Mann.

Dieu étant mort, et vacant son trône, la place est à prendre. Seul, à notre connaissance, Jarry, au tournant du siècle, a songé à pleinement l'occuper : Faustroll, cet avatar pataphysique du très sérieux Faust mâtiné de Peer Gynt et « *supérieur à eux en ce qu'il ne se cherche pas, mieux même : en ce qu'il ne cherche pas* » (p. 175[23]), déclare : « *Je suis Dieu.* » (p. 44). Plus que jamais, l'Artiste et Dieu partagent un même privilège, que résume le mot *créateur*.

Le « roman néo-scientifique » de Jarry, qui cite Mallarmé, est aussi, à n'en pas douter, un avatar du *Livre*... Est-ce un hasard, en outre, si le Livre IV, intitulé « *CÉPHALORGIE* » s'ouvre sur une dédicace à Valéry (Jarry songeant à *La Soirée avec Monsieur Teste*), si le chapitre XXVII s'intitule — en capitales ! — « *CAPITALEMENT* », c'est-à-dire : « *DE LA TÊTE* » ?...

L'artiste se rêve donc en Faust. Dans le roman de Boulgakov, le Maître est écrivain, de surcroît, proche de son auteur. « Maître » (Boulgakov, Calaferte) ou « Doktor » (Thomas Mann), Faust, plus que savant ou penseur, s'avère désormais artiste ou écrivain. Chez Calaferte, Faust est également un auteur. Il est, par ailleurs, à plusieurs reprises question de lecture (lecture de type littéraire, s'entend) dans l'ouvrage. Jamais autant qu'au XXᵉ siècle les variations sur Faust ne se sont colorées d'éléments si vivement autobiographiques. Ainsi la situation de Faust dictant à Lust est celle de Valéry, dictant pareillement à une secrétaire au moment où il s'approprie le mythe. Ce que Faust dicte, non content d'abymer l'énonciation, abyme également l'énoncé : Lust, dans la première scène, censée relire les *"Mémoires"* (bien sûr) du fameux savant, lit ce qui constitue, en fait, le titre de l'avertissement au lecteur de « "Mon Faust" » : « *Au lecteur de bonne foi et de mauvaise volonté...* » (p. 18[1]). L'on trouve même dans les paroles de Faust une esthétique à la fois du livre total et de la confession qui n'est pas sans faire songer à *L'Âge d'homme* de Michel Leiris : « *[...] je veux donner la plus forte, la plus poignante impression de sincérité que jamais livre ait pu donner, et ce puissant effet ne s'obtient qu'en se chargeant soi-même de toutes les horreurs, ignominies intimes ou expériences exécrables — vraies ou fausses*[24] *— dont un homme puisse s'être avisé.* » (p. 21). En outre, le dessin d'auteur représentant une main tenant une plume sur la couverture de l'édition de luxe de *Études pour « Mon Faust »* révèle que, pour Valéry, Faust est un créateur, cette « main de Dieu » étant le métonyme d'une activité toute démiurgique. On ne s'étonnera donc pas du règne prépondérant, dans toutes ces œuvres, de la dimension métadiscursive, dont jouent très consciemment les auteurs. Ainsi de Faust disant à sa secrétaire qu'elle est « *une demoiselle de cristal* », ce à quoi Lust répond : « *Oh ! Le joli titre !...* » (p. 23[1]). Or, « La Demoiselle de cristal » est le sous-titre de « Lust » dans « "Mon Faust" ». Quant aux guillemets du surtitre, ils révèlent le recours à la connotation autonymique...

Chez Jarry, dans les legs du « *Livre premier* », le florilège d'œuvres littéraires au chapitre 4 abyme l'œuvre du poète, puisque le 24 est *Ubu Roi* (p. 22[23]). Mieux, Jarry écrit ensuite : « *voici un livre, par moi manuscrit, que vous pouvez saisir vingt-huitième et lire* » (p. 27) ! Quant à Thomas Mann, on sait combien la figure d'Adrian a pour lui été l'objet d'un investissement tout spécial, la critique ayant insisté sur le fait que le romancier se projetait à la fois dans la figure de son héros et celle de son narrateur... Si, chez Klaus Mann, Hendrik Höffgen semble constituer une exception, il faut naturellement peser ce que dit de lui un des personnages du roman : « *Ce n'est pas un artiste mais un comédien* » (p. 34[14]). À ce titre, « infiniment simple » et « guère malin » (dirait Valéry), il est bien Méphisto, en l'occurrence, et non pas Faust !

Encore doit-on dire que cette pose du poète-démiurge est un héritage du Romantisme, époque où naît la notion d'Auteur moderne — époque à laquelle on peut penser, en dépit d'apparentes mutations et en dépit des discours, que nous appartenons encore. Quand le jeune Leiris ambitionne d'être poète, il remarque l'« [i]nfluence des sciences occultes sur la littérature » qu'il dit « *contemporaine* »[25], alors qu'il cite surtout des auteurs du siècle passé (Goethe, Hoffmann, Arnim, Nerval, Baudelaire, Poe, Rimbaud, Mallarmé). Il conclut par une phrase significative : « *L'œuvre d'art n'a d'autre but que l'évocation* MAGIQUE DES DÉMONS INTÉRIEURS. »[25]. Ailleurs, lorsque Leiris énonce des propos similaires, on lit en palimpseste, outre bien sûr le « mythe » (?) de l'artiste maudit, l'insatisfaction orgueilleuse de Faust dans son cabinet de travail, tel que le représentent en ouverture les pièces de Marlowe ou de Goethe : « *Le poète*

m'apparaissait comme un prédestiné, une manière de démiurge
[...]. Le poète m'apparaissait aussi — nécessairement — comme
un maudit, voué de toute éternité à une solitude malheureuse et
ayant pour unique ressort spirituel sa faim constante, née d'une
complète et irrémédiable insatisfaction. » (p. 183-4[7]). Aussi ne se
laissera-t-on pas abuser par ce qui apparaît clairement comme
un déni :

Lecteur ébloui d'Hermès Trismégiste et de Raymond Lulle, je n'étais certes
pas un Faust ou autre opiniâtre chercheur encyclopédiquement avide de tout
connaître, mais j'aurais aimé pénétrer l'ultime secret des choses — ou du
moins en avoir l'illusion — et je misais à cet effet sur la pratique d'une sorte
d'alchimie du verbe, de même famille que celle dont a parlé Rimbaud et à
laquelle j'étais enclin à prêter des pouvoirs presque aussi merveilleux que
ceux d'une alchimie réelle capable de tout transmuer.   (p. 104[8])

Tout *Langage tangage...* procède de cette identification à Faust
— non sans « mauvaise conscience » (ni humour) bien sûr —,
puisque cette somme de la poétique leirisienne s'ouvre sur une
citation de Christopher Marlowe : « *I'll burn my books ! — Ah,*
Mephistophilis ! », qui sert ensuite de leitmotiv au texte entier.
Le rapprochement entre Faust et l'écrivain relève, en fait, d'un
déplacement hautement signifiant ; le possessif de première
personne appliqué aux livres a changé de sens : « *Pour lui*
[Faust]*, la prunelle de ses yeux ; pour moi, le fruit de mes*
entrailles... » (p. 74[8]) ; « [*p*]*our le suppôt du bouc, ses grimoires et*
mes bouquins ; pour moi, mes gribouillis ou mes gribouillages »
(p. 75[8]). Chez Thomas Mann aussi, la réflexion sur l'artiste est
centrale, le diabolisme d'Adrian Leverkühn étant partout
scandé... La figure du musicien est bien celle d'un artiste
moderne et révolutionnaire en laquelle ne pouvait que se reconnaître son créateur. En outre, le narrateur ou Adrian y insiste
constamment, la musique (que l'on pourrait étendre aux autres
formes d'art) « *se rapproche beaucoup du labeur et des*
recherches obstinées des alchimistes et nécromants de jadis »,
l'artiste, épigone de Faust, étant, de ce fait, « *plac*[*é*] *sous le*
signe de la théorie mais aussi de l'émancipation et de l'apostasie

[...], *une apostasie non pas* de *la foi, cela n'eût pas été possible* [entendons : au XVIe siècle] *mais* dans *la foi.* » (p. 183-4[10]).

Cela n'empêche pas les écrivains, s'ils se rêvent volontiers en créateurs démiurges, de reconnaître que leur ambition, toute faustienne soit-elle, ne peut que se heurter aux obstacles, aux échecs des générations romantiques en quête d'un absolu littéraire qui les ont précédés[26]. Thomas Mann, à ce propos, multiplie les mises au point, l'œuvre volontiers ironique de son personnage « *frond*[*ant*] *le romantisme* » (p. 426[10]) et appelant une « *"déromantisation" de la musique* » (p. 427), et ce, moins sans doute en raison des utopies esthétiques que « *contre le pathos et le prophétique* » (p. 426). Par ailleurs, l'art pour l'art ne semble plus de mise, cependant que Valéry renonce de plus en plus à une « surintellectualité » incarnée plus tôt dans son œuvre par le personnage de Monsieur Teste... L'on a souvent tiré les leçons d'un nietzschéisme caricatural et grossier et l'on « *renvo*[*ie*] *à ses enfers le Satan que* [*l'on a*] *trop longtemps écouté* » (p. 186[8]). Si l'on rêve encore — c'est assez évident — d'Œuvre totale et d'écrire, à l'instar de Mallarmé, *le* Livre, la plupart des écrivains pourraient, semble-t-il, conclure :

Ubuesque et fol Falstaff affalé et frigorifié après tasse fastueusement bue dans les eaux fades et mortes de la Tamise puis houspillé, vers les minuit, par les faux farfadets et elfes de la forêt de Windsor, je crains d'être non moins proche de ce polichinelle d'entre vaudeville et féerie que d'un Faust avide de totalité et dont la gloutonnerie n'a pas pour seuls objets le vin et les commères plus argentées que lui. [...] Falstaff, Faust, Faustroll : le vieux bébé jouisseur, le fou de connaissance, le pataphysicien, sans doute y a-t-il en moi un peu de chacune de ces trois figures...   (p. 170[8])

De même, le Maître de Boulgakov apparaît, lui aussi, plus proche de Falstaff que de Faust — et créature presque infantile, en tout cas : brisée.

À Faust, également, l'on préfère parfois Paracelse (1493–1541), son pair en histoire et légende, avec lequel le personnage se croise volontiers. Rappelons que Goethe, en préparant son *Faust,* lit Paracelse, mais aussi qu'un héros de fiction tel Frankenstein, dont Mary Shelley dit significativement déjà qu'il est

« *un artiste* »[27], étudie l'auteur du *Generationibus rerum*, qui soutient possible la création de *homunculi*. Paracelse apparaît alors comme un envers, passablement plus noble et lumineux, du Faust voué au mal et une incarnation du génie méconnu, depuis (à nouveau) le Romantisme... Ainsi, dans un fragment qu'il lui consacre, Leiris conclut : « *ô erratique et pharamineux Paracelse, péripatéticien et pataphysicien par excellence !* » (p. 76[17]) — ce qui nous ramène à Faustroll, l'inventeur de la pataphysique, précisément...

moralités du siècle (en guise de conclusion)

Une constante des œuvres au XXᵉ siècle paraît être le renversement, voire la parodie des invariants les plus connus du mythe. Les auteurs ont généralement une conscience aiguë des investissements anthropologiques, socio-historiques, idéologiques que connaît l'histoire exemplaire de Faust. À tout le moins, Dieu et le Diable reculent, laissant de plus en plus l'homme en proie à ses démons intérieurs. Comme le dit Adrian au démon venu lui rendre visite à Palestrina : « [À] *tous les trois mots que vous prononcez, vous démontrez votre inexistence. Vous dites des choses qui sont en moi et viennent de moi, non de vous.* » (p. 306[10]).

L'on se défend généralement de vouloir écrire un "*Troisième Faust*". L'ombre de Goethe immensément portée est sans doute très embarrassante. Valéry et Leiris écorchent quelque peu le grand homme ; les autres préfèrent un retour aux sources du mythe ou se contentent d'abymer ou de transposer certains épisodes choisis de l'un ou l'autre des deux "*Faust*". La méfiance à l'égard des développements romantiques du mythe est infiniment partagée, et l'on affiche souvent un antiromantisme de façade.

Car les auteurs, quoi qu'ils prétendent, ont de l'œuvre littéraire une conception héritée du Romantisme même. Ils entendent souvent faire, sinon une œuvre totale, une œuvre-somme, et chacun écrit *son "Faust"* incontestablement. Dans cette perspective, plusieurs cas (avec des chevauchements) sont à examiner :

— Soit l'écrivain a, depuis longtemps, un projet d'œuvre, pouvant remonter à la jeunesse, à partir d'un motif faustien — jusqu'à la production tardive d'un ouvrage écrit en la vieillesse qui fait figure, au moment où il s'y attelle, d'œuvre testamentaire[28]. Ainsi de Valéry et du « *Roman-Monstrum* » de Thomas Mann. Ce dernier a, par exemple, esquissé une « *Maja* » faustienne autour de 1904, alors qu'il ne commence son *Docteur Faustus* qu'en 1943. Valéry a, quant à lui, griffonné une première « *esquisse de Faust* » en 1924, il revient fréquemment au mythe entre 1925 et 1933, et élabore « "Mon Faust" » à partir de l'été 1940[29]. Leiris n'échappe pas au phénomène, qui pouvait penser, entre 82 et 84 ans, que *Langage tangage...* était sans doute son dernier *opus* autobiographique. D'ailleurs, à l'instar de celle de ses aînés, la rédaction de Leiris, même si l'ouvrage est plutôt court, s'étale dans la durée. Autre rapprochement possible : Leiris établit au cœur du livre une exégèse de ses précédents livres, tandis que Thomas Mann éprouve le besoin d'écrire son *Journal du Docteur Faustus*[30] ; dans les deux cas, l'œuvre « testamentaire » apparaît comme une somme esthétique... Le métadiscours n'est pas rare dans ces œuvres, portant sur l'œuvre en train de s'accomplir, sur l'esthétique — et ce, à rebours de l'œuvre polie, policée d'antan qui avait « l'ambition de faire croire qu'elle n'a[vait] pas été fabriquée » et « a[vait] jailli de la tête de Zeus, parée de ses armes ciselées » (p. 249[30]), dans toute sa complétude...

— Soit l'écrivain se sert de quelques-uns des motifs ou épisodes faustiens pour produire une œuvre allégorique, dans une forme romanesque où l'histoire de Faust n'apparaît que comme trame de fond. Ainsi de K. Mann ou de M. Boulgakov, mais aussi de T. Mann.

— Soit, enfin, la référence à Faust revient à intervalles réguliers et constants dans des œuvres ou des *marginalia* autobiographiques (l'investissement autobiographique étant, on l'a vu, quasi constant). L'écrivain finit par élire ou préférer des formes moins amples que le roman, qui ont à voir avec l'écriture fragmentaire, soit dans le résultat achevé (ainsi de *Frêle bruit*) soit dans l'élaboration.

Se pose d'ailleurs un problème d'ordre générique. Le régime de la fragmentation n'intéresse pas que *Frêle bruit*, par exemple. «"Mon Faust"» de Valéry est exemplairement inachevé. Sa rédaction s'est faite par fragments, provignements successifs, et l'ouvrage tel qu'il nous est parvenu revendique une esthétique du mélange, non seulement des tons, mais aussi des formes. «Lust» est une «*comédie*», «Le Solitaire», une «*féerie*» (avec vers et prose). Louis Calaferte ne déroge pas à la règle : les soixante-quatre fragments de son ouvrage se répartissent entre des dialogues où intervient assez peu la narration, des dialogues sous une forme empruntée au théâtre (six fragments), ainsi qu'un certain nombre de fragments très brefs (neuf), dont sept au moins ont à voir avec des «*axiomes*» (p. 33³). *Maître Faust* revendique d'ailleurs une esthétique de la brièveté et de la condensation[31], prédiquée comme «Force». Valéry, de son côté, revendique à diverses reprises le rôle du désordre et du hasard, au nom de la pensée, de son infinie discontinuité et liberté des enchaînements. Tandis que Lust cherche un livre où se perdre, pour, précisément, «*ne pas penser*» (p. 132¹), tandis qu'elle cherche un livre aussi vivant qu'elle-même selon ce que lui suggère Méphistophélès (III, 3), le disciple rêve un poème fait d'un «*vertigineux désordre d'approches tièdes ou fraîches*» et, par là, de «*fragments adorables*» (p. 118) — et trouve dans la bibliothèque que suscite pour lui Méphistophélès les *Œuvres complètes* de Héraclite. L'œuvre fragmentaire valérienne, quoi qu'il en soit de ses paradoxes et renversements, est bien un avatar du Livre total, que seuls menacent le temps et l'oubli auxquels sont condamnés travaux ou «*excréments de l'esprit*» (p. 134).

Faut-il conclure que les *"Faust"* du XXe siècle échouent à reconduire les formes dramatiques du passé ? L'on remarquera que la tragédie — ou si l'on préfère : le tragique — migre au cœur des romans. Les *"Faust"* véritablement aboutis et célèbres sont d'ailleurs *tous des romans*. Néanmoins, dans ces romans, le mythe n'est jamais entier : il s'y trouve toujours transposé et connaît d'essentiels renversements, comme si la parodie était, selon les propositions de Thomas Mann, une caractéristique de l'œuvre moderne. Mais il s'agit toujours, quelle que soit la forme adoptée, d'exploiter le mythe comme un canevas — en y agrégeant éventuellement d'autres mythes —, comme une allégorie, à partir de significations pressenties comme allégoriques — et d'écrire en quelque sorte sur soi, l'art et le monde, une allégorie au carré. Et c'est en fonction de la pertinence de cette dernière que le lecteur saura juger de la valeur de la « reprise »...

1. Paul VALÉRY, *"Mon Faust"* (Paris, Gallimard, « Folio/Essais », 1988).

2. Le « *nougateux Gounod* », selon Michel Leiris (*Langage tangage...* [*op. cit.*[8]], p. 73) qui, dans *Operratiques* (Paris, Éditions P.O.L., 1992), précise : « *Quoi qu'on puisse dire en faveur de Gounod, la bassesse de son esprit est exprimée par ce qu'il a fait de* Faust *: petite histoire d'amour doublée d'une diablerie — ce que n'ont fait ni Berlioz avec la* Damnation *ni Boito avec* Mefistofele *ou Busoni avec* Il Dottore Faust. » (p. 100).

3. Louis CALAFERTE, *Maître Faust* (Paris, Gallimard, « L'Arpenteur », 2000).

4. Le Faust de Calaferte est indéniablement plus charnel que le personnage de Valéry. Sa quête de « *la Vie* » est, notamment, un hommage au « *Sexe* ». Faust n'est toutefois pas avide d'une sexualité débridée et refuse certaines tentations de Méphistophélès : « *Loin de moi les idées lubriques, calamité de Méphistophélès !* » (p. 162[3]). Ajoutons que l'on peut être surpris de l'absence de toute obscénité ou verdeur de langage sous la plume de l'auteur de *La Mécanique des Femmes*, l'écrivain maniant, à rebours, une langue sage et fort classique.

5. À l'instar de Valéry, Calaferte multiplie volontiers les calembours. Certains sont d'ailleurs identiques. Tous, en tout cas, ont trait à Méphistophélès ou au pacte.

6. De cet ermite, Faust dit : « *Il est rigoureusement fou... Au fond, bien pire que le diable. Ce fou est beaucoup plus avancé.* » (p. 158[1]). Entendons « *plus avancé* » dans l'emploi qu'il a fait de son esprit, hypertrophie qui mène au rejet d'autrui, dans un nihilisme destructeur dont Valéry a désormais conscience : la lucidité la plus implacable ne peut mener qu'à la folie.

7. Michel LEIRIS, *L'Âge d'homme* (Paris, Gallimard, « Folio », 1973).

8. Michel LEIRIS, *Langage tangage ou ce que les mots me disent* (Paris, Gallimard, « L'Imaginaire », 1995).

9. Autres assertions : « *Là où il n'y a pas Faust, il n'y a qu'attente de Faust.* » (p. 157[3]) ; « *Je suis le Faust du Faust que j'ai été avant même de savoir que je serais Faust.* » (p. 160[3]).

10. Thomas MANN, *Le Docteur Faustus* (traduit de l'allemand par Louise SERVICEN [Paris, Livre de poche, « Biblio », 1983]). — La citation est empruntée au paratexte du roman, rédigé par Nicole Chardaire (p. 2).

11. Mikaïl BOULGAKOV, *Le Maître et Marguerite,* traduit du russe par Claude

Ligny (Paris, Livre de poche, 1974). — Voir p. 587 : « *Ils ont détruit ton âme* », lui dit Marguerite.

12. Voir : « *Sans toi, nous n'y aurions jamais pensé !* » (p. 578[11]).

13. Difficile paraît, en revanche, de donner des interprétations religieuses des deux romans de Thomas Mann et de Mikaïl Boulgakov. Si la fin d'Adrian multiplie les signes christiques — quoique partiellement inversés —, si son histoire est dite exemplairement religieuse (voir : « *Une œuvre qui traite de la chute, de la damnation, que serait-elle sinon une œuvre religieuse ?* », p. 641[10]), les perspectives en demeurent partiellement brouillées. T. Mann, qui avait primitivement pensé sauver son héros de la damnation, demeure, au bout du compte, plus ambigu — et surtout plus *pessimiste* —, en paraissant, finalement, le condamner (ce qui permet surtout de condamner l'Allemagne). L'on notera, également, que la miséricorde, tout humaine (Dieu restant absent du roman), est incarnée par la maternelle Else Schweigestill à la fin du chapitre XLV.

14. Klaus Mann, *Mephisto*, traduction par Louise Servicen (Paris, Denoël, 1975).

15. Voir André Dabezies, *Visages de Faust au XXᵉ siècle* (Paris, Presses Universitaires de France, 1967), pp. 407–34.

16. Paul Valéry, *Cahiers* (Paris, C.N.R.S., 1960), XXII, pp. 43 et 31.

17. Michel Leiris, *Frêle bruit* (Paris, Gallimard, « L'Imaginaire », 1992), p. 60.

18. L'axiome est déjà cité en 1924 dans le *Journal* tenu par l'écrivain (Michel Leiris, *Journal 1922–1989* [Paris, Gallimard, 1992], p. 65).

19. M. Leiris, *Journal 1922–1989* (*op. cit.*[18]), p. 63.

20. Voir Dominique Lecourt, *Prométhée, Faust et Frankenstein. Fondements imaginaires de l'éthique* (Le Plessis-Robinson, édité par Synthélabo, « Les Empêcheurs de penser en rond », 1996).

21. M. Leiris, *Journal 1922–1989* (*op. cit.*[18]), [6 novembre 1982] p. 763.

22. Chez Calaferte, appert aussi un discours sur le grand homme (p. 88[3]).

23. Alfred Jarry, *Gestes et opinions du docteur Faustroll, pataphysicien*, « Notice », par Noël Arnaud et Henri Bordillon (Paris, Gallimard, « Poésie », 1980).

24. « *vraies ou fausses* » — Seule cette restriction échappe à l'entreprise leirisienne...

25. M. Leiris, *Journal 1922–1989* (*op. cit.*[18]), [1ᵉʳ avril 1924] p. 41.

26. Voir l'ouvrage de Philippe Lacoue-Labarthe et Jean-Luc Nancy, *L'Absolu littéraire* (Paris, Seuil, « Poétique », 1978).

27. Voir Dominique Lecourt, *op. cit.*[20], p. 95 — qui retient aussi, pour d'autres raisons, cette assertion...

28. *Maître Faust* est écrit par un auteur vieillissant, qui peut avoir été tenté d'écrire un « livre-somme ».

29. Voir A. Dabezies, *op. cit.*[15], pp. 322-3 (Valéry) et p. 362 (T. Mann).

30. [Trad. de] Thomas Mann, *Die Entstehung des Doktor Faustus, Roman eines Romans* [*Le Journal du Docteur Faustus*] (Suhrkamp Verlag, 1949).

31. Voir Calaferte (*op. cit.*[3]) : (c'est naturellement Faust qui parle) « *Ainsi se propose la supériorité du court sur le développement ; de la maxime sur le système — comme l'Idée l'est chaque fois elle-même. [...] L'Idée est agression [...]. Agression parce que condensation.* » (p. 144-5).

106

3

FAUST AU CINÉMA

OU LES DÉMONS DU TALENT

par Anne-Marie KOSMICKI

(Université de Corte)

Pour la France seulement, de 1897 à 1994, 25 réalisations sont recensées par *The International Film Index* grâce à la récurrence des termes *Faust, Marguerite, Méphistophélès*, dans les titres indiqués. Cette indexation illustre la vitalité du thème. Cependant, comprendre la force du mythe et de ses représentations, c'est aussi poser les liens s'établissant entre fiction et réalité. Pareille approche doit s'exercer en s'appuyant sur des références artistiques, littéraires, théâtrales, évaluées à partir d'un entour historique et social.

Plus que partout ailleurs, le cinéma propose des lectures allégoriques du mythe de Faust, éminemment idéologiques, et si nombre d'écrivains se rêvent en Faust, nombre de réalisateurs font de même. Il faut dire qu'au cinéma, lieu idéal du pouvoir et de l'illusion, Méphisto n'est jamais bien loin.

La lecture du mythe s'organisera autour de quatre axes : le cinéma français des années Quarante et Cinquante, les films européens, la vitalité du mythe dans le film américain contemporain et, enfin, l'appropriation du sujet par les artistes.

les "Faust" français à l'ombre de Murnau

L'adaptation du mythe de Faust, chef-d'œuvre de Murnau, semble avoir représenté un étalon pour les artistes français de l'Occupation et de l'après-guerre — d'ordre esthétique et idéologique. Mais, avant toute analyse des liens établis entre les cultures germanique et française, il s'agit de revoir ce qui a fait la « grandeur » du film, réalisé en 1926.

Placée sous l'égide de l'expressionnisme allemand, cette œuvre, intitulée *Faust*, introduit la légende dans le respect de Goethe, exprime avec force le romantisme germanique. L'énergie visuelle présente dans le film et celle plus spectaculaire encore de l'inventivité et de la construction des décors, attestent l'ambition esthétique qu'engendre l'adaptation de Faust au cinéma. La mégalomanie de la création répond à la force idéologique engagée par Murnau. Trois éléments sont donc en cause : le choix du texte de Goethe, celui d'une implication personnelle — une image à la fois expressive et romantique pour accomplir le chef-d'œuvre —, une exigence professionnelle risquée qui engage la réputation des studios. Les commentaires des proches collaborateurs de l'artiste le confirment :

Il y avait plus important que la technique : l'obsession de l'inventeur — la passion de l'alchimiste pour la tâche qu'il s'est fixée : établir des relations nouvelles, inouïes, jamais vues. Robert Herlth n'exagérait vraisemblablement pas quand il écrivait à propos de Murnau : « Le travail fut pour lui une sorte d'ivresse, il était sous son emprise, entraîné malgré lui, comme l'est le savant qui poursuit une expérience dans son laboratoire, ou le chirurgien pendant une opération compliquée ».[1]

Coïncidence de l'Histoire, cette réalisation annonce, symboliquement, la montée inexorable du nazisme.

On comprend mieux pourquoi choisir le thème de Faust, en France, durant la Deuxième Guerre, c'est choisir l'ambiguïté d'une situation, jouer avec le sujet, jouer au plus malin avec le diable.

En effet, sous l'Occupation, le cinéma français, pour exister, doit signer les termes d'un contrat diabolique, qui consiste à accepter le financement allemand tout en refusant de soutenir l'idéologie et la propagande nazie :

[...] il convient d'indiquer quels sont les rouages principaux de l'intervention allemande sur le plan commercial proprement dit. L'U.F.A. (*Universum-Film-Aktiengesellschaft*) crée à Paris au début de l'Occupation une filiale française pour la production de films : la *Continental*. Cette société produit 30 films sur les 220 réalisés en France pendant l'Occupation. C'est souligner ainsi l'importance de cette firme sur le plan français.[2]

Le prix véritable à payer, ce sont les conditions d'embauche et de délivrance de la carte professionnelle :

[...] ne pas être israélite (disposition relevant de la loi sur les juifs), n'avoir subi aucune condamnation infamante, jouir d'une probité commerciale ou professionnelle reconnue, justifier de sa capacité professionnelle.[3]

Ainsi, le film de Maurice Tourneur, *La Main du diable* (1942), prend d'étranges résonances. Sous l'angle thématique de l'argent et de l'art, c'est précisément la situation tragique du cinéma et de ses trahisons, de ses compromis qui est ici mise en scène — il s'agit bien évidemment des artistes juifs, tolérés, comme l'est Jean-Paul Dreyfus, scénariste du film, qui pour exister doit apparaître sous le pseudonyme de Jean-Paul Le Chanois, et de ceux qui ont disparu, en particulier les producteurs indépendants, si nombreux avant guerre. Le titre est déjà une provocation, jouant sur les références artistiques multiples, picturales, littéraires, théâtrales[4].

Prévenant l'arrivée du diable, l'ombre gigantesque de la main crochue fait songer à celle de *Nosferatu*, dans un clin d'œil à Murnau et au cinéma allemand des années Vingt. L'escalier, motif privilégié du décor expressionniste, est reproduit une seule fois à l'occasion de la signature du pacte. Pour acheter la Main du diable, enfermée dans un coffret, le jeune peintre rejoint l'aubergiste dans son bureau situé en hauteur. Il gravit les marches tandis qu'une voix, venue du sous-sol, le prévient du danger d'accepter l'offre. Tourneur joue avec les citations d'un cinéma qu'il connaît :

Il y aurait beaucoup à dire de cette prédilection marquée des Allemands pour les escaliers. [...] Laissons aux psychanalystes le soin de découvrir dans le goût pour les escaliers et les décors tous les refoulements qu'il leur plaira. Mais ne pourrait-on admettre que les escaliers figurent pour le psychisme des Allemands que fascine le *Werden* (le *Devenir*) plutôt que le *Sein* (l'*Être*) une ascension et que les marches en représentent les degrés [...] ?[5]

Cet emprunt n'échappe pas aux critiques de Roger Régent, dans son livre *Cinéma de France* :

La comédie bourgeoise se mêlait à je ne sais quel expressionnisme caligaresque où l'on retrouvait aussi du *Brasier ardent* et des *Trois Lumières* [...].[6]

À cela l'on peut opposer une autre lecture :

En refusant tout effet trop voyant (pas de caméra penchée, d'ombres menaçantes et de pyrotechnie) et en optant pour un ton de fantaisie, Maurice Tourneur évite les pièges de l'expressionnisme facile.[7]

En outre, l'écriture du film prévoit, avec humour, un espace de liberté, prouvant que le diable peut être pris à son propre piège.

Quand Irène, la compagne du jeune peintre, tout d'abord vénale et arrogante, décide de sauver son amant, le diable la tue d'un coup de couteau — couteau qui figure dans le tableau peint grâce à *la main du diable*, et qui illustre, *a posteriori,* la prémonition du crime. Le sacrifice réhabilite le personnage féminin et provoque un dénouement inattendu, celui d'une inversion du conte. Pour régler sa dette, l'artiste tente sa dernière chance à la table d'un casino, mais le diable annule les gains. Vaincu, le jeune homme se présente à un rendez-vous secret, dans l'arrière-salle du lieu où sont réunis sept personnages masqués, symbolisant les péchés capitaux : ce sont les anciens possesseurs de la main. Chacun raconte, par le biais d'un écran magique, ses gloires et ses mésaventures. *Commedia dell'arte*, mise en abyme du cinéma, tous les genres sont représentés, illustrant brièvement les liaisons d'ordre générique, les relations d'entraide et de solidarité des artistes. La circulation des idées apparaît ainsi non soumise à la fermeture concrète et dramatique des frontières.

Enfin, le moine Maximus Leo, premier propriétaire de la main, dans son apparition solennelle de l'au-delà, vient réclamer son dû, révélant le marché de dupe établi entre le malin et les personnages : « On ne peut vendre une chose qui ne vous appartient pas. ».

Mais le Malin poursuit sa victime jusqu'à son dernier refuge, celui d'une auberge de voyageurs. Soulagé d'avoir révélé son secret, le peintre annonce son départ sur un ton à la fois grave et amusé : « Je suis le seul vivant qui ait roulé le petit homme et il ne pardonnera pas à ceux qui l'ont offensé. ». Dans un ultime combat avec le diable, il perd sa vie mais sauve son âme. L'ordre des choses est enfin rétabli mais le film s'avère plus subversif qu'il n'y paraît à la première lecture, celle d'une histoire fantastique.

Sur un tout autre registre, Marcel Carné, avec *Les Visiteurs du soir*, poursuit la thématique particulière du diable éconduit. Le film date de la même année : 1942.

Choisir le Moyen Âge comme cadre narratif évite la censure allemande, mais affirme, en période d'Occupation, par le biais d'un univers à la fois romantique et féerique, le style d'une équipe, reconduite à chaque film. La notoriété de Carné, qui symbolise la qualité française fort prisée par les Allemands, permet les compromis déjà signalés. Alexandre Trauner, par exemple, se révèle indispensable à la création d'un décor issu du réalisme poétique d'avant-guerre. La scène du bal reste dans les mémoires, le damier du sol constituant, en arrêt sur image, le motif principal d'un jeu d'échecs grandeur nature que le diable, par son acolyte Dominique — autant que le cinéma — peut utiliser à sa guise. Ce décorateur de talent est ainsi toléré par la censure, grâce au réalisateur, sans pour autant figurer au générique. Cette forme de solidarité réactive un sentiment de résistance à l'intérieur même des films. En effet, le célèbre couple statufié pour

111

avoir trompé le malin — trop célèbre parce que cette interprétation lie définitivement le film à la période de l'Occupation et à une imagerie d'un romanesque appuyé de la Résistance — met en valeur le thème inaltérable de l'amour et de l'union. Les battements du cœur continuent de résonner aux oreilles du diable et du spectateur comme une métaphore d'un message d'espoir : l'âme d'un peuple et du cinéma n'est pas à vendre.

Les deux films d'après-guerre, ceux de René Clair, *La Beauté du diable* (1949), et de Claude Autant-Lara, *Marguerite de la nuit* (1955), sont davantage porteurs d'une ambition personnelle qui peut se lire, soit dans la mise en scène, soit dans le choix esthétique des décors. Il s'agit, on le verra, de faire œuvre et de marquer une carrière déjà longue. Cet enjeu artistique, lié à un sujet grave, déroute.

En effet, René Clair, utilisant l'effet visuel et meurtrier de la bombe atomique, crée un rapport à la guerre qui pose problème pour la lecture du film. La critique est partagée, dès sa sortie, entre l'appréciation de la virtuosité technique et celle, plus morale, d'une dénonciation des méfaits de la science. Ainsi s'exprime Georges Sadoul :

Depuis *Les Enfants du paradis*, aucun réalisateur français n'avait déployé tant de grandeur et de splendeurs plastiques. [...] Remercions René Clair d'avoir fourni avec son Faust une arme poétique dans la bataille pour la vie : certaines de ses conclusions peuvent être discutées, mais l'œuvre a le mérite d'être le premier grand film français qui ait, depuis dix ans, abordé le problème de la guerre et de la paix.[8]

Aujourd'hui, le film est évalué avec moins de concessions. Serge Daney, par exemple, dénonce prioritairement une crise du scénario — ce que reprendront les réalisateurs de la Nouvelle Vague qui voudront des films engagés dans la réalité au quotidien et tourneront à l'extérieur des studios. La question d'un cinéma révélateur d'une conscience politique reste posée :

Dix ans plus tôt, la course-poursuite de *La Règle du jeu* était sublime parce qu'elle anticipait de quelques mois sur la guerre. Celle de *La Beauté du diable* est poussive parce que voilà déjà quatre ans que les premières bombes atomiques sont tombées.[9]

En 1949, si les qualités esthétiques et d'interprétation semblent presque unanimement reconnues, l'écriture du scénario, tantôt dénoncée comme une thèse cartésienne, tantôt acclamée pour son optimisme, fait resurgir le malaise d'une mémoire de guerre qui se heurte au désir de reconstruction économique. C'est ce dernier point, peut-être, qui embarrasse le plus. L'hésitation se traduit dans cet entre-deux du futur : le temps de l'Occupation est trop proche tandis que les méfaits de la bombe atomique engagent, de façon plus distanciée, la responsabilité des savants. La menace, spectaculairement réelle, devient futuriste. La science ne peut être remise en cause définitivement, au risque de semer le doute dans cet élan vers le progrès qui va caractériser les années Cinquante et Soixante.

Dans ce sens, le deuxième titre, *Marguerite de la nuit*, apparaîtra encore plus décalé et contraire aux aspirations du moment, à la fois cinématographiques et politiques. Le diable n'a plus sa place : même modernisé, il renvoie à l'obscurantisme, à une époque révolue.

En effet, le film fut boudé tant du côté du spectateur que de la critique. Son traitement stylistique et scénaristique effare André Bazin :

J'avoue que le symbolisme de la transposition de *Marguerite de la nuit* m'échappe en grande partie. [...] Et pourtant que de talent dépensé en vain, notamment dans l'utilisation de la couleur, et la stylisation des décors. Mais comment Max Douy a-t-il pu croire que cette résurrection anachronique du caligarisme avait quelque chance de se justifier aujourd'hui ?[10]

Pourtant, alors que la science s'est imposée comme nouveau culte de l'homme moderne, quelques remords passéistes sont lisibles sur des films contemporains, redonnant du sens à un questionnement plus métaphysique. La quête devient introspective, le dialogue s'intériorise. Chercher ses démons, c'est faire émerger la mémoire aussi bien individuelle que collective.

Le mythe de Faust, évalué aujourd'hui sur une échelle européenne, semble se tarir. Cependant, à y regarder de plus près, la problématique sous-tendue par Faust trouve des lieux de représentation qu'il devient intéressant de prendre en compte. En somme, si le diable n'impressionne plus, les démons de l'âme sont humains et les effets du pacte toujours visibles.

Wenders, avec son film *Der Himmel über Berlin (Les Ailes du désir)*, réalisé en 1987, propose une vision à la fois grandiose et infernale de la ville de Berlin où, comme Faust accompagné par Méphistophélès, le spectateur traverse les nuages et le ciel pour y regarder le monde tel que peut l'appréhender un dieu. Le titre original trouve là son premier sens.

Wenders tourne apparemment le dos à Murnau, choisissant délibérément l'appel des anges plutôt que celui du diable. Il s'agit de privilégier les mots pour dire les maux, de choisir la poésie pour revenir à l'enfance et la descente sur terre pour éprouver la compassion. À la fois confession et purgatoire, les paroles, dites en voix *off*, se murmurent tandis que les déplacements imprévisibles de Damiel et Cassiel, anges gardiens collés au dos des humains, sont autant d'instants de vie arrachés aux vivants. Ces arrêts fugitifs donnent à cette illustration visuelle du tout voir et tout entendre une allure chaotique. La puissance divine est mise en échec, indiquant que l'histoire est individuelle et non collective. La virtuosité technique des caméras entraîne le spectateur dans un voyage aérien. À grande vitesse, celui-ci s'engouffre, tel un ange, dans le sillon des voies ferrées, des rues, des ponts, reprenant de la hauteur pour mieux dominer la ville. Cependant, de même que les âmes ne peuvent être guettées qu'une à une, le film ne peut englober toute la vie, rien que la vie.

Les limites sont posées au niveau du cinéma, comme magie illusoire d'une représentation fidèle de l'espace et du temps, au niveau théorique et philosophique, en réduisant dangereusement l'histoire à une simple vue de l'esprit. Les anges gardiens, à vouloir trop s'approcher des humains, finissent par éprouver l'inconfort de l'abstraction. Il faut donc revenir à la genèse du monde pour saisir le sens de la vie sur terre.

Au commencement, donc, était le verbe. C'est ainsi que s'annonce le voyage vers la connaissance, avec le poème de Peter Handke : « Quand l'enfant était enfant, ce fut le temps des questions suivantes : Pourquoi suis-je moi et pourquoi pas toi ? Quand a commencé le temps et où finit l'espace ? »

Dès lors, le parcours, qui va du ciel à la terre, s'organise selon trois mouvements, celui des anges rêvant d'humanité, souffrant de l'infini, celui des humains cherchant désespérément à s'échapper de leur corporalité, celui d'une Rédemption de la faute originelle et historique du peuple allemand. Par un effet de généreuse contamination, les mortels, que les dieux finissent par rejoindre, retrouvent leur dignité. Le ciel et la terre sont réunis et, comme dans les peintures de Michel-Ange, les doigts se touchent, les mains se serrent en une image biblique pour sceller divinement l'union de l'homme et de la femme. Le Paradis perdu est enfin retrouvé.

De manière ambiguë, la mémoire des camps, des ghettos, passe par la préparation d'un film sur la Deuxième Guerre mondiale, comme si, pour en parler, il fallait recourir aux artifices de la mise en scène et du spectacle. Tel un lieu de confession publique — à l'écran et dans les salles de cinéma —, le tournage convoque l'Histoire qui se répète. Le cinéma, à ce titre, devient trace et lieu du souvenir. Il est une lutte contre l'oubli. Cité parmi d'autres acteurs et réalisateurs, Emil Jannings, interprète du *Faust* de Murnau, illustre la valeur des cycles temporels.

Tandis qu'un ancien ange, joué par Peter Falk, croque le portrait des figurants et explique aux plus jeunes les événements du passé — ceux-ci ne peuvent définir en termes manichéens de quel côté se situent les bons ou les méchants — les acteurs, non professionnels mais, surtout, survivants de l'holocauste, viennent recevoir le prix du récit de leur histoire. La Mémoire est en question, la réhabilitation d'un peuple passe par le récit. Il faut donc recommencer le scénario, là où le désastre et le crime ont eu lieu, accepter de voir et d'écouter.

Comme la souffrance est intérieure, le bruit est étouffé, signifiant la non-vie. Les anges ont abandonné Berlin et l'âme germanique a perdu son souffle. La blessure, celle du Mur, ne peut se lire qu'en hauteur — d'où l'omniprésence des plongées. Tout est question de point de vue. Par les yeux des anges, à l'écran, géographiquement, symboliquement, les deux Allemagne sont rendues à leur unité antérieure. Lorsque l'ange Damiel décide de quitter son statut de pur esprit, sa chute sur terre le fait violemment atterrir devant le Mur, du côté ouest, là où les images et les couleurs appellent la vie. Le passage à l'Est devient, cinématographiquement et historiquement parlant, une pure fiction, un leurre, une illusion d'optique. La réalité, pourtant, dépassera la fiction...

Plus passéiste serait la version de Fellini. Par son film, réalisé en 1990, *La Voce della luna*, titre à la fois poétique et mystérieux, le cinéaste engage une réflexion philosophique, celle du sens donné à la vie et à la mort, celle liée à la lourde responsabilité qui incombe à l'être humain de questionner l'ordre du monde. Cette angoisse existentielle sur laquelle sont fondés bien des mythes et des légendes populaires — celui de Faust n'en est, en définitive, qu'une version — devient, dans le film, le motif d'un combat erroné pour la recherche de la connaissance réduite à un pouvoir de consommation, pouvoir diabolique qui anéantit le sens. L'arrogance humaine de croire à l'avènement d'une maîtrise du monde vient se heurter au secret insupportable et absolu, celui de la vie après la mort.

Le parcours du film dévoile ainsi les faces cachées de la lune, celle secrète et oubliée, d'une infinie poésie goûtée à travers les yeux de l'enfance et de ses croyances, et celle, plus insensée, d'une course effrénée du progrès et de la conquête de l'espace. À travers l'insatiable ambition d'un village et de ses élus, le spectacle d'une modernité débridée se déploie sur le thème de l'inéluctable avancée technologique avec l'installation d'une nouvelle chaîne télévisée locale : les enjeux sont culturels, économiques et politiques.

Plus que cette ambivalence humaine, Fellini illustre la perte de l'innocence et du sens. Ce pourrait être une réplique de Faust, déçu de ne pouvoir satisfaire sa soif de bonheur et de connaissance. Mais le pacte a déjà eu lieu et l'expérience appartient au passé.

Dorénavant, le monde ira à l'homme. Telle une parabole, l'inversion du mythe est malicieusement mise en scène : il était une fois... L'homme a marché sur la lune, l'a décrochée, posée sur terre et enfermée. Face à cet astre en captivité, donc, un des spectateurs s'insurge violemment : « Pourquoi sommes-nous nés ? Quel est le contrat ? » Muette comme la mort, désignée comme un « cul de pierre », la lune réveille l'impuissance humaine et meurtrière que la perte des croyances et de la poésie n'a pu amoindrir. Tué d'une balle en plein cœur, le soleil de nuit s'échappe, tel un ballon, et reprend sa place au milieu des étoiles. Il n'y a toujours pas de réponse à la question première, qui demeure intacte. Là sont tous les diables, très contemporains cette fois.

En effet, la conquête de l'espace, la possession des astres n'atténuent pas l'angoisse existentielle mais concourent à renforcer dramatiquement le refus de la condition humaine, liée au libre-choix et au mystère, ce qui fait dire au personnage tourmenté du préfet[11] : « Vous êtes tous immatures. Nous sommes un peuple de cons. »

Mais, c'est aussi la mise en évidence d'une fracture sans remède entre la nécessité politique de se conformer aux règles du progrès et celle, plus délicate, de maintenir une certaine forme de conformisme en intégrant les éléments de la tradition et d'une culture nationale. Ainsi, la séquence de nomination d'une « Miss Farina 89 » exhibe de façon grinçante les dérives d'un compromis ou d'une accommodation du passé au présent. Un des représentants politiques ajoute discrètement ce commentaire : « La fête des gnocchi permet le maintien des modèles culturels tout en les faisant cohabiter avec d'autres initiatives pour des exigences plus dramatiques et plus actuelles. ». Ivo Salvini, personnage qui incarne la conscience endormie, rêveur impénitent, est emprisonné sous la scène qui s'est malencontreusement refermée sur lui, déambulant sous les planches, tel un diablotin pris au piège. Le cadrage utilise, par un point de vue subjectif, un champ visuel réduit à un trou de souris, placé, comme l'œil à la caméra, devant la foule qui s'agite. Les bribes de conversation, échangées entre convives durant le repas consommé publiquement, semblent, par cet effet de contrepoint image/son, être recueillies de manière illicite, faisant resurgir une mémoire de guerre : « Trois ans de concentration. Il mange pour tous ceux qui sont morts de faim »[12].

L'autre versant du film, à la fois plus énigmatique, onirique, fantasque et merveilleux, est illustré par ce personnage principal, Salvini, tourné vers le passé (« J'aime me souvenir plus que vivre... », dit-il), tantôt Pinocchio, tantôt Marcovaldo[13]. Ce pierrot lunaire rêve de se sentir voler, partage avec ses amis, demeurés comme lui d'éternels enfants, une imagerie révolue du Ciel et de l'Enfer. Se tenir sur les toits, c'est, comme Faust enlevé sur les hauteurs de la connaissance, se tenir sur le monde, tandis que travailler dans les égoûts, c'est communiquer avec les habitants des entrailles de la terre, au langage codé et secret. Pourtant, la métaphore poétique et faustienne est remise en cause par la composition du cadre où les alignements verticaux d'une multitude d'antennes de TV apparaissent comme autant de déformations du paysage onirique.

En outre, d'humeur à la fois mélancolique et candide, Salvini accède aux voix de la lune, de la conscience et des misères humaines, sans jugement, sans rébellion. Le puits qu'il visite tout au long du récit devient, dans la brume, le lieu magique des rendez-vous avec l'astre de nuit, évoquant les fantasmes de plaisir, ceux des femmes qui libèrent leur trop-plein de vie et de désir dans un combat frénétique avec les petits hommes. Sabbat de sorcières ou rondes de *mamma* africaines au rythme envoûtant, déshabillage et danse érotiques : l'exhibition des corps

118

énonce le champ féminin de la lune mais, également, l'espace réservé à celui du souvenir et de la mort.

Pourtant, au terme de cette étrange et longue promenade, à la lumière des feux de la scène et du bal, le charme est rompu. Cendrillon, princesse des contes, femme idéale et inaccessible, renonce à reprendre son soulier d'argent. La blonde et blanche Aldina, élue Miss Farina, se laisse séduire par un vieux notable, faisant choir brutalement les illusions et les rêves d'enfant.

Enfin, lorsque la lune s'adresse, une dernière fois, à Salvini, c'est pour offrir le spectacle de sa métamorphose en produit publicitaire. Le mouvement de chute et de frustration est pour le moins double : l'imaginaire s'est tari tandis que les savoirs scientifiques au service de la technologie et d'une société vouée au culte de la consommation pallient le vide existentiel. L'inquiétante ombre du passé, de la mort et de la vieillesse continue de rôder. Demeurent, fugitives, les images filmiques créées par Fellini, comme un chant du cygne, envoûtées par le charme des brumes artificielles, les mirages lunaires et les susurrements de Salvini.

Conçu comme un conte féerique et grinçant sur l'actualité d'un peuple, de ses dérives politiques et spirituelles, le film induit un constat pessimiste, celui d'une perte de valeurs au profit d'un gain dérisoire de confort et de progrès.

les "Faust" américains :
le diable, c'est toujours l'autre

Le mythe de Faust, dans le cinéma américain, met en scène les débordements d'un esprit pionnier et conquérant. De manière obsessionnelle, la phobie de l'autre a marqué et continue de marquer l'histoire d'un pays neuf, construite sur l'urgence d'intégration de sa multiplicité ethnique, tandis que la punition divine accompagne l'encouragement à l'enrichissement rapide des plus audacieux. Si le diable en Europe s'est endormi, au pays du libéralisme et de la rigueur puritaine, il s'annonce plus puissant que jamais. Deux films illustreront ce double mouvement d'ascension et de chute :

— *Angel Heart* de Alan Parker (*Aux portes de l'enfer*), 1987, d'après le roman de William Hjortsberg, *Falling Angels* ;

— *The Devil's Advocate* de Taylor Hackford (*L'Associé du diable*), 1998, d'après le roman de Andrew Neiderman.

Le premier titre, grâce au choix d'un traitement stylistique et narratif typique de la série des films noirs, instaure plusieurs niveaux de lecture sur des registres aussi bien historiques qu'idéologiques ou cinématographiques. En effet, le recours au personnage du « privé », notamment, crée d'emblée un lien avec la série des films noirs des années Quarante, réactivant la mémoire d'un contexte social et politique, celui de l'attentisme avant la participation au deuxième conflit mondial, celui du maccarthysme et de la chasse aux sorcières, en période de guerre froide.

Cependant, et la différence est lourde de conséquences, diaboliser la Deuxième Guerre, c'est condamner l'autre, c'est-à-dire l'Allemagne, l'Europe, n'altérant en rien le soldat américain qui prend ainsi valeur d'allié et de sauveur. Pourtant, le soldat inconnu, choisi dans le film comme victime des sciences occultes et de la magie noire, ne peut sauver l'identité d'un homme qui, justement sans scrupules, a vendu son âme au diable et, sans régler sa dette, provoqué le prince des ténèbres sur les rives du pouvoir, de la sorcellerie et de la cruauté. Parmi la foule en liesse fêtant les couples et surtout les soldats prêts à s'engager, un jeune homme, filmé de dos, n'en finit pas, à chaque reprise du plan, comme dans un cauchemar, d'être sur le point de révéler son visage. Ce leitmotiv, visuel et narratif, troublant, inquiétant pourrait contenir une condensation de sens autour de l'attentisme national et de la lâcheté morale et individuelle : Johny Favorite tente d'échapper à la guerre, à la mort, qui signifie la fin d'un succès et l'acquittement de sa dette envers le diable, tente de fuir son propre visage, celui de tout homme.

La Main de gloire, élément du pacte, est secrètement enfermée dans un coffret, attendant son propriétaire. Qui est Johny, Johann Faust ? La quête d'identité menée par le personnage du privé retrace les horreurs de la guerre, celle des honneurs conquis au prix du sang des autres.

En ce sens, réitérer le thème à partir du mythe de Faust, c'est rendre à l'histoire d'un pays sa mauvaise conscience. Harlem n'est rien d'autre que l'antre de l'enfer en Louisiane, pays du vaudou, du combat de coqs, de la ségrégation raciale, de la violence et de la misère. « On dit qu'il y a assez de religions en ce monde pour apprendre aux hommes à se haïr mais pas assez pour leur apprendre à s'aimer », réplique Lucifer.

C'est sous cet angle que peut être lu le film de Parker, *Angel Heart*. Il s'agit d'effectuer une inversion de sens, de créer un effet boomerang, où le diable ne sera plus l'autre mais soi. *Soi*, ce peut être le spectateur : le scénario, complexe, invite à se laisser piéger pour attendre le dénouement, rappelant d'autres films au cheminement retors :

Et puis soudain, au détour d'un plan encore plus époustouflant que les autres, l'évidence : la référence, c'est bel et bien *Le Grand sommeil* d'Howard Hawks. Un scénario totalement abscons que même le réalisateur n'avait jamais compris. Un chef-d'œuvre inestimable du genre.[14]

Soi, ce peut être l'Amérique qui enfante ses propres démons. Et Angel Heart a beau se débattre dans le sang, tuant ses cauchemars, Lucifer l'attend pour recevoir son âme :

La prison ? elle est, cette fois, absolue, quoique immatérielle, puisque ici elle a nom destin, et que le héros, Harry Angel, est dès l'origine condamné. Traqueur traqué, il va innocemment sa route de sang jusqu'à l'intolérable vérité, jusqu'aux ténèbres auxquelles il ne peut échapper.[15]

Des motifs obsessionnels, telles les pales d'un ventilateur qui décrivent une hélice menaçante, symbolisent la présence de Méphistophélès et préfigurent sans aucun doute la chaleur de l'Enfer tandis que les escaliers dangereusement obliques ou en spirales constituent, par un retour aux motifs de l'expressionnisme allemand, la cage infernale. Elle se referme sur le double personnage de Johny/Angel qui a définitivement perdu son âme. Pourtant, cette conclusion n'esquive pas le spectacle d'un univers de folie et de dégradation prouvant au spectateur que l'enfer est bel et bien sur terre.

Avec son film, *The Devil's Advocate*, Taylor Hackford prend le parti de la démesure, des effets spéciaux et de l'image virtuelle, celui d'une morale plus ambiguë que manichéenne. Il s'agirait plutôt d'une fable délirante, conçue comme un produit commercial, visible par tout public, livrant un message peu optimiste sur l'incapacité humaine à perdre son arrogance, sa vanité.

C'est l'univers des gagnants et de la justice en spectacle. La dénonciation, qui remet en place l'ordre moral, concerne aussi bien l'institution que l'individu. Gain rapide et corruption sont les ingrédients idéaux pour mettre en scène le pacte, la tentation de la corruption.

Cependant, malgré les terreurs cauchemardesques, même volontairement outrées, qui hantent les personnages — possession, fornication, luxe débridé, défenseur de la Bible sont dignes des films d'exorcisme — la morale ne peut être sauve. Le retour à la conscience, le choix de se tuer plutôt que de se soumettre au Malin ne rompent pas définitivement ni clairement le pacte avec le diable, qui a le dernier mot. Celui-ci quitte les lieux du sabbat pour mieux s'adapter à de nouvelles tentations. Ainsi, par un effet de pirouette scénaristique et visuelle, Méphisto, magnat des affaires et de la justice, devient journaliste, proposant à son associé converti le destin d'une star de l'honnêteté. Ravi de compter sur l'incorrigible vanité humaine, le diable se frotte les mains : « La vanité, c'est mon péché préféré », ajoute-t-il, aussi bien vis-à-vis du personnage que du spectateur. Son déguisement est même superflu : il a pris possession de l'univers des hommes. C'est le sens que l'on peut attribuer à la filiation, établie dans le film, entre le jeune et arriviste avocat et son patron. L'homme enfante ses propres démons.

l'artiste face au mythe universel de la création :
la tentation du diable

L'adaptation de Faust au cinéma propose une série de représentations à la fois connues par la reconduction de certains attributs et modifiées au gré du pouvoir créatif des réalisateurs. Et, si Murnau a imposé dans l'histoire des *"Faust"* cinématographiques une vision diabolique et grandiose de Méphistophélès, certaines figures ont évolué jusqu'à produire ce que l'on pourrait nommer un « apprivoisement » du mythe. En effet, les diables, au fil du temps, en Europe, notamment, sont moins impressionnants, plus humains. Que ce soit Michel Simon, Yves Montand ou Paolo Villagio, les personnages exhibent peu de déformations physiques. Pourtant, la tentation faustienne demeure vivace lorsqu'il s'agit d'entreprendre la mise en œuvre du mythe. Chaque artiste joue son acte de création, entre Dieu et Diable.

Cette ambition est pour le moins visible et parfois revendiquée comme telle. Il n'est pas surprenant, donc, de constater que le film se situe en fin de carrière, qu'il s'adresse à des talents reconnus qu'un *"Faust"* viendrait couronner.

C'est le cas, par exemple, de Claude Autant-Lara qui s'exprime ainsi :

Je suis têtu comme une mule et d'une patience à toute épreuve [...]. J'ai conservé huit ans le projet du *Diable au corps*, douze ans celui de *Le rouge et le noir*, et douze ans aussi *Marguerite de la Nuit*. [...] l'intérêt esthétique a donc primé, et j'ai simplement voulu faire un film poétique en couleur, réussir une œuvre sans rien de métaphysique, mais pleine de tendresse.[16]

L'ambition de Wim Wenders est tout autre. S'il conçoit son film à hauteur d'ange, il se donne, pouvoir suprême du cinéma, la possibilité de conquérir à Berlin l'unité allemande perdue. Les anges sont autant de caméras au service d'une mégalomanie de réalisateur. Les fresques picturales inscrites dans le ciel illustrent généreusement ce désir de posséder le monde et tous les arts. La perspective morale choisie, celle d'une réconciliation de l'homme avec son passé, rend compte d'un mouvement de générosité mais également d'un incroyable défi à l'Histoire. Il y a dans cette démarche l'illustration du mythe d'Icare, l'invitation à se prendre, le temps d'un film, pour un dieu.

Enfin, le cas de Fellini semble plus clairement défini. C'est, pourrait-on dire, sans duperie aucune, que l'auteur alimente le film de ses propres angoisses de vieillissement et de mort. Les questions posées à partir du personnage de Salvini sont les siennes, rencontrant plus universellement celles du mythe de Faust. Avec une ironie plus douce que mordante, impliqué qu'il est dans cet adieu au monde, son univers d'artiste constitue en grande partie le décor du conte. Les personnages, bouffons, drôles ou tendrement pathétiques, représentent son regard sur la vie, habitent toute son œuvre, illustrant ses désirs et ses fantasmes. On y reconnaît la femme voluptueuse — et la femme est le vecteur des préoccupations felliniennes comme elle est au cœur de toute problématique faustienne —, la musique du film *Amarcord*, les paysages fantastiques et lunaires. Surtout, au centre du film, le préfet, c'est lui-même. Dernier caprice de star du cinéma italien, la mise en scène rejoint la magie du docteur Faust, de Méphistophélès et de celles des fabricants de mythe.

1. Klaus KREIMEIER, *Une Histoire du cinéma allemand : la Ufa* [traduction de l'allemand par Olivier MANNONI] (Paris, Flammarion, 1994), p. 161.

2. Paul LÉGLISE, *Histoire de la politique du cinéma français* (Paris, « Filmé-ditions », Pierre Lherminier Éditeur, t. 2, 1977), p. 36.

3. *Ibid.*, p. 52.

4. *La Main du diable* — ou plutôt *la main de gloire*, titre de la nouvelle de G. de Nerval —, enfermée dans un coffret, est vendue à un jeune artiste peintre, plus rêveur que talentueux. La nuit de cette curieuse acquisition, le jeune homme réalise un tableau de type expressionniste où l'on peut lire les éléments du scénario du film et du crime à venir.

5. Lotte H. EISNER, *L'Écran démoniaque* (Paris, Éric Losfeld, 1981), pp. 87-88.

6. Roger RÉGENT, *Cinéma de France* (Paris, Éditions Bellefaye, 1948), p. 146.

7. Frédéric BONNAUD, « La Main du diable », *Libération*, 28 avril 1996.

8. Maurice BESSY, Raymond CHIRAT, *Histoire du cinéma français, 1940–1950*, (Paris, Éditions Pygmalion, 1986), p. 67.

9. Serge DANEY, « Le Diable, maître du scénario », *Libération*, 7 novembre 1988.

10. André BAZIN, « L'Enfer des bonnes intentions », *Radio Cinéma*, 29 janvier 1956.

11. Le personnage du préfet, vêtu d'un long manteau noir, affublé d'un chapeau à larges rebords et muni d'un éternel parapluie, évoque la silhouette du diable. Cependant, assailli en rêve par des spectres de vieillards qui l'invitent à partager leurs réjouissances, il devient, par analogie, Fellini lui-même, réalisant un dernier voyage dans l'univers de sa création.

12. Cette scène du repas semble préfigurer le film de Roberto BENIGNI, *La Vie est belle*. Le lien s'établit par le sujet, la mise en scène et le cadrage.

13. Voir Italo CALVINO, *Marcovaldo* (Torino, Einaudi, 1963). Ce livre, conçu comme un recueil de fables, met en scène le personnage de Marcovaldo, comique, mélancolique, inadapté à la société de consommation et au bouleversement bruyant des grandes villes. Le regard est celui de l'enfance, de l'imaginaire, de la liberté et du jeu.

14. Jean-Philippe GUÉRAND, « Coup de Foudre, Angel Heart », *Première*, avril 1987.

15. Marie-Françoise LECLÈRE, « Satan mène l'enquête », *Point*, 6 avril 1987.

16. Claude-Marie TRÉMOIS, « Un Faust où l'on s'intéresse surtout à Marguerite », *Radio-Cinéma*, 1956.

4

LE MYTHE DE FAUST À L'OPÉRA

LA RÉDEMPTION DE FAUST

OU LE MYTHE DE *L'ÉTERNEL FÉMININ*

par Virginie SLUSARSKI

(Académie de Nancy-Metz)

Nul doute que l'opéra est un vecteur privilégié quant à l'expression du mythe de Faust. Plus encore, il nourrit les récits mythiques en exacerbant — voire en lui donnant la place centrale — le rôle dévolu au personnage féminin. C'est ainsi que Marguerite a connu, à l'opéra, une fortune pour le moins surprenante. Irrémédiablement liée au mythe de Faust, sa notoriété a parfois éclipsé celle de l'érudit allemand. Depuis la création de l'héroïne de Gounod, en 1859 par Marie Miolan Carvalho, Marguerite a été immortalisée sous les traits d'une jeune paysanne naïve aux longues tresses, portant bonnet et travaillant le rouet, que la critique contemporaine, à l'instar de Paul Valéry, n'hésite pas à qualifier de « midinette ». Pourtant, elle demeure l'un des rares personnages d'opéra a avoir franchi le cercle des seuls amateurs de *bel canto* grâce à des techniques d'expression artistique résolument modernes telles que la publicité ou encore la bande dessinée. En effet, dans les années 1900, Faust et Marguerite deviennent les héros d'une campagne publicitaire ; nous y retrouvons la jeune fille, affublée de ses éternelles nattes blondes[1]. Dans les années 1960, Hergé, dessinateur belge, réalise

Les Bijoux de la Castafiore, un épisode de sa célèbre série *"Tintin"*. La référence au *Faust* de Gounod, et au non moins connu « Air des bijoux », ne passe pas inaperçue : la Castafiore, *prima donna* irascible et capricieuse à souhait, coiffée de nattes, un miroir à la main, ne cesse de chanter « Ah, je ris, de me voir si belle en ce miroir ! ».

Cet exemple révèle toute l'ambiguïté du personnage. À la fois reconnue et ridiculisée par la caricature, Marguerite gagne ses lettres de noblesse grâce aux célèbres interprètes du rôle : Patti, Melba et plus récemment Los Angeles pour Gounod ; De Angelis et Maria Callas (en version de concert) pour Boito ; Caron, Melba et Renaud pour Berlioz.

Dès lors, le mythe de la diva se superpose à celui de Faust. En effet, force est de constater que l'opéra romantique fait la part belle aux arias aériennes et ornementées à travers lesquelles les *soprani* peuvent mettre en valeur leurs performances vocales. Certes, Gounod ne néglige pas les voix masculines dans sa partition, mais le fameux « Veau d'or » de Méphistophélès (basse) ainsi que les airs de Faust tels que « Rien ! En vain j'interroge » ou encore « Salut ! Demeure chaste et pure » (ténor) ont cependant acquis une notoriété moindre que le célèbre « Air des bijoux ». Le rôle féminin semble dès lors l'emporter sur tous les autres, à tel point que le public allemand a rebaptisé l'opéra de Gounod *Margherete*. Quelles sont les raisons de l'émergence d'un tel phénomène ? Il demeure évident qu'un certain nombre de choix, liés à l'adaptation de l'œuvre de Goethe dans une autre forme d'expression artistique, sont à prendre en considération. Cependant, ces derniers ne sont pas suffisants pour expliquer toutes les modifications qui résultent de plusieurs paramètres tels que la date de composition des opéras, l'interprétation du mythe par les compositeurs et les librettistes, ou encore la méconnaissance de la seconde partie du *Faust* de Goethe en France jusqu'en 1839, soit dix années après l'élaboration des *Huit scènes de Faust* qui donneront ensuite naissance, en 1848, à la légende dramatique de *La Damnation de Faust* de Berlioz. La version donnée par Gounod onze ans plus tard n'est guère éloignée, pour ce qui concerne la trame narrative du livret, de celle de son prédécesseur.

En revanche, avec les compositions de Boito en 1868, et de Busoni en 1925, le mythe replonge ses racines dans ses origines en prenant en compte non seulement la seconde partie du *Faust* de Goethe, mais également le théâtre de marionnettes. Le personnage de Marguerite est alors estompé. L'épisode dépeignant les amours de Faust et de la jeune paysanne prend une importance moindre chez Boito ; Marguerite partage la vedette avec le personnage d'Hélène qui apparaît dans le *Second Faust*. De plus, l'opéra ne se termine plus par l'accession au ciel de la jeune femme, mais par l'ascension de Faust lui-même, auquel est enfin accordée cette Rédemption conforme au modèle goethéen et qui lui avait été refusée dans les deux œuvres précédentes. Busoni, quant à lui, place au centre de l'intrigue un personnage féminin inattendu, la duchesse de Parme, réduisant le rôle de Marguerite à une simple évocation par le frère de cette dernière.

Il semblerait donc que l'importance de la place impartie à Marguerite coïncide avec une simplification de la trame narrative. Néanmoins, les personnages féminins, qu'ils soient nommés Marguerite, Hélène ou la duchesse de Parme, jouent un rôle fondamental dans l'évolution de la signification du mythe.

Faust, un mythe de musiciens

Les compositeurs qui ont subi la tentation de Faust sont nombreux, mais tous n'ont pas mené à terme leur projet. Quelques pièces de qualité inégale nous sont parvenues : des *lieder*, comme ceux de Schubert, Wagner, Loeve, Moussorgsky et Busoni ; des symphonies de Wagner, Malher et Liszt ; un oratorio de Schumann ; une sonate pour piano de Rachmaninov, pour ne citer que les plus célèbres des compositions inspirées du *Faust* de Goethe. Cet engouement peut aisément s'expliquer par le fait que le poème dramatique comporte un grand nombre de chansons et de chœurs, lesquels semblent susciter une véritable sollicitation pour les musiciens. D'ailleurs, l'adaptation musicale de l'œuvre semble correspondre à la volonté de son auteur. Goethe n'avait-il pas demandé à Karl Eberwein une musique de scène pour son *Faust* en 1825 ?

la Faust-Symphonie

En 1830, Liszt, sans doute influencé par Berlioz, commence à s'intéresser au poème de Goethe dont la traduction de Nerval venait de paraître à Paris. C'est en 1854 qu'il terminera la composition de la *Faust-Symphonie*, pièce musicale en trois tableaux qui se propose de traduire musicalement trois portraits psychologiques d'après Goethe, comme l'indique le titre de la pièce : *Eine Faust-Symphonie in drei Charakterbildern*. La création de l'œuvre a eu lieu le 5 septembre 1857, au Hoftheater de Weimar.

Le premier mouvement, celui de Faust, est le plus largement développé. Il est constitué de cinq thèmes principaux à l'organisation complexe qui rendent compte de la richesse et de la variété du caractère de ce personnage. Le premier thème, véritable clé de voûte de l'ensemble, symbolise la quête de la connaissance.

La partie centrale de ce triptyque constitue un contraste évident avec le portrait précédent. C'est en effet la simplicité qui caractérise le personnage de Marguerite (Gretchen), grâce à l'utilisation de seulement deux thèmes. La ligne mélodique aérienne signifie l'innocence de la jeune fille. Les thèmes 2, 3 et 4 de Faust (qui symbolisent respectivement la souffrance de Faust, son désir d'action et son aspiration amoureuse) sont repris, mais le premier n'a pas sa place dans la mesure où la musique de Marguerite (thèmes 6 et 7) a pour fonction de révéler la grandeur et la fierté de Faust (thème 5) grâce à la puissance de son amour. La présence passive de ce personnage, placé au centre de l'œuvre, n'est certainement pas un hasard : Marguerite joue un rôle fondamental dans la légende et Liszt l'a d'ailleurs bien souligné dans sa symphonie.

Enfin, Méphistophélès, « l'esprit qui nie », ne possède aucun thème propre pour le troisième volet. Liszt expose les thèmes de Faust en les déformant, ce qui n'est pas le cas pour les thèmes

130

de Marguerite, l'esprit du mal n'ayant aucune emprise sur la jeune fille. À la fin de ce troisième mouvement survient le thème de la rédemption par l'amour grâce à l'apparition de Marguerite qui représente *l'éternel féminin* (thème 6). Les huit derniers vers du *Faust* de Goethe ajoutent à l'hommage rendu à cet *éternel féminin*, avec la reprise du thème 7 sur le rythme du premier, révélant ainsi l'aboutissement ultime de la quête de la connaissance : l'amour. Le ténor solo termine par les thèmes 6 et 4, réaffirmant la prééminence de l'aspiration amoureuse, véritable instrument de la Rédemption de Faust.

les scènes de Faust

À l'instar de Liszt, Schumann a retenu le thème de la rédemption par l'amour pour constituer l'axe central de son oratorio sur lequel il commence à travailler en 1844, dans l'idée d'en faire un opéra. Mais il n'achèvera son *Faust* qu'en août 1853.

L'ouverture met en lumière le double aspect de la destinée de Faust, sans cesse partagé entre la damnation et l'aspiration à dépasser sa condition de simple mortel par le biais de la connaissance. Le thème de l'amour fait son apparition, suggérant dès le début qu'il sera le grand vainqueur de ce combat acharné entre les forces du Bien et du Mal. La première partie, divisée en trois scènes, est fondée sur la rencontre de Faust et de Marguerite. Dans la seconde partie, le changement d'atmosphère est manifeste : la chute de Faust nous est présentée en trois scènes et les allusions au *Second Faust* sont évidentes. Enfin, le troisième volet de cet oratorio traite en sept mouvements de la rédemption de Faust grâce à l'intervention de Marguerite. Mater Gloriosa apparaît, accompagnée de trois pécheresses : Maria Peccatrix, Mulier Samaritana et Marie l'Égyptienne. Une autre pénitente, Gretchen, se glisse dans le cortège sur un accompagnement de violons et de flûtes. Le *Chorus Mysticus* s'achève sur une phrase qui en dit long quant à l'importance que revêt Marguerite pour ce qui concerne la rédemption de Faust : « L'éternel féminin toujours plus haut nous attire ».

Liszt et Schumann, à travers leurs œuvres musicales, ont tous les deux choisi de sauver Faust par le biais de *l'éternel féminin*, l'amour rédempteur, conformément au *Second Faust* de Goethe. Berlioz, lui, semble opter pour une fin radicalement différente puisqu'il donne pour titre à son drame musical *La Damnation de Faust*. Les contraintes de la scène lyrique représentent-elles un paramètre déterminant ce choix, dans la mesure où elles posent certaines limites quant à la restitution de la pensée métaphysique ?

Faust à l'opéra ou l'impossible pari

L'opéra s'est largement emparé de l'histoire de Faust. La version littéraire du mythe élaborée par Goethe constitue la référence principale pour des artistes tels que Berlioz (*La Damnation de Faust*, 1848), Gounod (*Faust*, 1859), Boito (*Mefistofele*, 1868) ou encore Busoni (*Doktor Faust*, 1925). Mais la transposition musicale d'une œuvre aussi ample et complexe n'a pas été réalisée sans quelques difficultés. Même le chantre de l'opéra qu'était Wagner n'a pas réussi à composer une pièce complète malgré l'intérêt évident qu'il portait à ce sujet. Berlioz, à la fin de l'année 1828, avait proposé à Goethe ses *Huit scènes de Faust*, qui n'avaient pas obtenu l'approbation du poète allemand, avant de terminer, en 1848, sa *Damnation de Faust* en version de concert qui a d'ailleurs été remaniée en 1893, par Raoul Gunsbourg, pour être portée à la scène en 1925. Busoni n'a pas davantage terminé son *Doktor Faust*. Après avoir écrit en 1914 le texte du livret, il a passé les dix dernières années de sa vie à la mise en musique sans pour autant parvenir à la note finale de sa partition. C'est Philipp Jarnach, élève et ami de Busoni, qui a mené à terme la composition, créée à Dresde en 1925. La composition d'un opéra d'après le *Faust* de Goethe représenterait-elle un pari impossible ?

Le mythe de Faust comporte divers concepts propres à alimenter l'esprit romantique en posant le problème métaphysique du Bien et du Mal, ainsi que celui de la révolte poussant le héros au pacte satanique. En outre, la présence surnaturelle de Méphistophélès, la « Nuit de Walpurgis » ou autres sabbats, ainsi que les décors médiévaux, nourrissent l'imaginaire romantique épris d'occultisme. Les Romantiques vont donc s'emparer du mythe, dans différents domaines artistiques : Delacroix peindra *Faust dans son cabinet* en 1828, et *Duel de Faust et Valentin* en 1828 ; il illustrera également de dix-sept lithographies la traduction réalisée par Nerval. Courbet, lui, peindra sa célèbre *Nuit de Walpurgis* en 1841.

Berlioz est incontestablement celui qui a pris le plus de libertés avec l'œuvre de Goethe. Pour commencer, il décide que Faust ne sera pas sauvé, et s'il place au centre de sa *Damnation* l'épisode de la rencontre amoureuse, la grande héroïne de cette légende dramatique n'est cependant pas Marguerite, mais la musique. En effet, la première partie est dominée par la célèbre *Marche de Rakoczy*, et Berlioz n'a pas hésité à situer l'action dans une plaine de Hongrie, privilégiant la libre expression musicale à la cohérence du livret. Ce dernier, d'ailleurs, demeure quelque peu décousu. Les morceaux des *Huit scènes de Faust*, œuvre de jeunesse composée en 1828, sont repris une vingtaine d'années plus tard, lorsque Berlioz, lors d'un voyage en Europe, décide d'unifier ses fragments en un plus vaste ensemble. À la fois compositeur et librettiste, Berlioz travaille dans une véritable fièvre créatrice en s'inspirant de la traduction de l'œuvre de Goethe réalisée par Gérard de Nerval en 1827. Se fondant uniquement sur le premier *Faust*, il ne conserve pour le livret que les éléments strictement nécessaires à la compréhension de l'intrigue. Concentrant au maximum l'effet dramatique, il écarte systématiquement toutes les scènes à caractère philosophique, les personnages secondaires ainsi que la nuit de sabbat.

La première partie nous présente un Faust solitaire, jouissant de l'éveil de la nature. Ce thème éminemment romantique est doublé par le « Chant des paysans sous les tilleuls », rapidement rejoint par les échos d'héroïsme militaire de la marche guerrière.

Ce n'est que dans la deuxième partie que débute l'intrigue. Reprenant le schéma traditionnel, Berlioz situe le suicide de Faust, interrompu par le « Chant de Pâques », dans son cabinet de travail. C'est l'occasion, pour le compositeur, de développer un thème romantique par excellence, celui de l'Ennui : « *Rien au monde ne semble lui faire envie ; ce n'est pas tant le désir qui lui manque que l'objet* »[2]. L'arrivée de Méphistophélès interrompt la méditation de Faust. Suivent les péripéties provoquées par le démon : la scène du cabaret à Leipzig (« Amen fugué », « Chanson de la puce ») à laquelle succède la fuite menant sur les rives de l'Elbe où Faust s'endort et rêve de Marguerite, bercé par « le Chœur des sylphes et des gnomes ». Se mêlant à un groupe d'étudiants et croisant des soldats en quête d'aventures galantes, Faust part ensuite à la recherche de celle qui est si soudainement devenue l'objet de son désir.

Le début de la troisième partie se déroule dans la chambre de la jeune fille. Faust observe avec émotion son « Chevet virginal » tandis que Marguerite, encore troublée par l'image de l'amant aperçu en songe, commence « La Ballade du roi de Thulé ». Afin de séduire la belle, Faust invoque une armée de feux follets qui exécutent un menuet en son honneur. Elle ne tarde pas à succomber.

La quatrième et dernière partie nous présente parallèlement Marguerite, attendant le retour de son bien-aimé (« D'amour l'ardente flamme »), et Faust, seul, de nouveau accablé par l'ennui, célébrant au cœur d'une forêt profonde la beauté et la majesté de la nature. C'est seulement à ce moment-là que le pacte entre Faust et Méphisto est scellé : ayant été prévenu de la condamnation à mort de la jeune fille qui a empoisonné sa mère, Faust accepte de servir le démon dans l'autre monde afin de la sauver. Le pacte est alors signé. Méphisto entraîne Faust en enfer, suite à la « Chevauchée fantastique » ; sa victoire est saluée par les démons. Marguerite, elle, est emportée au ciel, accompagnée des chœurs célestes. Le salut et l'oubli des souffrances terrestres lui sont accordés.

Cette version du mythe de Faust est fortement imprégnée de motifs romantiques : l'exaltation des personnages, l'évocation de la nature qui ouvre et clôt la pièce, l'héroïsme militaire suggéré par la « Marche hongroise » et, surtout, ce profond ennui dont Faust ne peut se défaire. Ici, le personnage de Marguerite acquiert une importance fondamentale puisque la jeune femme parvient à lui inspirer le désir et à le libérer ainsi, au moins pour un moment, de ce terrible mal. Elle sera également la cause de sa damnation, mais le choix de s'abandonner aux puissances infernales semble être, pour Faust, une sorte de salut en négatif dans la mesure où, lui aussi, se libère de ses souffrances terrestres. De plus, la figure du Diable revêt dans l'imagerie romantique une signification toute particulière, celle de la liberté.

l'aimable badinage de Gounod

Les raisons qui ont poussé Gounod à placer au centre de son opéra la même intrigue amoureuse entre Faust et Marguerite ne sont certainement pas identiques à celles de Berlioz. Tout d'abord, le compositeur confie la création du livret à deux librettistes bien connus, Jules Barbier (1828–1901) et Michel Carré (1819–1872). Leur collaboration pour cette œuvre commence en 1856, lorsque Gounod présente son projet à Léon Carvalho, directeur du Théâtre Lyrique. Le rôle de Marguerite est d'avance retenu pour son épouse. En juillet 1858, l'opéra est achevé ; il est créé le 19 mars 1859 au Théâtre Lyrique sous forme d'opéra-comique. Pour cette première année, cinquante-neuf représentations sont données. Le succès immédiat de l'œuvre est sans doute dû, en grande partie, à la distribution prestigieuse proposée au public : Marie Miolan Carvalho incarne Marguerite, le ténor Bardot tient le rôle de Faust, Balanqué est Méphisto et Delorme dirige l'orchestre. À l'inverse de la légende dramatique de Berlioz qui avait connu un échec cuisant, le *Faust* de

Gounod est l'objet d'un véritable engouement populaire.

Cependant, pour accéder au rang plus noble d'opéra, l'œuvre doit subir un certain nombre de remaniements. Ainsi, le 3 mars 1869, *Faust* reparaît sous la forme d'un « grand opéra » donné rue Le-Peletier : les dialogues parlés ont été supprimés ; un ballet, comme la tradition de l'opéra d'alors l'exigeait, a été ajouté et la partition partiellement remaniée. Avec Christine Nilsson (Marguerite), Colin (Faust) et Faure (Méphisto) à l'affiche, ainsi que Hainl pour la direction de l'orchestre, l'œuvre de Gounod est consacrée par soixante-dix représentations. Véritable succès populaire, *Faust* est également reconnu par la critique musicale de l'époque : Léon Escudier fait l'éloge de la science du compositeur, tandis que Joseph d'Ortigue, dans *Le Ménestrel*, souligne la parfaite adéquation du livret et de la musique. Par la suite, Debussy parlera de Gounod et de ses « défaillances nécessaires »[3], alors que d'autres compositeurs aussi célèbres que Bizet, Massenet et Ravel reconnaîtront à leur tour les qualités musicales de son œuvre. Certes, *Faust* a souvent été qualifié « *d'opéra facile* » (p.7[4]). La raison de cette critique sévère trouve certainement sa source dans la légèreté de la musique, d'une part, et dans la simplicité du livret, d'autre part.

En effet, les librettistes Barbier et Carré ont fait preuve « *d'un sens typiquement français de l'utilisation pratique des effets scéniques* »[5]. Ils ont choisi l'épisode retraçant les amours de Faust et de Marguerite parce qu'une histoire d'amour propre à inspirer l'émotion constitue un objet davantage dramatique que d'obscures considérations métaphysiques hors de portée du grand public. Ainsi, l'opéra place l'héroïne au cœur de l'action, estompant l'importance du héros éponyme.

Le premier Acte reprend de manière traditionnelle le désespoir de Faust dans son cabinet de travail. Le chœur des laboureurs, rejoint par celui des femmes, véritable évocation de la jeunesse perdue par le vieil érudit, accentue encore la désolation qui le conduit au suicide. Ce que Méphistophélès propose à Faust en échange de son âme est, précisément, ce dont ce dernier déplore la perte : la jeunesse. Afin d'être plus convaincant dans son rôle de tentateur, le démon fait apparaître en songe une jeune femme resplendissante de jeunesse, Marguerite. Le pacte est aussitôt conclu. Faust retrouve sa jeunesse perdue.

Le deuxième Acte comprend un grand nombre d'airs et de chœurs célèbres, à commencer par « Air du vin et de la bière ». En contrepoint à cette ambiance joyeuse, Valentin, le frère de Marguerite, qui va partir à la guerre, chante le non moins célèbre « Avant de quitter ces lieux », relayé par « La Chanson du rat » de Wagner et « Le Veau d'or » de Méphistophélès. Ensuite, la scène des épées entre Valentin et Méphisto (« Puisque tu brises le fer ») précède la rencontre des futurs amants, favorisée par le démon. L'Acte s'achève sur « La Valse de Faust ».

La liesse populaire évoquée précédemment cède la place, dans le troisième Acte, à la douce intimité des amants. À l'air de Faust, « Salut ! Demeure chaste et pure », répondent ceux de Marguerite : « La Ballade du roi de Thulé » et l'« Air des bijoux ». La scène amoureuse entre Faust et Marguerite est doublée par celle, bien plus légère, entre Marthe, l'amie de la jeune fille, et Méphisto, créant ainsi un effet dramatique plus grand. Marguerite succombe. La victoire du démon est totale.

La faute commise par Marguerite est l'élément essentiel de l'Acte suivant. En effet, séduite et abandonnée, la jeune fille est rongée par les remords ; elle cherche une consolation dans la foi, ce qui donne lieu à la scène de la cathédrale. Le *Dies irae* domine l'ensemble, tandis que Méphisto accable la pieuse enfant. Mais l'honneur de la jeune femme est ensuite défendu par Valentin, revenu de la guerre. À l'occasion de ce duel, la malheureuse assiste à la mort de son frère par la main de son amant inconstant. Le dernier Acte débute par le ballet que Gounod a dû ajouter à son opéra pour se plier aux exigences du genre. D'une manière assez artificielle, il reprend dans le *Second Faust* quelques scènes de la « Nuit de Walpurgis », reliées à l'intrigue par une vision que Faust a de Marguerite au cours d'une orgie. Les danses de ce ballet permettent l'apparition des plus célèbres courtisanes de l'Antiquité : Laïs, Cléopâtre, Hélène de Troie et Phryné. Cette scène est cependant supprimée de la plupart des représentations actuelles.

En revanche, l'ascension de Marguerite, dernier épisode de cet Acte, est conservée. Faust et Méphisto retrouvent la jeune femme en prison où elle expie un nouveau crime, en proie à la folie : le meurtre de son propre enfant, fruit de ses amours coupables. Le trio de Marguerite, Faust et Méphistophélès fait place au chœur céleste qui confirme qu'elle est pardonnée. Au cri ultime du démon *Perdue !* répond le retentissant *Sauvée !* des anges. On ignore d'ailleurs ce qu'est devenu Faust à l'issue de ce combat entre les forces du Bien et du Mal qui ne semble plus le concerner.

Ainsi, l'héroïne de l'opéra semble bien être Marguerite : son sort est plus important que celui de Faust puisque le spectateur doit se contenter d'imaginer la damnation de ce dernier. Tout comme son prédécesseur, Gounod a choisi de ne pas sauver Faust, restant dans l'esprit du *Premier Faust*, évacuant toute conception rédemptrice. Ce *Faust* de Gounod peut en quelque sorte être qualifié de « *drame bourgeois* » (p.8[4]), dans la mesure où l'œuvre s'inscrit résolument dans la lignée des opéras conventionnels du XIXe siècle, l'immense succès de sa réception par le public en faisant foi. En effet, l'opposition entre le Bien et le Mal est rendue d'une manière plutôt simpliste, la psychologie des personnages demeure stéréotypée. Nous sommes loin de la fièvre créatrice d'un Berlioz, véritable archétype de l'artiste romantique incompris.

Boito : le retour aux sources

À l'inverse de Gounod qui a préféré s'assurer le succès en composant un opéra traditionnel, Boito privilégie l'esprit philosophique du drame de Goethe au détriment de la forme. Dans les années 1860, il réalise une œuvre en cinq Actes qui ne dure pas moins de cinq heures. Il se fonde pour ce faire sur l'ensemble de l'œuvre de Goethe, ne privilégiant pas l'épisode de Faust et de Marguerite, et réintroduit un personnage majeur du *Second*

Faust, Hélène de Troie. *Mefistofele* a été créé à la Scala de Milan le 5 mars 1868 et a essuyé un échec complet, ce qui a obligé l'artiste italien à modifier la composition et le livret. Ainsi remodelé, l'opéra devient moins long, prend un aspect plus « classique » grâce au remaniement des airs et des ensembles. *Mefistofele* connaît alors un grand succès en 1875, sous la forme d'une pièce comprenant un prologue, quatre Actes et un épilogue.

Le prologue, conforme en tous points à l'œuvre de Goethe, présente le défi lancé à Dieu par l'esprit du Mal. L'enjeu du pari est bien évidemment l'âme de Faust, lequel apparaît dès le premier Acte à Francfort, accompagné de son élève Wagner, au milieu d'une foule joyeuse célébrant Pâques. Une inquiétante figure rôde autour des deux hommes sous le froc d'un moine franciscain. De retour à son laboratoire dans lequel il s'apprête à lire l'Évangile, le vieil érudit voit surgir le moine gris qu'il avait aperçu auparavant. Forcé de dévoiler son identité à cause du puissant Signe de Salomon exécuté par Faust, Mefistofele se présente comme étant « l'esprit qui nie toute chose ». Il propose au vieil homme le traditionnel pacte : son âme en échange de la satisfaction de tous ses désirs terrestres. Faust accepte en déclarant : « Si vous pouvez m'accorder une heure de paix pendant laquelle mon âme pourra enfin se reposer — si vous pouvez soulever le voile qui cache le monde et me cache à moi-même — si je peux trouver l'occasion de dire au moment qui s'écoule : "Reste, tu es si beau", alors, que je meure, et que les profondeurs de l'Enfer m'engloutissent »[6]. La scène est dominée par les airs de Faust (« Dai campi, dai prati ») et de Mefistofele (« Son lo spirito che nega sempre tutto ») ainsi que par le duo « Se tu mi doni un'ora ».

La première scène du deuxième Acte comprend la plupart des éléments de la rencontre de Faust et de Marguerite. La femme ne constitue plus l'élément central autour duquel se condensent les enjeux de la lutte du Bien contre le Mal. Son ascension céleste a lieu à la fin du troisième Acte tandis que les aventures de Faust continuent. Faust (rajeuni et se prénommant désormais Henri) séduit alors la jeune villageoise à la faveur d'une scène de jardin imprégnée d'une douceur idyllique et soulignée par le « Colma il tuo cor d'un palpito ». Mais ces instants de bonheur sont très vite remplacés, dès la scène suivante, celle du Sabbat des sorcières, sur le sommet du Brocken, où Faust, ayant déjà abandonné sa bien-aimée, assiste aux orgies maléfiques. Tandis que Mefistofele contemple le monde dans une boule de cristal (« Ecco il mondo »), Faust/Henri voit dans le ciel l'image de Marguerite pâle, triste, enchaînée et le cou cerclé d'un collier de sang.

L'Acte III commence d'ailleurs par la complainte de Marguerite, « L'altra notte in fondo dal mare », qui raconte la noyade de son enfant. Elle est également accusée du meurtre de sa mère, tout comme dans les précédentes versions du mythe à l'opéra. Enfin, Marguerite chante « Spunta l'aurora pallida » avant d'être emportée par le chœur céleste qui la déclare, une fois encore, pardonnée et sauvée. Ainsi, l'épisode représenté dans les œuvres de Berlioz et de Gounod s'achève, mais l'histoire de Faust continue après la mort de Marguerite qui est alors remplacée par Hélène de Troie.

En effet, le quatrième Acte se déroule dans la vallée du Tempe. Lors de cette seconde nuit de sabbat, Faust, costumé en chevalier médiéval, rencontre la Troyenne qui lui fait le récit de la destruction de la ville. Faust lui déclare qu'elle représente pour lui un idéal de beauté et de pureté. À l'ode d'Hélène, « La luna immobile innonda l'etere », succède les duos amoureux : « Forma ideal purissima » et « Ah, Amore ! misterio celeste ». Les amants se jurent amour et dévotion.

L'épilogue présente cependant Faust seul. Hélène, pas plus que Marguerite, n'a su conserver cet amant hanté par la recherche de cet instant absolu qui lui ferait s'écrier « Reste, tu es si beau ! ». Ni les plaisirs terrestres, ni la beauté antique, successivement incarnés par les deux figures féminines, n'ont pu combler la soif d'absolu de l'érudit allemand. Les tentatives de Mefistofele se soldent par un échec complet. Le démon, dans une ultime tentative pour se saisir de l'âme convoitée, provoque la vision de magnifiques sirènes. Faust trouve alors refuge dans la lecture de l'Évangile et tombe en extase, prononçant les paroles que Mefistofele n'est pas parvenu à lui arracher : «Reste, tu es si beau !». Sa mort est douce, sereine, tandis que s'élève le chant triomphant d'un chœur céleste. Faust est sauvé.

La critique a souvent reproché à Boito d'avoir placé deux héroïnes au centre de deux intrigues distinctes dans un même opéra. La longueur de l'œuvre, la difficulté à réunir cinq grandes voix (deux sopranos lyriques pour Marguerite et Hélène, une mezzo pour Marthe, un ténor verdien pour Faust et une basse pour Mefistofele) ainsi que la complexité de la partition, en font un opéra peu représenté et, par conséquent, moins connu du public que les deux autres précédemment évoqués. La préservation de l'esprit philosophique et métaphysique du mythe semble être difficile à maintenir tout en conservant l'unité dramatique nécessaire à la scène lyrique. Cependant, en s'éloignant de la prédominance de la musique au détriment de l'intrigue, comme l'a fait Berlioz, et en évitant une simplification exagérée comme celle de Gounod, Boito retrouve et restaure l'origine du mythe. Le succès relatif de son *Mefistofele*, moins bien compris par le grand public, nous rappelle combien il est difficile de préserver l'essence même du mythe sur la scène lyrique.

Quant aux deux héroïnes, elles représentent les deux facettes d'un idéal féminin recherché par Faust. Marguerite constitue le versant terrestre, tandis qu'Hélène est le symbole d'une perfection de beauté antique. Leur rôle est de mettre en lumière la quête d'absolu de Faust. Et si l'importance de Marguerite, en tant que personnage individuel, est réduite en raison d'une double conception de la féminité, elle n'en demeure pas moins grandie par la synthèse de *l'éternel féminin*, placé au centre de cette œuvre.

L'opéra de Busoni, *Doktor Faust*, a été créé à Dresde le 21 mai 1925. L'originalité de l'œuvre réside dans le fait que le compositeur ne s'est pas inspiré du *Faust* de Goethe, mais du spectacle de marionnettes du XVIᵉ siècle. Des documents attestent que, dès 1910, Busoni s'est intéressé à cet aspect du mythe de Faust. C'est en 1914 qu'il écrit le texte de son œuvre, en quelques jours à peine. Il n'a pas achevé cet opéra en six tableaux (deux prologues, un interlude scénique et trois scènes), dont Philippe Jarnach a composé la fin, à partir des esquisses laissées par Busoni, non sans introduire une rupture de ton pour les vingt dernières minutes des trois heures de musique que constitue l'ensemble.

Le premier prologue commence par un prélude orchestral qui est, comme le précise Dent dans son étude sur Busoni, une sorte « *d'étude impressionniste de cloches dans le lointain* » (cité p. 80⁵)⁷. La musique fait immédiatement place à un acteur qui récite en vers le prologue à travers lequel Busoni explique comment le sujet a été choisi.

L'action débute ensuite dans le bureau de Faust, à Wittenberg, où arrivent trois étudiants qui remettent à ce personnage éminent de l'université un livre rare et étrange : le *Clavis Astartis Magica*.

Le second prologue propose, dans le même décor, un traitement original du pacte faustien. En effet, faisant usage de la clé remise par les trois mystérieux personnages de la scène précédente, Faust trace un cercle magique et invoque les démons. Il n'est plus le jouet d'une apparition involontaire de Méphistophélès, mais il la provoque grâce à sa connaissance des arts magiques. Six esprits apparaissent donc sous l'aspect de langues de feu. Faust les interroge tour à tour et demeure mécontent de leurs réponses jusqu'à l'arrivée de Méphistophélès. D'après Dent, « *la scène des langues de feu est conçue comme une série de variations sur un thème ; le premier esprit est une basse pro-*

fonde, et les voix s'élèvent progressivement, si bien que la dernière, celle de Méphistophélès, est une voix de haute-contre » (cité p. 80[5])[7]. Conformément à la tradition magique, Faust demande à l'esprit l'accomplissement de tous ses désirs (rien moins que la connaissance totale du monde, le génie, le bonheur et la liberté !), mais il sort du cercle magique, donnant ainsi au démon l'occasion d'exercer une emprise sur lui. Le commandement devient pacte : Faust devra livrer son âme immortelle en échange de ce qu'il a demandé. Afin de le contraindre à accepter le marché, Méphisto rappelle à Faust que le frère de la jeune fille, qu'il a séduite puis abandonnée, le cherche pour le tuer, et que son aide lui sera précieuse pour le sortir de cette fâcheuse situation. Faust accepte à regret pendant que retentissent le *Credo*, le *Gloria* et un *Alleluiah*. Le pacte est scellé.

L'intermède se déroule dans la chapelle romane de la grande cathédrale. Le son de l'orgue retentit pendant toute la scène. Le meurtre du frère de la jeune fille offensée est orchestré par Méphisto, avec le consentement de Faust. Ce dernier prend donc à sa charge un meurtre et une profanation sans l'ombre d'un remords. Le démon exulte. Ainsi, l'épisode retraçant les amours de Faust et de Marguerite est terminé avant même que ne commence l'action principale ! Car cette jeune fille séduite et abandonnée est bien évidemment Marguerite : se reconnaissent, à travers le second prologue et l'intermède, les données essentielles de l'intrigue des précédents opéras. La jeune fille est simplement évoquée, jamais nommée, et elle n'apparaît à aucun moment. La romance n'intéresse visiblement pas Busoni, qui déplace l'importance de l'élément féminin sur un autre personnage aux multiples facettes : la duchesse de Parme.

L'action principale débute avec le premier tableau qui se déroule à Parme, dans le parc du palais, à l'occasion du mariage du duc. Afin de montrer l'étendue de ses pouvoirs, Faust chasse le jour et donne à la duchesse le choix de la suite du spectacle. Elle lui demande de faire apparaître le roi Salomon ; Faust réalise son désir : Salomon est, de plus, accompagné de Balkis, la reine de Saba. Suivent Samson et Dalila, puis Jean-Baptiste et Salomé.

Un curieux détail n'échappe cependant à aucun des convives : tous les personnages invoqués ont les traits de la duchesse et de Faust. Au cours du spectacle, la duchesse trahit ses sentiments pour Faust et le duc, furieux, met fin aux festivités. Redoutant l'empoisonnement au cours du banquet auquel il est convié par le duc, Faust s'enfuit avec la duchesse. Le tableau se termine par une discussion fort animée entre le duc et son aumônier, qui lui suggère d'éviter le scandale en contractant un nouveau mariage politique avec la sœur du duc de Ferrare. Cette scène de séduction, sous le sceau des intrigues de cour, à grand renfort de pratiques magiques, est très éloignée de la tendre scène du jardin présentée par les compositeurs précédents.

La seconde scène met en lumière l'échec de l'aventure amoureuse de Faust avec la duchesse. Lors d'une fête estudiantine dans une auberge de Wittenberg, Mefistofele apparaît pour lui annoncer la mort de la duchesse de Parme et apporte un funèbre et macabre souvenir de ses anciennes amours : le cadavre d'un nouveau-né. Le démon se complaît alors à ridiculiser Faust en racontant en termes peu romantiques l'histoire de cette passion. Il transforme ensuite l'enfant en botte de paille à laquelle il met le feu ; dans les flammes surgit le fantôme d'Hélène de Troie, idéal de beauté et de perfection, et Faust demeure incapable de le saisir. Méphisto ricane : « L'homme n'est pas de taille à se mesurer avec la perfection ».

Resté seul, Faust renvoie durement les trois étudiants venus lui réclamer le *Clavis Astartis Magica,* symbole de la magie à laquelle il renonce définitivement tandis que les jeunes gens lui annoncent sa mort prochaine. Mais sa fin ne semble pas l'effrayer : « Bienvenue à toi, dernière phase de mon crépuscule, sois la bienvenue ».

Le dernier tableau se déroule à Wittenberg, en hiver, et présente Faust abandonné de tous. Il rencontre la Duchesse déguisée en mendiante qui lui tend un enfant. De l'église proche vers laquelle Faust se dirige retentit un *Dies Irae*, mais le fantôme du frère de la jeune fille lui interdit l'accès à ce refuge. Rassemblant ses derniers pouvoirs, Faust tente de l'écarter afin d'aller prier devant un crucifix. La lampe d'un veilleur de nuit (qui n'est autre que Méphisto) révèle alors la silhouette d'Hélène de Troie. Lançant un cri d'horreur, Faust comprend qu'il n'y aura pas pour lui de grâce chrétienne.

La partition de Busoni s'arrête ici. La fin de l'opéra proposée par Jarnach est la suivante.

Faust étend l'enfant mort dans un cercle magique et rassemble ses dernières forces pour projeter sa personnalité dans le corps sans vie. Une seconde chance lui sera-t-elle offerte ? Il meurt alors que le veilleur de nuit annonce les douze coups de minuit. Un adolescent nu émerge alors du cercle ; il porte un rameau vert et avance dans la neige. Le veilleur s'approche du cadavre de Faust et demande : « Cet homme a-t-il été victime d'un accident ? »

La version du mythe de Faust proposée par Busoni diffère des autres, tant par sa partition que par sa portée philosophique résolument moderne. Après l'effondrement des valeurs consécutif aux événements de 1914–1918, Busoni ne pouvait nous présenter que le constat d'un échec tragique. D'ailleurs, le fait que sa partition s'arrête dans le dernier tableau, au moment où Faust essaie de prier mais « ne trouve pas les mots », n'est peut-être pas un hasard. La traditionnelle alternative entre la damnation et la rédemption n'est même pas accordée à ce Faust qui, comme le souligne Méphisto, « n'est pas de taille à se mesurer avec la perfection ». La quête illusoire de Faust (dont on ignore d'ailleurs l'objet) se termine dans la solitude. Cependant, Jarnach propose, à partir des esquisses laissées par son mentor, une fin résolument tournée vers l'action. Il reprend ainsi l'idée de Schopenhauer selon laquelle la volonté est une constante de la vie, et Faust trouve alors *in extremis* son rachat, non pas dans les Cieux, mais en ce monde. Une fois encore, l'élément féminin joue un rôle fondamental, quoique moins clairement exprimé, puisque Faust trouve cette volonté ultime grâce à l'apparition finale de la duchesse et retrouve la vie, une seconde fois, à travers le fruit de ses amours défuntes.

conclusion : Marguerite, un choix dramatique ?

L'importance de Marguerite est largement attestée dans les œuvres de Berlioz et de Gounod. Par ailleurs, la jeune fille est délibérément placée au cœur des compositions de Liszt et de Schumann.

Cependant, la fonction de ce personnage demeure complexe sur la scène lyrique. Tout d'abord, le choix de l'épisode unique des amours de Faust et de Marguerite semble réduire considérablement la portée philosophique du mythe pour les opéras de Berlioz et de Gounod. Ce dernier, souvent qualifié de « drame petit-bourgeois », présente une héroïne romantique qui, à l'instar de Violeta (dans *La Traviata* de Verdi) est « pardonnée parce qu'elle a beaucoup aimé ». À la fois objet de tentation (elle représente l'amour charnel et la jeunesse tant convoitée) et de rédemption, elle constitue l'élément essentiel qui conduit Faust à la prise de conscience du Bien et du Mal, et donc au repentir, dans la perspective résolument chrétienne choisie par les librettistes Barbier et Carré. Instrument déterminant de la damnation, Marguerite sauve cependant Faust de ce terrible Ennui (au sens romantique du terme) dans le drame lyrique de Berlioz.

Quant à Boito, il a décidé de donner deux maîtresses à Faust : Marguerite, qui représente l'amour humain rédempteur, et Hélène, qui symbolise l'aspiration à la perfection antique. Même ainsi dédoublé, l'élément féminin conserve un rôle très important, bien qu'il ne constitue pas l'élément prépondérant du salut de Faust.

Busoni est, des quatre compositeurs, celui qui a le mieux restitué l'œuvre de Goethe pour ce qui concerne sa portée philosophique. En effet, il concentre en un seul personnage, la duchesse de Parme, tous les éléments de l'amour terrestre. Marguerite n'obtient même pas un petit rôle dans cet opéra, elle y demeure à l'état de simple allusion. Quant à Hélène, aspiration à l'idéal, elle ne fait qu'une fugitive apparition que Faust ne parvient d'ailleurs pas à saisir. Mais là encore, c'est l'amour terrestre qui triomphe, dans la mesure où un enfant de chair permet la renaissance de Faust.

Le mythe de Faust a traversé le temps, et ce sont incontestablement les artistes du XIXe siècle qui l'ont le plus illustré, sans doute parce qu'il contient de nombreux thèmes propres à emflammer l'imagination romantique. Mais le XXe siècle n'a pas oublié cette figure mythique, et Busoni n'est pas le seul compositeur de son époque à l'avoir mis en scène. En effet, dans son opéra *L'Ange de feu*, créé en 1955 à la Fenice de Venise, Prokofiev donne la parole à Faust et à Méphistophélès à l'Acte IV. L'érudit allemand, qui n'effectue à cette occasion qu'une brève apparition, n'en déclare pas moins : « L'homme n'est en effet que l'ombre fidèle et ressemblante du Créateur. Il porte en lui des puissances que nul ne peut comprendre, qu'il soit un ange ou un démon. »[8]. Cette courte réplique prouve que Faust n'a pas encore fini de nous délivrer son message...

1. Cf. André SEGOND, *Divine diva* (Évreux, Gallimard, « Découvertes-musique », 1993). Il s'agit d'une campagne publicitaire pour les sièges de vélos Bertoux, p. 59.

2. Gérard CONDÉ, « L'Argument », *L'Avant-scène Opéra*, n°22, juillet 1975, pp. 8-9.

3. Cité in *Crescendo* [Bruxelles], n°33 : *"Faust"*, février-mars 1998.

4. Voir Philippe RELIQUET, « Les Avatars du mythe de Faust », *L'Avant-scène Opéra*, n°2 : *"Le Faust de Gounod"*, mars-avril 1976.

5. Gustave KOBBÉ, *Tout l'opéra* (Paris, Robert Laffont, « Bouquins », 1982).

6. [Trad. de] BOITO, *Mefistofele,* Acte I (la traduction du livret accompagne le disque sans préciser le nom du traducteur).

7. E. J. DENT, *Ferruccio Busoni,* cité par KOBBÉ (*op. cit.*[5]), pp. 806–10.

8. PROKOFIEV, *L'Ange de feu*, traduction du livret accompagnant le disque par A. MICHEL (Deutsche Grammophon, 1990).

CUNIN, Maurice. *Faust à l'opéra.* Thèse soutenue sous la direction de Pierre BRUNEL, Université de Paris IV, 1993.

L'Avant-scène Opéra [Paris], n° 2 : *"Le Faust de Gounod"*, mars-avril 1976.

Crescendo [Bruxelles], n° 33 : *"Faust"*, février-mars 1998.

KOBBÉ, Gustave. *Tout l'opéra.* Paris, Robert Laffont, 1982. Coll. « Bouquins ».

L'Avant-scène Opéra [Paris], n° 22 : *"La Damnation de Faust de Berlioz"*, juillet-août 1979.

LEIBOVITZ, René. *Histoire de l'opéra.* Paris, Buchet/Chastel, 1957.

SABATIER, François. *Miroirs de la musique.* Paris, Fayard, 1995.

DISCOGRAPHIE

BERLIOZ. *La Damnation de Faust.* Chœurs et orchestre symphonique de Chicago ; Riegel, van Dam, von Stade, King, version Solti. Decca, 1982. Coll. « Rouge Opéra ».

BOITO. *Mefistofele.* Chœurs et orchestre de l'Académie Sainte Cécile de Rome ; Siepi, del Monaco, Tebaldi, Danieli, de Palma, version Serafin ; Decca, 1959. Coll. « Rouge Opéra ».

BUSONI. *Doktor Faust.* Chœur et orchestre de la radiodiffusion bavaroise ; Fischer-Dieskau, Kohn, Cochran, de Ridder, Hillerbrecht, version Leitner. Deutsche Grammophon, 1969.

GOUNOD. *Faust.* Direction René Duclos, André Cluyten ; avec Nicolaï Gedda, Victoria de Los Angeles, Liliane Berton, Boris Christoffe. Chœur et orchestre du Théâtre National de l'Opéra de Paris. Paris Emi, 1989.

LISZT. *Eine Faust Symphonie.* Version Blochwitz, Hugarian Radio chorus, Budapest Festival Orchestra, direction Ivan Fischer. Philips, 1997.

SCHUMANN. *Scènes du Faust de Goethe.* Terfel, Mattila, Rootering, Bonney, petits chanteurs de Tölz, chœurs de la radio suédoise, chœur de chambre Eric Ericson, orchestre philharmonique de Berlin, direction Abbado. Sony, 1995.

5

PARODIES DE *FAUST*

par Henri ROSSI

(IUFM d'Amiens)

Pour pasticher la formule employée dans le numéro 813 de la revue *Europe* de janvier-février 1997 consacré à Faust, nous préciserons d'emblée qu'interroger les parodies qui prennent pour objet la légende de ce personnage nébuleux, né aux alentours de 1480 et mort vers 1540, ne signifie pas s'intéresser à ses aboutissements majeurs[1]. Tout au contraire, les textes consultés se révèlent assez fréquemment d'une relative médiocrité, sont situés en tout cas dans des zones peu fréquentées de la littérature. Mais les parodies faustiennes représentent, depuis les origines du mythe, une part suffisamment importante de son exploitation pour qu'une réflexion sur leur mise en œuvre et leur signification ne soit pas tâche totalement inutile. La carrière du personnage originel et ses premières réalisations littéraires ne nous fournissent-elles d'ailleurs pas en ce domaine d'intéressantes pistes ?

Malgré son parcours chaotique et sa fin tragique, la vie du docteur Johann Faust n'est pas exempte d'excentricités burlesques. La personnalité fantasque de cet homme singulier, charlatan, magicien, bateleur, astrologue, adulé des uns, rejeté par les autres, donne prise, dès lors que la légende et la littérature s'emparent d'elle, dans la seconde moitié du XVIe siècle, à des extrapolations métaphysiques aussi bien qu'à des dérives facétieuses. Le *Volksbuch vom Doktor Faust*, appelé aussi le *Faustbuch*, publié par Johann Spiesz en 1587, est déjà fertile en épisodes burlesques. Faust veut-il se venger d'un seigneur qui s'est montré hostile ? Il lui plante un bois de cerf sur le front. Un paysan est-il récalcitrant ? Le désopilant magicien lui change ses cochons en bottes de paille. Ce sont là ses moindres méfaits, le docteur allant parfois jusqu'à couper la tête aux gens, à la leur replacer sur les épaules après l'avoir envoyée chez le barbier pour un salutaire rasage. Christopher Marlowe, dans *The Tragical history of doctor Faustus*, écrite entre 1587 et 1593 et jouée pour la première fois en 1594, utilisera abondamment cette veine comique dans la deuxième partie de son œuvre. Après le défilé carnavalesque[2] des sept péchés capitaux, Faust et Méphistophélès se divertissent aux dépens du pape et des cardinaux, distribuent force gifles à ces saints personnages et, fidèles épigones des héros du *Volksbuch*, ornent d'une paire de cornes le front d'un chevalier peu amène, changent en bottes de paille le cheval d'un paysan rétif. On trouve là d'autre part la survivance d'une inspiration médiévale, abondamment représentée dans les mystères et moralités, dans lesquels l'action édifiante était entrecoupée de saynètes burlesques destinées à récompenser les spectateurs de leur patience et à les rassurer[3]. Cette alternance est enfin signalée par Gérard Genette comme une première forme de la parodie[4].

Le théâtre de foire et les *Puppenspiele*, qui s'emparent de la légende faustienne au XVIIIe siècle, développent et perfectionnent cette partie comique. Les spectacles forains vont transformer l'histoire originelle, Satan devient fréquemment Pluton et convoque les démons du Tabac, de la Ruse et de la Luxure, chargés de séduire le docteur Faust, donnant ainsi naissance au Prologue aux enfers, au Conseil satanique qui ne sont ni dans le *Volksbuch* ni chez Marlowe[5]. Tout au long du XVIIIe siècle, le pittoresque et le comique ne cessent de gagner du terrain, cette dérive provoquant le courroux de Johann Christoph Gottsched et de Gotthold Ephraïm Lessing qui stigmatisent la grossièreté du théâtre forain. Sous l'égide de Scio, un *Puppenspieler* viennois, l'histoire de Faust est représentée en marionnettes dans le nord de l'Allemagne sous le titre [*Docteur Faust ou le grand nécromancien*], spectacle avec chansons, en cinq Actes. Geisselbrecht, mécanicien de Vienne, Schüss et Dreher, de Berlin, pimentent l'histoire d'épisodes drolatiques sans cesse renouvelés, au gré d'une inspiration souvent échevelée et impromptue, ce qui rend difficile toute transcription manuscrite exacte du texte. Les marionnettes amplifient le rôle dévolu aux personnages caricaturaux : Hanswurst, le domestique, simple comparse à l'origine, devient là un double de Faust ; d'abord nommé Pickle-herring, à l'anglaise, il est bientôt Piecklehaering, pour devenir Hanswurst, lequel, après sa mort, décrétée par Gottsched, renaîtra de ses cendres sous la forme de Kasperle, paysan autrichien. Le théâtre forain et les *Puppenspiele* confèrent à la mise en forme dramatique de la vie du docteur Faust un schéma général qu'elle conservera : prologue aux enfers, monologue de Faust, dialogue entre le bon et le mauvais esprit, entrée comique du bouffon, le dénouement étant consacré par un banquet avec les étudiants qui se conclut en apothéose burlesque ; le bouffon congédie les esprits à l'aide du cercle magique et de la formule : « Perlippe, perloppe ! » (ou de sa variante « perlicke, perlacke ! par-ci, par-là ! »)[6]. Goethe lui-même, dans le *Faust I* comme dans le *Faust II*, ne négligera pas d'utiliser le comique. Cette veine burlesque et syncrétique, qui associe à la dimension philosophique — laquelle n'est jamais totalement oubliée —, une multitude de thèmes et motifs d'inspirations diverses (folklore germanique, influences viennoises, celles de la comédie italienne), donne aux personnages de Faust et de Méphistophélès une souplesse, une malléabilité que le XIXe et le XXe siècles utiliseront et qui permettra d'adapter la légende aux nécessités de chaque époque. La polyphonie que ces nombreuses incarnations confèrent au « chant » faustien, l'ambiguïté des héros qu'elle met en scène, fourniront aux parodistes du futur un matériau de choix, aisément adaptable à des projets de natures diverses, qu'il s'agisse du simple désir de provoquer le rire à celui, plus ambitieux, de donner à l'entreprise une signification esthétique, politique, sociale, voire philosophique.

Dès lors plusieurs questions se posent à nous : quelle résonance l'histoire du docteur Faust a-t-elle dans l'esprit des nombreux écrivains qui vont la reprendre à leur compte dans des parodies de qualité inégale, au cours des deux siècles à venir ? quels échos éveille-t-elle dans la conscience des spectateurs et des lecteurs ? quel ancrage trouve-t-elle dans la pensée dominante, dans la sensibilité, dans les mentalités collectives de chacune des époques concernées ? Autant de questions qui sont sous-tendues par une évidente constatation : parodier *Faust* est aussi en conformité avec une tradition et l'on retrouvera, dans tel ou tel vaudeville, telle ou telle pièce à vocation comique, maints épisodes hérités de l'arsenal faustien créé par l'œuvre originelle et embelli par le théâtre forain ou par les *Puppenspiele*.

Deux directions semblent marquer la parodie faustienne au cours des XIXᵉ et XXᵉ siècles : une veine parodique pure, référentielle à l'hypotexte lui-même, visant essentiellement à provoquer le rire et à désamorcer le tragique et les interrogations suscitées dans le domaine esthétique et dans le domaine existentiel par la découverte progressive, à partir de 1816, du *Faust* de Goethe. Une veine extra-référentielle, dans laquelle des épisodes de la légende et les personnages qui la supportent sont utilisés par les auteurs dans un but de satire politique, voire philosophique, l'entreprise se chargeant alors d'un sens nouveau en même temps qu'elle révèle l'éternité du mythe et des thèmes qui le constituent.

Lorsque Germaine de Staël consacre au drame de Goethe le chapitre XXIII de son *De l'Allemagne*, elle pointe d'emblée l'étrangeté philosophique qui en émane : « *Faust étonne, émeut, attendrit ; mais il ne laisse pas une douce impression dans l'âme* » (p. 366[7]). C'est encore elle qui signale la difficulté de classer l'œuvre de Goethe dans un registre connu : « *[Il] ne s'est astreint dans cet ouvrage à aucun genre ; ce n'est ni une tragédie, ni un roman* » (p. 365)[8], conclut-elle son argumentation. Dès lors, les différentes traductions de *Faust* qui voient le jour à partir de celle de Sainte-Aulaire en 1823 suscitent des réflexions esthétiques et morales. On connaît les réactions indignées et horrifiées que le vicomte de Saint-Chamand, dans *L'Anti-romantique*[9], le feuilletonniste du *Journal des débats* du 13 mars 1820, Charles d'Outrepont, dans ses *Promenades d'un solitaire*[10], opposeront à la survenue des personnages de Faust et de Méphistophélès dans la société française de la Restauration[11]. *Faust* fait naître dans la conscience collective un dégoût d'ordre esthétique et une inquiétude morale. « *Le Méphistophélès de Goethe* », écrit Mme de Staël, « *est un diable civilisé* » (p. 344[7]). Il éveille en chacun de nous des échos de nos propres perversions, tandis que Faust rappelle à chaque lecteur les aspirations et les limites de ses désirs les plus secrets. Max Milner rappelle la façon dont Sainte-Aulaire synthétise dans la préface de sa traduction de *Faust* ce qu'est ce diable d'un genre nouveau imposé à la littérature française :

Sainte-Aulaire écrit que Goethe « adjoint à la peinture du démon matériel (de la légende) celle du mauvais génie, qui agit invisiblement en nous ; combattant sans cesse les efforts du bon principe, il rôde comme un lion autour de l'homme pour le dévorer ; il excite ou décourage tour à tour son orgueil et ses passions, selon qu'il croit le mieux gouverner par lui ou par elles ».[12]

L'effet provoqué en France par Méphistophélès est amplifié par l'arrivée, au même moment, de *Manfred* et de *Cain*, de Byron, parus respectivement en 1817 et 1821, de *Melmoth, ou l'homme errant*, de Charles-Robert Maturin. Publié en 1821, *Melmoth* suscite une réaction violente chez le feuilletonniste de la *Revue encyclopédique*[13]. Après avoir vigoureusement condamné le roman de Maturin, dans lequel il voit « *tout ce que l'imagination peut enfanter de plus bizarre, de plus horrible, et quelquefois de plus gracieux* », l'auteur de la notice ajoute :

C'est un véritable monument à la dépravation du goût, et une production à la fois étonnante et monstrueuse, [...] appartenant à une sorte de chaos intellectuel, expression employée par madame de Staël, pour donner une idée d'un ouvrage entièrement analogue à celui-ci, la pièce allemande du célèbre Goethe, intitulée *Le Docteur Faust ou la science malheureuse*.

(p. 550[13])

153

Et il ajoute : « *Melmoth a surtout beaucoup de ressemblances avec le Méphistophélès de Goethe, que madame de Staël appelle un diable civilisé* », l'ensemble donnant lieu à un tableau qui révolte également « *l'humanité, le goût et la raison* » (p. 551[13]). S'élève dans les consciences du temps une double résonance : une révolte contre l'esthétique de *Faust* qui heurte la conception française de l'œuvre littéraire, un malaise provoqué par la nature profondément humaine de Méphistophélès, révélateur angoissant de nos plus souterrains instincts, dessinant les méandres complexes des âmes tourmentées. Le diable n'est plus un diable cornu, traînant dans le sillage de sa queue une insolite odeur de soufre, il est un autre soi-même et le lecteur, comme le spectateur, suite aux différentes versions de *Faust*, y retrouve ses propres angoisses, ses plus secrètes contradictions. En 1828, après les traductions d'Alfred Stapfer et de Gérard de Nerval, après l'adaptation de De Saur et Saint-Geniès[14], le feuilletonniste de la même *Revue encyclopédique* traduit le sentiment général : « *Voici une tragédie auprès de laquelle les drames de Shakespeare sont des modèles de pureté, de goût et de régularité.* » ; il n'hésite pas à parler de « *vague* » et de « *décousu* », de « *divagation de la pensée* », de « *bizarrerie du style* », de « *produit du génie en délire* »[15]. Le texte peu connu de Rousset, *Faust, ou les premières amours d'un métaphysicien romantique*[16], présente, dans l'avant-propos, l'entreprise comme éminemment liée à la complexité même de l'être humain ; Rousset écrit :

Je me suis amusé à arranger *Faust* pour la scène française ; j'en ai fait une petite pièce que je ne sais trop comment nommer, car elle appartient à la comédie et au drame. [...] J'ai réduit Méphistophélès aux proportions d'un simple mortel : peut-être l'ai-je rendu méconnaissable ? [...] Chaque homme a tout à la fois son bon et son mauvais côté : pourquoi donc supposer un être toujours méchant, un être surhumain qui ne tienne que le mal en entreprise ? pourquoi ne pas représenter plutôt un homme bon ou mauvais suivant les circonstances, suivant l'impulsion de son organisation ?

Il est évident qu'une telle approche pouvait inquiéter le lecteur et le spectateur.

C'est dans un tel contexte que la première parodie de *Faust* va voir le jour. *Le Cousin de Faust*, folie en trois tableaux, que l'on doit aux efforts conjugués de Nicolas Brazier, de Mélesville et de François-Adolphe Carmouche, est représenté pour la première fois à Paris, au Théâtre de la Gaîté, le 15 mars 1829[17]. La pièce présente un exemple de parodie décalée par rapport à l'original, la tragédie du docteur Faust se réduisant à une ombre, à une toile de fond, et les personnages principaux repris par Goethe étant absents de l'œuvre, remplacés par des répliques burlesques. En revanche, le pastiche y occupe une place importante, en particulier le pastiche du ton emphatique et grandiloquent que le mélodrame met à l'honneur au même moment. *Le Cousin de Faust* obéit donc à la double orientation définie par Gérard Genette : la parodie comme transformation qui « *change la condition des personnages dans les œuvres qu'elle travestit* » (p. 35[4]), le pastiche comme imitation. En même temps, nous sommes en plein cœur d'une tradition burlesque héritée des *Puppenspiele* et du théâtre forain, dans un déploiement d'actions loufoques qui annoncent la tonalité à venir des opérettes d'Offenbach et du *Petit Faust* d'Hervé. L'intrigue est complètement décousue, mais dans le but de provoquer le rire, non pas de confronter le lecteur à une incompréhension inquiétante, comme si les auteurs voulaient montrer que la cascade débridée d'événements irrationnels pouvait devenir source de rassurance au lieu de faire naître une angoisse existentielle et déstructurante.

Rassurer le spectateur impose de ne pas le déconcerter d'emblée. Or quelle donnée, plus que l'onomastique, donnée aisément identifiable, pourrait être susceptible de provoquer une bienfaisante rassurance ? L'onomastique crée dans la conscience collective un écho burlesque immédiatement repérable, assure d'emblée la cohésion du groupe de spectateurs autour de motifs simples dans lesquels chacun reconnaît aussitôt la volonté de faire rire. En ce sens, elle est conforme au but de « *l'acte parodique* » qui, écrit Alain Pagès, « *est un partage et une communion* »[18]. Oursicoff est un comte palatin, réplique grotesque de Méphistophélès, Bettembett est docteur, professeur de physique et instituteur de Nigoding, jeune étudiant à l'Université de Prague, double burlesque de Wagner et de Faust à la fois ; Nigoding est fiancé à Babiole, imitation de Marguerite, et flanqué de Godichemann, résurgence du Kasperle des *Puppenspiele*. Bettembett est l'arrière-petit-cousin du célèbre Faust et, à ce titre, il est doué de pouvoirs magiques. Pour les mettre en œuvre, il dispose d'objets variés : le parapluie du Grand Albert qui rend invisible quand on s'en recouvre, le chapeau magique qui danse sur la tête lorsque l'honneur de celui qui le porte est menacé, la tabatière de Matthieu Laensberg qui contient du tabac de Véra-Cruz, véritable sérum de vérité qui empêche de mentir. On reconnaîtra ici pêle-mêle les thèmes et motifs hérités du *Volksbuch* de 1587, de la *Tragique histoire* de Marlowe et des adaptations foraines du drame de Faust. Babiole, lors de son mariage avec Nigoding, a été enlevée par Oursicoff qui, sur ordre de sa famille présidée par son oncle Robin des bois, doit être marié avant le premier quartier de la lune, sous peine de perdre ses titres, ses biens et les pouvoirs dont, à l'instar de Bettembett, il est doté. Bettembett, en digne descendant de Faust, met ses extraordinaires capacités au service de Nigoding afin de l'aider à récupérer sa femme. Malheureusement, et nous sommes ici dans une inversion burlesque par rapport à l'œuvre originelle, le docteur est maladroit et toutes ses tentatives pour aider son élève vont à l'encontre de l'objectif recherché. Oursicoff étant à la chasse à douze lieues du château où il retient Babiole prisonnière, Bettembett veut l'envoyer à travers les airs (autre souvenir des spectacles forains) douze lieues plus loin pour avoir le temps d'organiser le sauvetage de la belle ; par erreur, il le rapproche de douze lieues, remettant directement Oursicoff dans son castel, ce qui entrave l'expédition projetée. Souvenir également du *Faust* des origines, Bettembett entreprend de raser la moustache du ravisseur dans laquelle réside l'essentiel de son pouvoir. Bettembett, pour s'introduire dans le château, improvise une troupe théâtrale qui est supposée venir jouer pour les noces d'Oursicoff. Les comédiens, vêtus d'une manière grotesque, le visage recouvert de têtes d'animaux, dansent une frénétique pantomime qui évoque celles des spectacles de foire. L'arrivée des acteurs dans le salon d'Oursicoff est pour les auteurs l'occasion de décocher une flèche contre l'esthétique des drames de Shakespeare que les Parisiens avaient découverts lors de la tournée du Théâtre anglais en 1827. La parodie se fait satire d'un genre esthétique mis à la mode dans une scène ironique :

BETTEMBETT (*à Oursicoff*) — Savez-vous l'anglais ?
OURSICOFF — Du tout !
NIGODING — Ah ! que c'est heureux... Nous vous jouerons une tragédie anglaise.
OURSICOFF — Je n'y comprendrai rien.
BETTEMBETT — C'est égal, vous aurez l'air de vous amuser, et vous applaudirez de confiance, ce sera comme à Paris.   (p. 20[17])

La parodie revêt ici la parure de la satire légère, dirigée contre une esthétique que les auteurs de vaudevilles, tenants de l'esprit français, récusent et tournent en ridicule.

Mais la parodie se double du pastiche, tentative pour amoindrir le style noble et emphatique du drame. Quand Oursicoff presse Babiole de l'épouser, celle-ci s'écrie : « *Cruel ! qu'osez-vous me dire ? Un autre hymen, quand mon époux respire encore... quand je ne suis pas veuve ?* » (p. 17[17]). Et son séducteur lui répond dans le même style grandiloquent, imitation mais aussi dénaturation, « *décomposition culturelle* », pour reprendre le mot de Charles Grivel[19], rendu ridicule par la distance qui existe entre le ton et le contenu absurde du propos :

Babiole ! [*s'écrie Oursicoff*], craignez de me pousser à bout et d'élever dans une âme passionnée ces mouvements impétueux que la raison ne peut réprimer, lors même qu'elle est maîtrisée par l'amour. Songez-y bien, Babiole, je suis doué d'une sensibilité qui me rend capable de tout, et la mort même de l'objet aimé ne m'arrêterait pas pour obtenir son cœur.

(p. 18[17])

Parodie à évocation thématique partielle, en ce sens qu'elle ne reprend pas le déroulement de l'intrigue ni les personnages du poème de Goethe, *Le Cousin de Faust* compose un « chant à côté », qui s'inspire à la fois des éléments traditionnels des textes originels et des pièces au burlesque échevelé de Jean-Antoine Cuvelier[20], ou des parodies de la légende de Robert-le-diable, dont la première vit le jour en 1812[21]. Elle utilise le même comique débridé, servi par une cascade d'événements entraînant le spectateur, par le biais d'éléments qu'il identifie spontanément, dans un univers fantastique et burlesque. Ce théâtre, aujourd'hui oublié, annonce celui de Cami quelque quatre-vingts ans plus tard, dans lequel l'auteur mêlera savamment, dans des pièces comme celles qui ont pour héros Loufoque Holmès, des thèmes et des motifs appartenant à la vie sociale du temps, immédiatement reconnaissables par le public et les lecteurs. Dans *Le Cousin de Faust*, le spectateur, en ce sens, est pris dans un tourbillon vertigineux, « *le vertige d'une non-maîtrise, une perte de connaissance* », tels que Jacques Derrida les signale dans *Éperons*[22]. Mais ce vertige, cette perte de connaissance, à la différence de ceux qui s'emparaient des lecteurs du drame de Goethe, ne sont pas malaise ou sensation d'étrangeté, voire d'angoisse, car les repères sont connus et la tonalité burlesque amène le rire, qui demeure malgré tout le but essentiel de ce type de production.

En revanche, les parodies faustiennes qui prennent naissance au milieu du siècle supposent de la part des spectateurs une maîtrise retrouvée, une connaissance préalable de l'intrigue et des personnages du texte originel et nous introduisent dans l'univers de la transformation burlesque. *Faust et Framboisy*, drame burlesque en trois Actes et onze tableaux, d'Achille Bourdois et de Armand Lapointe, représenté au Théâtre des Délassements Comiques le 27 novembre 1858[23] et *Le Petit Faust*, de Henri Crémieux et Adolphe Jaime, sur une musique de Hervé[24], créé au Théâtre des Folies Dramatiques le 23 avril 1869[25], répondent à ces exigences. À ce stade de son développement, l'histoire, devenue légende, du docteur Johann Faust est entrée dans le patrimoine culturel français et ces parodies vont associer une dénaturation de l'hypotexte et une portée sociale satirique. De nombreuses versions de *Faust* ont été proposées au public depuis 1827 : *Faust*, drame lyrique en trois Actes de Léon de Théaulon, créé en octobre 1827[26], celui de Béraud et Merle[27], *Méphisto-phélès, le diable et la jeune fille*, de Jean-Pierre Lesguillon représenté le 7 avril 1832 après avoir été interdit par la censure en 1829[28], *Fausto*, opéra *semi-serio* en quatre Actes, joué au Théâtre italien le 8 mars 1830[29], les traductions de l'œuvre de Goethe par Xavier Marmier en 1839[30] et par Henri Blaze de Bury[31]. En 1858, Adolphe Dennery a composé un drame fantastique, sur une musique de M. Artus, *Faust*, joué le 27 septembre 1858 au Théâtre de la Porte Saint-Martin[32]. Dennery exploite d'ailleurs la veine burlesque dans la première partie de son drame, mettant Wagner en rivalité avec son maître, le docteur Faust. Wagner, appuyé par Méphistophélès qui apparaît sous les traits de Magnus, un prétendu savant, va parvenir à créer un être vivant, Sulphurine, laquelle se révèle un ferme soutien du diable qu'elle va aider dans ses sombres agissements afin de perdre Faust et Marguerite[33]. L'entreprise est pimentée des dialogues savoureux entre Wagner et son valet Fridolin, cultivant un comique facile, non dépourvu d'invention. C'est sur ce substrat désormais dense que vont prendre naissance *Faust et Framboisy* et le *Petit Faust* d'Hervé, nous offrant une inversion de la trame originelle de la légende, ce que Sanda Golopentia-Eretescu appelle « *une réduction ludique d'une action sémiotique prestigieuse* »[34]. L'objectif des auteurs est ici clairement affiché : faire rire à partir d'un schéma dramatique connu et habilement perverti, imposer au texte référentiel une distorsion ludique. Nous sommes en présence du « *travestissement burlesque* » défini par Gérard Genette (p. 35[4]).

Mais le contexte politique et social dans lequel prennent naissance ces deux œuvres les pare d'un sens second qui permet de dépasser peut-être la simple interprétation comique. Dans la préface du numéro 1 de la revue qu'il fonde en 1869, *La Parodie*, André Gill[35], écrit ceci qui, de 1858 à 1869, peut parfaitement s'appliquer à ces deux parodies de *Faust* :

Celui qui écrit ces lignes s'est imposé une fonction : rire, chose grave. Faire rire, chose plus grave : mission. Mission, fonction, tout est là. [...] Il ne se dissimule pas que le siècle est morose. Morose. Montrose. Triste comme un comique. Sombre énigme. Complication qui sollicite un dénouement. Supplication de l'ennui. Ténèbres vers le Rire Lumière. À foule qui pleure, Homme qui rit : Victoire.

D'où la parodie.

Étant donné la Tristesse cadenas, la Parodie est un rossignol. Elle ouvre et chante. Huret complété par Capoul. Fichet et Marie-Rose combinés. La Parodie : mère du Rire. Le Rire : conquête, soustraction, vol auguste. L'Esprit le chippe [*sic*] à sa manière. Pickpockett divin, prince béni, filou sublime. [...]

Paix au penseur. Son œil a le reflet des Avenirs. Or, tandis que, hideux, pesants, avec l'efferament des chûtes [*sic*], cédant de plus en plus à la mystérieuse volonté de l'abîme, groupe effroyable, les journaux ennuyeux s'effondrent, la Parodie, légère, radieuse, ainsi qu'une gloire de diamants célestes, là-haut, dans les ineffables tressaillements des aubes prochaines, monte, monte, monte encore et, sereine, resplendit.[36]

La parodie devient ici affaire importante : s'adressant à la masse qui pleure et souffre, elle restaure la dignité de l'individu qui rit, opposant tristesse collective et salut personnel par le divertissement. Elle opère la transmutation de la morosité ambiante en bonheur d'être soi, d'exister. Elle a donc une fonction essentielle dans une société marquée depuis de nombreuses années par une tristesse et une corruption que les penseurs sérieux ont pour tâche de combattre : la rassurance ne s'effectue plus par rapport à un genre nouveau qui heurte les conceptions esthétiques ni par rapport à de secrètes souffrances individuelles soudain ravivées par le spectacle de ce démon si proche du spectateur, elle s'opère par la remise en cause d'instances politiques et économiques aux agissements contestables et génératrices de morosité. Cette dualité, en apparence clairement définie, ne va pas sans complexité dans les deux parodies de *Faust* signalées. Car si nous assistons à une réduction ludique de la légende faustienne et de ses divers épisodes dramatiques, des ombres demeurent. Bourdois et Lapointe ne craignent pas d'ailleurs d'associer le mot *drame* au caractérisant *burlesque* pour désigner leur création. Mais *a priori* le burlesque prime tout. Dans les deux cas, le personnage du docteur Faust subit une singulière dévaluation. Dans *Faust et Framboisy*, il est un vieux maître

d'école chargé d'apprendre à lire à des potaches ignares et cha-
huteurs. Son discours d'entrée donne immédiatement le ton du
« drame » :

Attention, jeunes moutards ! Nous allons nous livrer à une haute lecture,
puis ensuite nous passerons à l'algèbre, aux racines carrées, aux racines de
molaires et même à celles que l'on met dans la julienne ; mais nous com-
mencerons pas l'a, b, c, d, sur lequel nous ne sommes que depuis trois ans.
Une ! deux ! trois ! partez !   (p. 1[23])

Dans *Le Petit Faust*, le docteur est un vieillard de 75 ans,
directeur d'une pension où des élèves turbulents dansent avec le
pion, empêchant Faust de faire sa leçon d'anatomie. Dans les
deux cas, le docteur se sert d'un martinet pour dompter ses
ouailles récalcitrantes. Méphisto est un diable ridicule, apparaissant dans *Faust et Framboisy* sous les traits d'un chiffonnier
nommé Bacchus, refusant dans *Le Petit Faust* le pacte que le
docteur voudrait signer avec lui : « *Ancien jeu ! Autrefois c'était
bon...* », méprise-t-il, « *Aujourd'hui, tout le monde se donne au
diable... sans papier !* » (p. 27[25]). Dans le drame burlesque, « *dame
Gothon-Gertrude-Bobinette-Marguerite Fleur d'artichaut, sœur
du très haut et très puissant seigneur Bazile-Chrysostome-
St-Crépin Lentimèche, sire de Framboisy* » (p. 5[23]), lequel est
entièrement ruiné, s'apprête à épouser Cruchon-de-bière, garde-
champêtre enrichi. Quant à Marguerite, dans *Le Petit Faust*, c'est
une péronnelle déchaînée que son frère Valentin laisse en pension dans l'école dirigée par Faust, où elle va semer quelques
troubles avant d'aller faire les beaux soirs d'un cabaret de réputation fâcheuse, le *Vergeiss-mein-nicht*. Malgré cette débauche
d'imagination onomastique et dramatique, malgré leur souci de
rester dans une tonalité burlesque, les auteurs demeurent fidèles,
peu ou prou, à la trame dramatique et au dénouement que Goethe
a donnés à son poème. En ce qui concerne *Le Petit Faust*,
l'influence de Charles Gounod et de son *Faust*, créé en 1859, est
également perceptible. Après de nombreuses péripéties, Faust se
bat en duel contre le sire de Framboisy ; celui-ci est nettement
plus doué pour le combat que son adversaire, mais chaque fois

que Faust est tué, Méphisto le fait réapparaître. Framboisy finit par être touché, une épée le traverse de part en part, « *il cherche à se désembrocher, mais ne peut y parvenir* » (p. 15[23]), nous dit une didascalie, et on l'emmène chez le vétérinaire pour lui ôter la broche. Dans *Le Petit Faust*, lorsque Valentin découvre sa sœur dans le cabaret du *Vergeiss-mein-nicht*, son indignation le pousse à provoquer Faust en duel. Tandis que Marguerite réclame du punch pour se soutenir dans cette épreuve, Faust « *allonge un coup de rapière* » (p. 55[25]) à Valentin grâce à une ruse de Méphisto qui propose, en plein combat, une prise de tabac au frère de Marguerite. On retrouve ici associés les souvenirs du théâtre forain, le démon du Tabac et le démon de la Ruse entrant en action dans cet épisode burlesque. Dans les deux cas, la mort de Valentin est conforme à l'original : place publique, foule éplorée autour de lui, malédiction lancée à sa sœur. Suite à ce duel, les événements des deux pièces présentent une similitude par rapport à l'hypotexte tout en cultivant une distance langagière et dramatique propre à la parodie. Le registre sérieux vient se mêler au burlesque. La Marguerite de *Faust et Framboisy* se retrouve en prison pour « *avoir fait embrocher [s]on noble frère, [...] et avoir jeté [s]on mioche dans la citerne du château* » (p. 20[23]). Le bébé a eu la colique, raconte-t-elle, elle l'a penché sur le bord de la citerne pour le distraire, le pied lui a manqué et, « *mon moutard tombe dans le puits* » (p. 20[23]), conclut-elle. Quant à son frère, le sire de Framboisy, il la rejoint dans son cachot, sa broche au travers du corps ; il vient pour la maudire, le vétérinaire lui ayant dit qu'il en avait pour dix à douze minutes à vivre. Cruchon-de-bière lui-même se retrouve dans la prison où Faust, accouru pour sauver sa Gretchen, le massacre allégrement. Marguerite sombre dans la folie, ce qui attire à Faust cette surprenante remarque : « *La malheureuse a un hanneton dans sa lanterne* » et, tandis que l'on chante sur l'air de *La Favorite*[37] : « *Ô Malheur ! L'ai-je bien entendue ? Sa raison déménage.* » (p. 21[23]), l'héroïne expire ; Faust, entraîné par Méphistophélès, s'enfonce sous terre au milieu des flammes.

Dans *Le Petit Faust*, dont la fin est fort étrange, c'est sous la forme d'un fantôme que reparaît Valentin qui révèle à sa sœur que l'homme dont elle est éprise tient sa fortune du diable. Valentin emmène Marguerite à la Nuit de Va-te-purgis où l'on retrouve Méphisto et Faust. Le démon organise une sarabande où dansent les Sept péchés capitaux (souvenir de Christopher Marlowe) et les filles d'enfer. Faust et Marguerite sont condamnés à danser pour l'éternité, rivés l'un à l'autre.

Tandis que dans *Le Cousin de Faust* les auteurs plongeaient le spectateur dans une avalanche burlesque d'événements absurdes aux références multiples, mais lui proposaient une fin heureuse, ceux de *Faust et Framboisy* et *Le Petit Faust* le soumettent à un absurde décalé mais qui respecte la trame événementielle et le dénouement imaginés par Goethe. Cette ambiguïté nous amène à considérer les deux pièces comme porteuses d'un certain pessimisme, les auteurs s'employant, sous couvert de la parodie, à présenter un monde qui danse sur un volcan et court à sa perte. Dans *Faust et Framboisy*, Méphistophélès entraîne Faust dans un jardin de l'île d'Amour de la Courtille où divers personnages, symbolisant le peuple français, paysans, paysannes, gardes nationaux, titis parisiens, en costume de carnaval, sont groupés devant un tableau représentant les Romains de la Décadence (p. 17[23]). Tous sont ivres, avachis et Méphistophélès, les observant, déclare : « *Ils sont blasés... leurs sens sont engourdis, mais je vais les réveiller, ces abrutis.* » (p. 17). Ils sortent du sommeil, mais ne veulent ni danser, ni chanter. Méphistophélès, pour les émoustiller, appelle le sabbat. Faust, personnage emblématique d'une société qui s'ennuie et ne trouve pas d'issue à sa morosité, abuse du vin de Madère, du cliquot, de l'absinthe et, lors d'une beuverie au cabaret de la Chopinette, il est saisi du désir de revoir Marguerite ; Méphistophélès la lui montre dans le cachot où elle croupit, tandis que retentit la lugubre marche funèbre de *La Vestale*[38]. De même, *Le Petit Faust*, pur produit de l'art du Second Empire, juste avant sa chute définitive, créé dix ans après *Faust et Framboisy*, présente Méphisto comme le défenseur agressif et malfaisant de l'ordre social établi que Siebel, organisateur d'une manifestation contestataire, voudrait bien voir mis à mal par la vindicte populaire. Faust, comme dans le drame burlesque de Bourdois et Lapointe, recherche avidement Marguerite et, pour tuer le temps et l'ennui, se livre aux pires débauches qui ne lui apportent cependant rien de positif :

> Oh ! je suis un fameux noceur,
> Le jour, la nuit, toujours en fête,
> Mais tout ça fait mal à la tête,
> Et ça ne fait pas le bonheur

proclame-t-il en arrivant au cabaret du *Vergeiss-mein-nicht* (p. 36[25]).

Sous la légèreté de ton qui marque ces deux pièces, et sans vouloir prêter aux auteurs des intentions sociales et politiques qu'ils n'affichent pas directement, elles revêtent le discours philosophique du poème originel et le pessimisme fondamental dont il est porteur des atours attrayants de la parodie pour parvenir en somme, par le « travestissement burlesque », à un constat désenchanté. Comme le texte parodique et ludique masque une évolution dramatique qui conduit les différents protagonistes et le cadre social dans lequel ils évoluent à leur perte, la parure chatoyante des salons brillants du Second Empire dissimule mal un monde qui se lézarde, la déliquescence finale apparaissant en filigrane. Et, en définitive, les auteurs, en parodiant l'œuvre de Goethe, ne renouent-ils pas avec une verve satirique typiquement française, laquelle, sous la charge ironique, dénonce un état de faits, aboutissant à une conclusion semblable à celle de l'hypotexte ? Benjamin Constant aurait retrouvé là sans doute cet esprit d'ironie mordante et agissante qu'il dit, dans l'extrait cité plus haut (voir n.8), préférer au mauvais goût et à l'aridité du *Faust* de Goethe. Comme l'écrit Jacques Rouchouse, dans *Hervé, père de l'opérette*, « le Petit Faust *exhibe une société courant inconsciente vers un enfer* »[39].

Hervé compose d'ailleurs au moment même où est créé *Le Petit Faust* une parodie de sa parodie : *Faust passementier*, pièce en un Acte jouée aux Folies-Bergère le 4 juin 1869. Faust y est un passementier, Marguerite une de ses ouvrières, mais, sous cette dévaluation accrue des personnages, le même constat pessimiste se révèle, en particulier à la fin de l'œuvre, lorsque tous les protagonistes rassemblés chantent :

> Partons à l'instant,
> Car dans l'enfer on nous attend.
> Et l'avenir
> Pour nous sera de bien rôtir.
> Ne pleurons pas,
> Nous sommes beaux et bien gras,
> Là-bas, comme repas,
> Nous pourrons nous manger,
> Ce s'ra p't'être un repas léger.[40]

Cette veine burlesque, ridiculisant un hypotexte prestigieux en le conduisant aux limites de l'absurde, présentant en même temps une ambition critique en révélant les échos perceptibles d'une réflexion sur le monde et la société, ne sera plus guère exploitée. Mais le contexte social et politique dans lequel l'œuvre est créée semble affecter également, presque cent ans plus tard, la version parodique de *Faust* proposée par Roger Graindorge en la période troublée de l'immédiat après-guerre. *Le Nouveau Faust*[41] n'affiche pas *a priori* d'ambitions significatives. Roger Graindorge précise dans l'avant-propos qu'il appuie sa parodie sur l'opéra de Charles Gounod[42], que son but n'est pas de ridiculiser « *ce chef-d'œuvre de l'art musical français* »[41] ; il cherche simplement à divertir spectateurs et lecteurs « *en faisant revivre devant [eux] ces personnages si familiers et [à] les faire évoluer dans un cadre pittoresque et une atmosphère inattendue* »[41]. L'auteur conserve intact le déroulement dramatique de l'œuvre de Gounod mais, sans faire subir au style une dérive argotique ou familière, il cultive l'anachronisme et le comique facile : c'est en appelant le numéro de téléphone Enfer-00-90 que le docteur fait apparaître Méphisto ; celui-ci offre à Faust la jeunesse et... une tablette de chocolat ! Au moment de la mort de Valentin, une âme charitable appelle Police-secours, Méphisto se déplace dans une Torpédo cacochyme. C'est sur le plan de l'élocution que la parodie de Roger Graindorge se révèle la plus intéressante : l'hypotexte — ici le livret de Barbier et Carré — est omniprésent sous la forme de longues tirades entièrement reprises de l'original. L'arrivée de Méphisto est marquée par le célèbre dialogue chanté : « *Me voici ! D'où vient ta surprise ? Ne suis-je pas mis à ta guise ?* » ; la scène de l'Acte II dans laquelle Méphisto brise le fer de Valentin est entièrement reprise de l'opéra bien connu ; à l'Acte IV, Marguerite chante une grande partie de l'aria « *Ah ! je ris de me voir si belle en ce miroir* » ; mais le livret, intégralement chanté, présente en alternance avec cet intertexte prestigieux les airs les plus inattendus : la chanson *Mon légionnaire* est suivie du chœur des enfants de la *Carmen* de Bizet, sur lequel on enchaîne avec « *Digue digue dong* » des *Cloches de Corneville*, ce qui n'empêche pas, quelques mesures plus loin, d'entonner *Tout va très bien, madame la Marquise*. La pièce offre ainsi, du début à la fin, une accumulation hétéroclite d'imitations des œuvres musicales les plus connues empruntées à l'univers de l'opéra, de l'opérette ou à celui de la chanson française. La clé de cette étrange pratique — qui rend la lecture du texte particulièrement lassante — se trouve peut-être dans le finale qui rassemble tous les protagonistes sur le devant de la scène où ils chantent, sur l'air de la *Chanson pour ma brune*, une vibrante apologie du « beau pays de France », laquelle peut donner à l'œuvre une signification et une justification : dans le contexte troublé des événements qui ont marqué les années d'occupation et l'éclatement que la société française a connu au cours de cette période, chanter la cohésion retrouvée et fédérer un espoir de bonheur. En effet, le chœur est le suivant :

> Nous vivons dans un beau pays,
> Vallées riantes, qui nous enchantent,
> Et partout, du nord au midi,
> La nature chante
> Et s'épanouit.
> Le ciel est pur, les oiseaux sont heureux,
> Et dans l'azur, le soleil radieux !
> Hardiment regardons la vie
> Qui nous sourit
> Dans notre beau pays.[41]

Afin d'appuyer ce bonheur retrouvé, l'auteur prête à Faust une attitude novatrice par rapport à celui de l'original lyrique : le docteur renonce à la jeunesse, rend à Méphisto, qui regagne son enfer bien déçu, le pacte qu'il avait conclu avec lui, et reprend une vie semblable à celle qu'il connaissait avant ces événements. Sous la débauche d'anachronismes et de procédés comiques d'un goût souvent douteux, apparaît la volonté de rayer ce qui ne fut, dans la vie de Faust — et dans celle des spectateurs —, que le fruit d'un égarement passager, d'une coupable illusion.

Mais la légende faustienne, grâce à cette souplesse signalée plus haut, peut également s'adapter à des nécessités stylistiques, épouser les exigences d'un genre particulier et préexistant, liées cette fois, non à des circonstances sociales, mais à des contraintes d'ordre élocutoire, répondant en cela aux attentes d'un public venu retrouver des schémas éprouvés servis par un langage dont les ressorts lui sont familiers.

On peut signaler dans ce cadre, en 1895, une *Parodie de Faust* que l'on doit à l'intarissable Pierre Rousset, auteurs de textes pour les marionnettes lyonnaises[43]. Nous sommes bien, ici encore, dans un « travestissement burlesque », l'essentiel des thèmes et événements de l'hypotexte, le livret de Barbier et Carré, étant préservé ; cependant cette entreprise est adaptée, non à un projet à résonance philosophique ou politique, mais aux nécessités stylistiques et esthétiques du genre auquel elle se soumet, les marionnettes, de leurs personnages traditionnels et de leur élocution caractéristique. Il s'agit ici d'attirer un texte parfaitement connu dans l'orbe d'un genre de grande notoriété, de le plier aux règles humoristiques et linguistiques en usage. Faust, c'est bien entendu Guignol et, puisqu'il est nécessaire qu'il soit opposé à Gnafron, celui-ci sera son rival, toujours malchanceux, dans le cœur de Marguerite. Le pastiche est de rigueur, les morceaux de bravoure de l'hypotexte subissant une transformation ludique, replaçant les spectateurs des marionnettes en face de situations et de tournures lexicales ou syntaxiques parfaitement connues. Le premier Acte de l'opéra est repris en version intertextuelle et burlesque : lorsque le chœur célébrant la résurrection du Christ chante sous ses fenêtres, Faust s'écrie : «*Passez votre chemin*», paroles qui sont exactement celles du livret de Barbier et Carré, mais Pierre Rousset fait ajouter à son héros : «*Je n'ai pas besoin de votre charivari.*» (p. 46[43]). De même, le célèbre air de la malédiction, qui commence par «*Maudites soyez-vous, ô voluptés humaines, maudites soient les chaînes qui me font ramper ici-bas*», et qui se poursuit par la reprise anaphorique de l'adjectif invocatoire[44], devient dans la version pour marionnettes et dans la bouche de Guignol :

> Je maudis le coco, je maudis la cerise,
> Je maudis ma culotte, je maudis ma chemise.
> Maudits soient la rotonde et le galop final,
> Les marrons rissolés, le rôti de cheval... (p. 47[43])

Et l'appel au démon, sanctionné dans l'opéra par le fameux «*À moi, Satan ! À moi !*" se transforme en :

> Et je me donne au diable
> S'il ose me montrer sa binette effroyable ! (p. 47[43])

Le finale est conforme à la tonalité habituelle des spectacles de marionnettes ; alors que Méphisto s'apprête à damner Marguerite, Gnafron accourt, porteur d'un crucifix : «*Sauvée, mam'selle Marguerite, sauvée, nom de nom !*», hurle-t-il (p. 117[43]). Marguerite épousera Guignol et Gnafron acceptera aisément la chose, fidèle ici à la tradition qui fait de lui un pilier de *bouchon* lyonnais, «*pourvu*», proclame-t-il, «*que je boive un bon coup*» (p. 117[43]). La parodie s'adapte ici aux nécessités d'un genre préexistant, le comique naissant de la distance qui s'établit entre le langage-jargon attendu dans les spectacles de marionnettes et le souvenir que les spectateurs ont d'une œuvre sérieuse, en l'occurrence l'opéra de Charles Gounod.

Une parodie récente, écrite en allemand et jamais traduite, poursuit cette veine du thème faustien adapté à un univers social contemporain, à ses références culturelles et à son élocution particulière. En 1985, Uta Claus et Rolf Kutschera écrivent *Der*

Tragödie erster Teil, publiée dans *Faust-Parodien*[45]. Faust y est nommé *ein Hirni,* individu gavé d'informations mais terriblement frustré parce qu'il ne parvient pas à porter sur la situation du monde « le coup d'œil absolu ». Méphisto est un gourou des bas-fonds, portant beau, mais affligé d'un épouvantable caractère, Gretchen une adolescente ahurie à la recherche de sa première expérience sexuelle et qui poursuit Faust de ses assiduités, Valentin étant un macho errant, Siebel, Brander, Altmayer et Frosch un ramassis d'épaves qui hantent la Taverne d'Auerbach où ils sont connus pour leurs abus d'alcool et de substances illicites[46]. Le texte est parsemé d'expressions familières empruntées au langage contemporain et vulgaire, — « *es geht paletti* », c'est-à-dire « tout baigne dans l'huile ! » figurant parmi celles que l'on peut se permettre de citer ici —. Le texte sacrifie au goût européen pour les mots anglais disséminés çà et là : Gretchen dit à Faust qu'elle n'a jamais éprouvé un *feeling* aussi *bärenstark,* et Faust lui confie qu'il *flippe à mort* ! Herzog et Klaus Kinski sont convoqués, consacrant l'actualité du propos, et la mère de Marguerite abuse du valium, tandis que Valentin prédit à sa sœur qu'elle finira dans un *peep-show.* Quant à Goethe, il est tout bonnement appelé « *Johnny Goethe* ». On retrouve ici, dans l'Allemagne contemporaine, l'esprit trivial hérité des *Puppenspiele,* la légende faustienne ne recélant aucune dimension philosophique ou politique, l'objectif étant de provoquer le rire par le décalage qui existe entre le souvenir que les lecteurs ont gardé de l'hypotexte original et la distorsion thématique et linguistique qu'il subit.

Parallèlement à ce « *travestissement burlesque* », les personnages ou les éléments dramatiques de la légende de Faust vont servir de prétexte à « *la construction d'un nouveau texte qui, une fois produit, ne* [...] *concerne plus* » (p. 42[4]), ou du moins d'assez loin, l'hypotexte original. Du simple réemploi des personnages à la refonte de l'histoire — sous forme de suite ou de transposition dans un but politique ou philosophique —, les thèmes faustiens vont servir de trame à une nouvelle invention. On envisagera également dans ce domaine ce que Gérard

Genette appelle « *les transformations et imitations sérieuses* » (p. 43[4]).

Nous nous trouvons en présence d'œuvres dans lesquelles les épisodes de la légende font passer au second plan la reprise ironique de la trame dramatique pour privilégier l'aspect satirique et critique. Le langage, en ce domaine, ne subit aucune dévaluation dans le registre burlesque, les reprises intertextuelles ou le pastiche mettant en évidence une volonté de rivaliser avec l'hypotexte dans le registre sérieux. Même lorsque les auteurs sacrifient au comique, le langage reste conforme à l'original : ce n'est plus cette fois l'esthétique du poème de Goethe ou celle de l'opéra de Charles Gounod — lequel, au demeurant, est beaucoup plus présent à l'esprit des parodistes que ne l'est l'œuvre de Berlioz, *La Damnation de Faust* — qui est prise pour cible, mais l'univers social contemporain de la création parodique.

Cette utilisation seconde de la légende faustienne dans le domaine social et politique est déjà suggérée par l'hypotexte lui-même. Lorsque Méphistophélès entraîne Faust sur le Brocken pour la Nuit du sabbat, le dialogue désabusé entre le ministre, le parvenu et l'auteur témoigne d'une réflexion sur le monde et son fonctionnement que Méphistophélès, « *paraissant soudain très vieux* », ponctue d'une remarque pessimiste :

> Je ne gravirai plus la montagne magique
> Aussi le dernier jour ne peut qu'être prochain
> Et puisque le vin tourne au fond de ma barrique
> Le monde tout entier doit entrer en déclin.[47]

Dans le *Faust II*, les discours du chancelier, du chef des armées et du trésorier dans le « Conseil de l'État attendant l'empereur »[48] laissent pressentir l'existence d'un mal social et institutionnel.

C'est le personnage de Méphistophélès qui, en ce domaine, va fournir matière à la parodie satirique au cours des XIXe et XXe siècles. Il va passer du statut d'un précieux auxiliaire des turpitudes sociales à celui d'un simple observateur des désordres d'un monde qu'il ne comprend plus, tant le mal qui siège dans le cœur des humains n'a plus besoin de ses démoniaques services pour se développer. En tout cas, il est victime, dans ces diverses réalisations parodiques, d'une singulière dévaluation métaphysique.

Sans doute est-ce Jean-Pierre Lesguillon qui, dans son drame en trois Actes, *Méphistophélès*, utilise le premier la création de Goethe en la revêtant d'une signification politique dans le contexte de la Restauration expirante, ce qui provoquera l'interdiction de la pièce. Pour la petite histoire, on peut ajouter que le soir de la Première, qui eut lieu enfin le 7 avril 1832, fut annoncée dans la salle la nouvelle de la mort de Goethe, survenue le 22 mars précédent. Lesguillon, sans prétendre d'ailleurs à faire une parodie, impose au personnage de Méphistophélès une dimension politique et lui prête des propos violemment satiriques, causes de l'interdiction royale. La tirade de l'Acte I, scène 1 donne d'emblée le ton. Méphistophélès y dissocie le démon venu de l'enfer et les démons sociaux, suppôts d'un pouvoir arbitraire :

> Sous mille habits divers, je remplis la nature ;
> Avocat, je défends le viol et l'imposture ;
> Notaire, de ses droits je fraude l'héritier ;
> L'adultère est encore un tour de mon métier.
> [...]
> À tes regards, cher Faust, j'ai dû souvent paraître
> Sous la toge d'un juge ou le manteau d'un prêtre.
> J'ai fondé les autels, j'ai rempli les couvents
> De fainéants crasseux et d'abbés bons vivants.
> [...]
> Je porte au Vatican la mitre de Saint Pierre.
> Voulant donner au monde un oppresseur nouveau,
> Je tourmentais longtemps mon habile cerveau
> Et, couronnant enfin mes œuvres favorites,
> Dans un jour de gaieté, j'accouchai des jésuites.   (p. 4[28])

Les critiques se succèdent : contre l'armée à travers le personnage de Valentin (A. II, sc. 1), contre les tribunaux et la justice (A. III, sc. 2 et 7). La pièce, tout en gardant la structure dramatique de celle de Goethe, privilégie le ton du pamphlet, annonçant les *Mémoires du diable* de Frédéric Soulié.

L'œuvre de Lesguillon ouvre un sillon que les parodistes à venir vont prolonger. Une pièce anonyme, publiée en 1849, *La Nuit de Walpurgis, comédie politique du temps présent*[49], adopte, sur un ton satirique, une perspective pamphlétaire dirigée contre les institutions et la société de la fragile IIe République. L'introduction présente le spectacle fantasmagorique auquel Méphistophélès convie Faust sur le Brocken et l'épisode de la « Nuit de Walpurgis » comme une « *kermesse cabalistique* », « *la tour de Babel du romantisme du nord* » (p. I[49]). À travers les hallucinations d'une nuit de sabbat, le démon va montrer à Faust des réalités, « *les mille extravagances littéraires, politiques et sociales du temps* » où « *la satire [...] coudoie la fantaisie* », où « *l'idéal et le réel se touchent* ». Partant de la constatation que le réel entrave désormais toute possibilité de création poétique, l'auteur se propose de « *l'idéaliser* », « *de jeter sur le monde de l'invisible ce que nous n'avons, hélas ! que trop vu, de l'insaisissable, ce qui ne nous a que trop touchés* » (p. II). La muse se retirant du monde contemporain, c'est l'allégorie de la politique qui, la rattrapant dans sa fuite, lui offre la seule voie possible : « *Car ton unique espoir est désormais en moi* », lui dit-elle (p. 9). Le poète magnifie l'année 1828 comme « *période inouïe* » (p. 12) de la pensée française, déplore l'inanité des temps présents et s'adresse au lecteur pour lui présenter

> Tous ces hommes d'État, si purs et si moraux
> Que le moindre courroux devant eux se désarme.
> Voyons se consommer l'œuvre de dévoûment [*sic*],
> Voyons-les s'accomplir, ces divines merveilles.   (p. 14-5[49])

Le poète, résurgence de Faust, rencontre Méphistophélès dans un salon et, telle la sorcière dans l'œuvre de Goethe[50], il déplore que le démon ne porte pas son costume traditionnel. Méphistophélès entre aussitôt dans son rôle nouveau, celui d'un impitoyable satiriste :

> Autres temps, autres mœurs, autre costume aussi,
> Demandez-le plutôt à tel grand diplomate,

172

Hier par monsieur Guizot d'un haut poste saisi,
Et qui, subitement devenu démocrate,
Affectant de la veille un certain air qui flatte,
Impudemment ce soir vient figurer ici.   (p. 28[49])

Méphistophélès entraîne ce nouveau Faust sur le sommet du
Brocken ; l'hypotexte de Goethe est ici rappelé par la vision de
la sorcière Baubo qui chevauche son manche à balai, par la clé
que le démon remet à son protégé, souvenir de la scène des
Mères dans le *Faust II*[51], et l'invite expressément :

Comme jadis Faust, contemplez, je vous prie,
La Nuit de Walpurgis où plonge la patrie.   (p. 41[49])

Invité, tel Faust, à se tenir ferme au pan du vêtement de
Méphistophélès, le poète va contempler le désastre. Le tableau,
caractéristique des violents pamphlets héritiers des mazarinades,
est certes fort édifiant : le chœur du peuple chante son espoir en
la République, un homme politique vante les vertus lucratives du
poste qu'il occupe, Proudhon élève sa voix et tonne contre les
riches, le prince-président, habilement maquillé sous une description de fantaisie, promet au peuple un philtre au pouvoir
miraculeux mais se révèle un facteur de désunion et de colère
populaire, le Conseil politique qui préside aux destinées du pays
se jette avec rage sur un coffre-fort apporté par la troupe hur-
lante des mandragores et se précipite aussitôt après dans les
excès de l'orgie et de la luxure. Le Faust « version 1849 » se
déclare horrifié du spectacle :

Je vois des tyranneaux de mille et une espèces,
Du haut de leurs maisons, bizarres forteresses,
Tenir dans la terreur la ville et les faubourgs.   (p. 64[49])

Mais à ce stade de son évolution parodique, Méphistophélès,
auquel Urian, emprunté directement au *Faust* de Goethe, vient
adjoindre sa voix, se déclare ravi de l'état du pays et confesse
que les intérêts du démon n'ont jamais été en de meilleures

mains (p. 71⁴⁹). La scène finale, saisissante, voit surgir, à la table où les hommes politiques se repaissent, l'allégorie de la patrie souffrante qui prédit aux profiteurs qu'ils seront bientôt châtiés et balayés.

Cette veine satirique, dans laquelle les intérêts du diable et ceux des puissants de ce monde ne font qu'un, dérivée de l'épisode du Brocken et de la « Nuit de Walpurgis », sera reprise par les auteurs allemands du XXᵉ siècle, Méphistophélès et Faust devenant les révélateurs de cette redoutable identité. Le mal s'incarne dans les forces sociales et le démon s'en réjouit. Une parodie de Dosio Koffler, parue dans le recueil des *Faust-Parodien* déjà signalé, appartient à ce « *registre sérieux* », à ces « *transformations et imitations sérieuses* » définies par Gérard Genette (p. 43⁴). Elle s'intitule *Im Wellennetz des Äthers* et a été écrite en pleine Seconde Guerre mondiale, en 1941. Méphistophélès, en compagnie de Goethe, de Schiller et de Nietzsche, écoute et commente dans les zones de l'éther les voix alternées de Hitler, de Staline et de Mussolini qui s'élèvent dans le fracas des turbulences hertziennes. Méphistophélès démontre aux trois penseurs germaniques que le système humaniste, l'oasis de liberté qu'ils ont tenté d'élever contre la barbarie n'ont pas empêché les idéologies ignobles de se développer, lesquelles, fermes alliées du démon, sont des agents efficaces du malheur de l'humanité. Une autre parodie, à tonalité tragique, publiée dans le même recueil, écrite en 1964 par Wilhelm Webels, *Faust und die Atombombe, aus dem Spiel vom Doktor Faust*, confronte le docteur au danger nucléaire et au problème du libre-arbitre. C'est encore une fois dans les airs, à bord d'un avion, métaphore moderne du Brocken des origines, que le démon entraîne Faust. Il lui met entre les mains une bombe atomique et l'incite à la précipiter sur les humains. Malgré ses réticences, Faust se soumet aux injonctions de son mentor qui veut faire de lui un surhomme, lance la bombe et anéantit une partie de l'humanité. Le hurlement qui monte de la terre le glace d'épouvante et une voix retentit, qui lui demande ce qu'il a fait de son frère Abel, l'assimilation du docteur avec Caïn⁵² se doublant d'une analogie avec le *Macbeth* de Shakespeare : le sang colle à ses mains et, lorsque Méphistophélès l'abandonne après l'avoir fait retomber lourdement sur la terre, Faust reste seul avec sa culpabilité, le sang ne disparaissant pas, alors que le démon, simple instigateur en cette affaire, se dissout dans le néant, ce qui consacre la culpabilité pleine et entière de l'homme qui a opté pour le mal absolu.

Le mal, en somme, peut désormais, dans les œuvres sérieuses comme dans les parodies, se passer de Méphistophélès qui se réduit au rang de révélateur. Tel Woland prenant congé de la terre et disant adieu, des mêmes hauteurs, à la ville de Moscou dans *Le Maître et Marguerite* de Boulgakov, le démon moderne est plus un incitateur qui réveille en l'homme ses plus souterraines pulsions, voire un commentateur légèrement distant du spectacle qu'offre une humanité déchue, qu'un véritable organisateur du mal, les humains dépassant souvent ses espérances en ce domaine. *Mephistopheles über die Universitäten, eine Faust-Parodie* écrite par Rudolf von Laun[53], reprend, dans le même esprit critique, la scène du « cabinet d'étude » entre Méphistophélès et l'écolier[54]. Von Laun imagine qu'en 1949, au moment de la célébration du bi-centenaire de la naissance de Goethe, il est entré, par l'hypnose, en contact avec les mânes de l'écrivain qui lui aurait dicté une nouvelle version du célèbre entretien et qui l'aurait autorisé à la rendre publique. « Cette petite parodie », écrit von Laun en avant-propos, « aborde les problèmes de notre temps et présente une anticipation de l'avenir »[53]. Son but est de présenter le combat de l'esprit humain contre la guerre et contre les indécentes dépenses financières consacrées à l'armement, et cette petite parodie veut apporter sa contribution à ce combat. Faust, reprenant le passage « Devant la porte de la ville »[55] de Goethe et avouant à Méphistophélès qu'il est tiraillé entre le bien et le mal, entre l'aspiration à se hisser au niveau des glorieux ancêtres et l'attrait pour les plaisirs brutaux, place sa foi dans la connaissance absolue et dans la culture. Le diable entreprend de lui montrer alors ce que seront les années futures pour l'humanité et pour la science. Par sa volonté, la scène se transforme et il apparaît dans son rôle de professeur. Comme dans l'hypotexte, il reçoit l'étudiant qui se présente, Faust devenant un observateur attentif de la scène. L'étudiant ayant demandé à Méphistophélès s'il a le droit de s'inscrire dans cette université, la portée critique et politique de l'œuvre apparaît immédiatement dans la réponse qui lui est faite : « Chacun a le droit d'étudier ici. Mais où cela le mène-t-il ? Vous n'arriverez pas à trouver de place dans la société. L'État ne redoute rien tant aujourd'hui qu'un prolétariat cultivé, car pour dominer un peuple, il est préférable de gouverner des imbéciles. »[53]. Fort de cette première remarque, Méphistophélès démontre à l'étudiant l'inanité des études universitaires, quelle que soit la branche choisie : la théologie est au-dessus des capacités de la compréhension humaine ; la philosophie empoisonne l'esprit ; les sciences dites exactes et les technologies n'ont qu'une validité provisoire et sont porteuses d'angoissants paradoxes ; la médecine offre peu de certitudes — excepté la gynécologie qui présente d'intéressantes perspectives de séduction féminine, précise un Méphistophélès devenu grivois — ; l'économie se résume à entretenir un système inique dans lequel l'argent va toujours aux riches, la pauvreté entretenant la pauvreté ; le droit est soumis aux volontés des puissants et se fonde uniquement sur la force, les lois étant faites le plus souvent pour adapter les règlements aux désirs des dirigeants. Sans que Méphistophélès lui ait suggéré une quelconque voie, l'étudiant, dont le scepticisme va croissant au cours de l'exposé, conclut par ces mots : « Puisque tout est si sombre, je décide de devenir un homme politique. »[53].

Le choix de l'étudiant, choix opportuniste et révélateur de la confusion morale qui marque toute une génération, s'oppose à celui que Faust effectue à la fin d'une parodie écrite et publiée en Allemagne en 1968, *Mini-Faust*, de P. G. Hübsch, et que l'on trouve aussi dans le recueil des *Faust-Parodien*. Les résonances contemporaines sont nombreuses : Faust y est un jeune athlète barbu et séduisant qui ne parvient pas à réaliser le but de son existence, la construction de la cérébro-machine qui doit lui donner tout pouvoir sur l'univers. Au moyen de son télé-transporteur, il franchit les galaxies et va consulter Mephi, un mutant qui règne sur un laboratoire de chimie dans quelque planète lointaine. Mephi, moyennant des espèces sonnantes et trébuchantes, lui donne un sachet contenant une poudre : « Cette drogue changera ta vie », dit-il à Faust (p. 186[45]). Cette poudre miraculeuse permet en effet à Faust de goûter les ineffables plaisirs de la chair en compagnie d'Hélène et de séduisantes nymphes ; mais ses désirs croissent sans cesse et l'ennui s'empare de lui. Sa rencontre avec Gretchen pourra-t-elle le satisfaire ? L'auteur reprend ici l'épisode de l'effeuillage de la marguerite : Gretchen ayant souhaité interroger la fleur, Faust, grâce à son rayonnement attractif et empli d'une ambition dévorante, se propose de faire venir à elle toutes les espèces végétales de la création. Mais Gretchen est bientôt engloutie sous un flot d'orchidées, de radis, de primevères et autres, confrontant Faust à l'échec du « super-pouvoir » qu'il a cru posséder. Le texte se présente à la manière d'une bande dessinée, les principales scènes étant dessinées dans des cercles, évoquant à la fois le cercle magique de l'hypotexte et l'enfermement du héros, et entrecoupées de bulles dans lesquelles apparaissent des citations variées, empruntées aussi bien à Herbert Marcuse qu'à sainte Thérèse de Lisieux. Faust aspire à posséder et à dominer et, face à l'échec qu'il rencontre, il décide de se consacrer à combattre les lois injustes qui sévissent sur la terre, Mephi se réduisant ici à la pâle figure d'un trafiquant de drogue, vite balayé du scénario, laissant Faust confronté au malaise du monde contemporain dans lequel il essaie de trouver une place et une fonction. Ces parodies, publiées presque au même moment, témoignent, à travers la légende de Faust adaptée aux réalités contemporaines, du désarroi, au sens sartrien du terme, qui a envahi toute la société européenne de l'aprèsguerre et qui la conduit vers des réactions opposées : d'un côté, ceux qui ont compris le fonctionnement du système et s'y adaptent, de l'autre ceux qui, dominés par lui, tentent de le combattre.

Ainsi le mal métaphysique, matérialisé chez Goethe et ses prédécesseurs par un Méphistophélès qui n'est pas exempt d'ambiguïtés, laisse place à un mal politique et social, dans lequel le démon se reconnaît encore, qu'il a soin du moins de revendiquer comme une part de son œuvre. Le XIXe siècle finissant et le XXe vont par ailleurs rétablir l'image du mal métaphysique en développant ce dont Mme de Staël, Saint-Chamand, Carlyle et tant d'autres avaient eu la préscience : le mal réside dans le cœur même de l'homme et Méphistophélès, réduit au rang de simple fantoche ou tout simplement absent du théâtre où il se développe, va subir là encore une dévaluation accrue. La parodie, fidèle reflet de la pensée sérieuse, vient s'insérer dans ce schéma. On notera que désormais le thème du pacte et les motifs qui l'accompagnent, sang et parchemin, aberrations en somme sur le plan théologique comme sur le plan juridique, disparaissent de l'action, le démon n'ayant plus besoin d'un accord signé par l'homme dont il vient d'acheter l'âme : celle-ci est depuis longtemps, et sans qu'il y soit pour grand chose, toute dévouée à la cause de l'esprit du mal.

Le Faust moderne, écrit par Maurice Bouchor, histoire humoristique en vers et en prose publiée en 1878[56], associe la perspective sociale et politique de *La Nuit de Walpurgis...* à cette nouvelle donnée du problème : le mal siège en l'homme lui-même et point n'est besoin d'un démon pour le faire entrer en action. M. Bouchor, idéaliste mystique, cependant hostile à toute forme de superstition, cultive, dans *Le Faust moderne* comme dans l'ensemble de son œuvre, l'aspiration à une unicité de la morale, les notions du bien et du mal, du juste et de l'injuste étant à ses yeux l'objet d'une distinction absolue. La société qui se met en place après la naissance de la IIIe République ne lui paraît pas répondre à ce manichéisme salvateur[57]. Le mal se traduit tout d'abord dans une désespérance qui envahit le temps présent :

> Les dieux et les héros ne sont plus de ce temps
> Et, désormais fermés aux grandes espérances,
> Nous vivons trop nos deuils, nos plaisirs, nos souffrances
> Pour sonder du regard les cieux inquiétants.
> Nous gardons le réel, notre seule conquête.   (p. 3-4[56])

Faust, dans cette parodie, s'incarne en deux personnages : un

178

vieil alchimiste et un héros post-romantique aux allures de Hamlet. Le vieillard, parvenu au terme d'une carrière vouée à l'étude, n'a pas réussi à atteindre son but suprême : « *C'est l'homme qu'à mes pieds je voudrais abaisser* » (p. 14[56]), révèle-t-il. Reprenant la suprême aspiration du Faust de l'hypotexte, il proclame : « *Je rêvais l'action ; je suis fait pour penser.* » (p. 14[56]). Il va trouver à exercer son pouvoir sur le jeune Faust, sombre héros méditatif et solitaire qui vient chaque jour songer à proximité de la caverne occupée par le vieil alchimiste. Dans le néant qu'est devenue sa vie, au sein d'une société qui n'offre nulle espérance à ses appétits, le jeune homme ressent de puissantes aspirations à se laisser aller sur la pente des plaisirs factices et païens :

> Vision de festins et de fêtes !
> L'or qu'on jette à poignée aux foules stupéfaites
> Les courtisanes qui rayonnent   (p. 20[56])

tels sont ses désirs et, afin de les combler, il appelle Satan à qui il est prêt à vendre son âme contre une fortune et une vie de plaisirs. Le vieillard, entendant cet appel, va saisir l'occasion de soumettre le jeune homme aux caprices de sa volonté. Il surgit, l'auteur nous montrant sa bonne connaissance de l'hypotexte de Goethe :

> Ne pouvais-tu venir avec tes ailes noires,
> Tes cornes et ta queue, au milieu de ta gloire
> Ou m'apparaître au moins sous forme d'un dragon ?   (p. 20[56])

l'interroge Faust. Ce démon improvisé subit ici en effet une étrange dévaluation de la part du jeune désenchanté :

> On te prendrait pour un triste amas de décombres
> Que le temps écoulé fit étrangement sombre.
> Tu n'es pas l'Éternel que tu sembles si vieux ?   (p. 21[56])

Le vieillard fait absorber à Faust une substance qui l'entraîne dans une fantasmagorie débridée : après le ballet des nymphes

179

tentatrices, apparaissent les sept démons qui réprésentent, comme chez Marlowe, les sept péchés capitaux. Le vieillard fait de Faust son jouet, l'incitant à pécher le plus hardiment possible afin de justifier les souffrances effroyables qu'il devra subir en enfer. Mais l'alchimiste n'est pas le diable, il n'est que le révélateur, démoniaque mais humain, des forces maléfiques que Faust recèle en lui et qui ne demandaient qu'à se déployer. Le vieillard meurt et, lorsque Faust découvre son cadavre, il a soudain conscience d'avoir été le jouet d'une machination :

> Ainsi ce n'était qu'un homme !
> Ah ! si ce fut un homme, une âme assez hardie
> Pour faire le démon dans cette comédie,
> Pour railler sans pitié les mystères du ciel,
> Il avait donc le cœur pétri d'un bronze tel
> Qu'il ne craignît ni Dieu ni suprême justice. (p. 117[56])

C'est alors la science du vieil alchimiste, contenue dans les nombreux livres disposés dans la caverne, qui offre à Faust une issue possible :

> Ô science, ô clarté, quel horizon nouveau
> Me fascine les yeux et s'ouvre à mon cerveau !
> Étancher cette fois ma soif inassouvie,
> Tout savoir, posséder le secret de la vie. (p. 122[56])

Le positivisme scientifique lui semble la source de toute félicité et objet d'un nouveau culte et il proclame :

> Satan, changeant de nom, doit se faire adorer,
> S'appeler la Science et se transfigurer. (p. 123[56])

Mais cette nouvelle religion l'entraîne vers un mal pire encore, dont l'auteur veut dénoncer l'influence grandissante sur le monde : Faust, excité à la fois par les forces sociales et par les instincts pervers qui sont en lui, se livre à l'irréligion la plus débridée, pille les églises, organise des orgies dans les lieux saints. Nouveau prophète du mal, mais d'un mal qu'une société en proie à une laïcisation accélérée a révélé en lui, il offre son suprême méfait à un Esprit maudit désormais dépourvu de toute substance métaphysique : après avoir mis le feu à une église, il regarde, du sommet d'une colline, fumer les ruines de l'édifice et il interroge :

Ai-je tenu mon vœu ?
Seigneur, voilà l'encens qui me sort de la bouche,
Répondez, dites-moi si mon zèle vous touche. (p. 130[56])

Mais l'esprit invoqué demeure silencieux et c'est en lui-même que Faust trouve les ressources pour continuer son œuvre de malfaisance. Devenu un fer de lance de la lutte anti-cléricale, Faust meurt en raillant le cortège funèbre d'un jeune soldat mort au combat et que son père, en compagnie de nombreux prêtres, conduit vers le cimetière. Le père, saisi de fureur, étrangle Faust et le mal qui séjournait en lui. Dans le contexte de la IIIe République naissante, en pleine période de laïcisation de l'État, l'œuvre de Bouchor prend une résonance polémique : le mal est à la fois social et philosophique. Le démon et son cortège folklorique ne sont plus nécessaires pour le faire affleurer, la nature humaine et les Institutions qui se mettent en place en sont les plus sûrs garants.

L'éloignement de Satan du monde des humains ira croissant au XXe siècle, aboutissant au Méphistophélès déconcerté et ne sachant plus ce qu'il a à faire sur la terre que Paul Valéry présentera dans « "Mon Faust" » en 1941. Mais quatre œuvres dramatiques mineures, évoluant entre le burlesque et le tragique, vont venir confirmer le phénomène. *Faust en ménage*[58], fantaisie lyrique en un Acte d'Albert Carré, sur une musique de Claude Terrasse, ne reprend pas l'hypotexte originel, mais envisage une suite à l'opéra de Charles Gounod. Les auteurs prêtent à l'œuvre lyrique une fin heureuse : Faust et Marguerite, grâce à l'intervention de Méphistophélès qui a accepté de perdre ses pouvoirs pour permettre l'union de ses deux protégés, se sont mariés et mènent une existence bourgeoise ; le docteur est maintenant professeur de paléontologie au Muséum, il est échevin de la ville, il a les palmes, il a pris du ventre. Marguerite est restée aussi belle qu'elle était à vingt ans, « *un bouton de rose* » (p. 4[58]). Les anachronismes et les situations cocasses dignes du théâtre de boulevard se multiplient, ainsi que les références au livret de Barbier et Carré, mais ce qui est révélateur ici est l'extrême dévaluation que subit le personnage de Méphistophélès ; vieilli, ruiné, perclus de rhumatismes, il attire chez dame Marthe cette remarque ironique : « *Oh ! il n'est plus à craindre. Le pauvre homme a bien changé.* [...] *Il a perdu tout son pouvoir... de sorte qu'il n'est plus bon à rien... à rien du tout. Monsieur et madame ont eu pitié de lui et il vit à leurs crochets* [...]. » (p. 10[58]). C'est que le mal est ailleurs : il réside dans l'ennui généré par cette vie quotidienne empreinte de monotonie. Faust, décrivant le menu du déjeuner, se plaint : « *C'est tous les jours la même chose.* » (p. 18[58]). Les métaphores triviales révèlent une société dans laquelle le mal est dans cette monotonie qui marque la vie de l'homme, dans son incapacité à agir, et le diable n'est plus qu'un comparse pitoyable dont tout le monde rit. S'il essaie parfois de ranimer ses anciens pouvoirs, il se heurte à un échec cuisant : il ne peut transformer Marthe en veau comme il le souhaiterait, et il en est réduit à solliciter un emploi de contrôleur du droit des pauvres à l'Assitance publique. Marguerite vivant avec Faust une vie conjugale ennuyeuse et banale, Méphistophélès voit là une lueur d'espoir pour reconquérir son pouvoir d'antan : s'il parvient à pousser Marguerite sur la voie de l'adultère, il reprendra quelque peu de sa dignité et de l'influence qui étaient jadis les siennes. Le démon se met en quête, mais ne trouve pas l'amant idéal. « *Bredouille ! chou blanc !* » (p. 42[58]), se désole-t-il. Les êtres humains ont désormais atteint, dans le domaine du mal, un niveau de compétence et d'autonomie suffisant pour qu'ils se passent de ses services : Marguerite a retrouvé Siebel, revenu des combats et, sans que le diable y ait été pour quelque chose, elle a fait du jeune guerrier son amant.

Le démon de Michel de Ghelderode, dans *La Mort du second Faust*, apparaît sous le nom de Diamotoruscant, comme un être flottant, ne trouvant plus ses repères dans un monde qui échappe à son emprise : « *Je suis tout seul dans la vie* [...], *dans le monde* », se plaint-il, « *je n'ai même jamais eu de mère ! ni d'enfance ! Je suis hors des lois humaines et divines.* [...] *Les diables, ce sont des incompris.* »[59]. Faust est un séducteur vulgaire qui traite Marguerite avec une rare outrecuidance : après l'avoir entraînée dans un hôtel sordide, il veut la payer comme une prostituée, tandis que Diamotoruscant, étranger à cette attitude digne pourtant de l'esprit du mal, attend sur le trottoir, dans un état d'insolite désespérance. Faust agit de lui-même, se soumet au mal qui réside en son âme et, suprême dévaluation pour le démon, il refuse le pacte que Diamotoruscant lui propose. La pièce, d'une organisation scénique extrêmement complexe et sophistiquée, entend proposer en outre, face à l'invasion du théâtre de boulevard dont Marcel Achard, Édouard Bourdet et quelques autres se font au même moment les chantres appliqués, une autre forme dramatique, mêlant le tragique et le burlesque, dans un grand déploiement scénique et poétique. L'œuvre de Michel de Ghelderode s'inscrit dans une double perspective : révéler à la conscience des spectateurs l'existence d'une autre forme dramatique que celle qui leur est proposée habituellement ; prendre place, par le choix de la légende faustienne, dans le champ d'une réflexion sur le mal dont l'humain est la proie.

Une autre pièce, parue en pleine occupation et au moment où la Seconde Guerre mondiale connaît une recrudescence de violence, *La Drolatique histoire de Fauste* [*sic*] *le magicien*[60], écrite par Jean Variot, propose, dans une dramaturgie beaucoup moins complexe que celle de Ghelderode, une nette dévaluation du démon dans un monde où, pourtant, le mal se déploie. Le diable y est terrorisé par sa femme qui brosse de lui un tableau visant à montrer qu'il ne peut plus ni effrayer, ni intéresser personne : « *Il est joli, le chérubin ! Des cornes tout usées, un nez de bouc, des oreilles d'âne, le corps pelé, et, pendant sous la basque d'un habit râpé, une queue de lion malade. Ah ! je suis bien bête de m'inquiéter de tes fredaines ! Quelle serait la vieille sorcière à qui tu pourrais plaire ?* » (p. 8[60]). Et la réplique finale, qui voit Faust demander l'aide de Méphistophélès, consacre l'incapacité du démon à agir désormais sur les hommes ; Faust lui demandant d'avoir un peu d'énergie, Méphistophélès répond : « *De l'énergie ? On voit bien que vous ne me connaissez pas ! Je ne suis qu'un pauvre diable !* » (p. 25).

Désorienté dans un monde sur lequel ses pouvoirs demeurent inopérants, confronté à une dévalutation de son image, le démon va, en une surprenante interversion, se poser en champion des forces du bien, face à un Dieu cruel qui a instillé dans le cœur de l'homme une puissance maléfique que lui, Satan, n'avait jamais songé à y mettre. Le *Méphistophélès* d'Edmond Sardin, pièce en un Acte et en vers[61], présente une spectaculaire et significative humanisation du diable. Commençant dans un registre purement vaudevillesque, la pièce se termine en allégorie édifiante, Méphistophélès étant revêtu de la fonction, insolite pour lui, de promoteur d'un nouvel éden. Le diable, marié à Cléopâtre, soupçonne son épouse de le tromper avec Faust[62]. Cléopâtre entreprend en effet de séduire un Faust romantique à souhait dans une scène digne du théâtre de boulevard. Mais la tonalité change brutalement pour nous ramener à une dimension beaucoup plus philosophique. Faust se lance dans une pathétique tirade sur le mal qui siège désormais dans le cœur de l'homme :

> Humains ! Vous trompez votre maître et lui baisez les mains !
> Mensonges, fourberies, ô trésors de la terre,
> Chaîne dont une main céleste vous enserre !
> Quoi ? des siècles vécus au milieu de l'enfer
> Vous laissent-ils chargés de ces ignobles fers ? (p. 13[61])

Car si c'est bien dans l'homme que le mal se trouve désormais, ce mal est voulu par Dieu lui-même, et le démon se sent désarmé. Marguerite, après avoir passé cinq cents ans au ciel où Dieu lui a fait subir les pires tourments, a fini par s'en échapper et, parvenue en enfer, elle y a trouvé un peu d'indulgence et obtenu l'autorisation de revenir sur la terre. Lorsqu'elle raconte à Méphisto les souffrances qu'elle a endurées dans le céleste séjour, elle provoque une vive émotion chez celui qui, naguère encore, était le représentant des forces maléfiques et qui récrimine contre cette « *céleste cruauté* » (p. 23[61]). La malveillance de Dieu est telle que Faust en appelle au démon, non plus comme à l'auteur de toutes voluptés et des pires turpitudes, mais comme au seul restaurateur possible du bien :

> Satan ! À notre aide !
> L'esprit du bien nous fait du mal [...]
> Roi de l'enfer, esprit du mal, fais-nous du bien.   (p. 23[61])

Et, en une étrange inversion, on voit Méphistophélès se lancer dans un monologue philosophique et adresser à Dieu une émouvante supplique :

> Pour la première fois, je fais une prière
> Pour te dire à mon tour : Pitié pour les humains !
> Satan est à genoux et vers toi joint les mains !   (p. 27[61])

Cléopâtre découvrant le diable en larmes, il lui confesse :

> La source de ces pleurs n'est point votre beauté.
> Plus encor que vos yeux j'aime l'humanité.   (p. 27[61])

Dans ce monde où il se sent dépassé, dans lequel les notions de mal et de bien ont disparu, où la morale se dilue en d'incompréhensibles paradoxes, Méphistophélès se donne un projet insolite, auquel il convie Cléopâtre :

> Reine, la terre est là qui souffre et nous attend.
> Il nous faut fléchir Dieu, car seul Il nous entend.
> Il faut qu'aux malheureux le ciel soit un asile.
> Il faut qu'Il ait pitié.   (p. 28[61])

Et l'esprit du mal, à qui Faust adresse ce pathétique aveu, « *Vous êtes bon* » (p. 30[61]), se fait le promoteur d'un nouveau paradis terrestre dans lequel Faust et Marguerite, fondateurs d'une humanité régénérée, pourront déployer de nouvelles forces du bien qui s'opposeront au mal que la terre recèle et met en action :

À vous cette forêt de palmiers, de bambous,
À vous les nuits d'amour où l'âme s'abandonne.
À vous aussi Satan qui souffre et qui pardonne.   (p. 30[61])

La scène finale, allégorique et paradoxale, voit Marguerite, Faust et Cléopâtre se réfugier sous le manteau de Méphistophélès et réclamer sa protection. La voix de Dieu retentit dans les airs et demande à Marguerite de réintégrer le ciel, tandis que le démon, adressant à Dieu cette ultime prière :

Dieu des mondes, sois bon !
Pour la dernière fois, pitié pour l'homme !   (p. 31[61])

s'entend répondre : « *Non !* ».

Ces parodies qui sont dans l'ensemble, reconnaissons-le, d'un intérêt littéraire modeste, aboutissent à l'image d'un Méphisto-phélès qui ne prend plus le monde comme théâtre d'exercice pour une promotion efficace du mal. Le mal y est omniprésent et omnipotent, jailli spontanément du cœur des humains, et le démon ne parvient plus à trouver une place ou un rôle à jouer. Cela donne au serviteur de Satan un visage nouveau : celui d'un diable désabusé qui envisage la destruction de ce monde désor-mais dévalué, porteur d'une humanité totalement déchue, dans une sorte de nihilisme dont il est lui-même la première victime. Ainsi que Woland dans *Le Maître et Marguerite*, roman qui contient en somme tous les thèmes et motifs des quelques paro-dies évoquées ici, ainsi que le Méphistophélès de Paul Valéry qui semble déconcerté par l'étrange confusion qui règne dans le monde au sujet des questions du bien et du mal, le diable parodié au cours des deux siècles écoulés suit une évolution semblable à celle de son homologue sérieux ; il semble découvrir progressi-vement que, pour chaque humain, l'enfer, c'est désormais les autres, mais c'est aussi et surtout soi-même, peut-être parce que s'est diluée dans le « torrent de l'inutilité » ce qui faisait jadis la force du démon : la tentation.

1. La quatrième de couverture nous dit en effet : « *De la Renaissance au XXe siècle, ce numéro d'Europe interroge le mythe dans ses aboutissements majeurs.* ».

2. Au sens propre, mais également dans celui que Mikhaïl Bakhtine donne à ce mot.

3. Voir par exemple les *Miracles de la Sainte Vierge*, traduits et mis en vers par Gautier DE COINCI, publiés par l'abbé POQUET (Paris, Parmantier, 1858), ou *La Farce en France de 1400 à 1500*, recueil publié par André TISSIER (Paris, SEDES, 1976).

4. Gérard GENETTE, *Palimpsestes* (Paris, Seuil, 1982).

5. L'écrivain belge Michel de Ghelderode, dans *La Mort du second Faust*, pièce créée à Paris le 21 janvier 1928 au Théâtre Art et Action et publiée par NRF-Gallimard en 1957, reprendra la thématique du théâtre de foire. Camille Poupeye, qui rédige l'introduction au texte imprimé, dit qu'il se fait « *le portevoix de la parade, avant le commencement du spectacle* », se conformant en cela « *aux bonnes coutumes foraines.* » (p. 209).

6. À propos du théâtre forain, des *Puppenspiele* et de la représentation de la légende faustienne, voir :

— Geneviève BIANQUIS, *Faust à travers quatre siècles* (Paris, Aubier-Montaigne, 1955) ;

— Alexander TILLE, *Die Faustspieler in der Literatur des XVIe bis XVIIIe Jahrhunderts* (Berlin, [s.n.,] 1900) ;

— E. A. HAGEN, *Geschichte des Theaters in Preussen* (Königsberg, [s.n.,] 1854) ;

— Wilhelm CREIZENACH, *Versuch einer Geschichte des Volksschauspiels von Doktor Faust* (Halle, [s.n.,] 1878) ;

— Konrad BITTNER, *Beiträge zur Geschichte des Volksschauspiels vom Doktor Faust* (Reichenberg, [s.n.,] 1922) ;

— *Die Puppenspiele vom Doktor Faust*, AVENARIUS und MENDELSSOHN eds (Leipzig, 1850).

7. Germaine DE STAËL, *De l'Allemagne* (Paris, Garnier-Flammarion, 1968).

8. Rappelons que Benjamin Constant, qui avait découvert l'édition partielle de *Faust* lors de son séjour en Allemagne en 1804, signalait déjà : « *Faust de Goethe. C'est une dérision de l'espèce humaine et de tous les genres de science. Les Allemands y trouvent une profondeur inouïe. Je trouve que cela vaut moins que Candide, et en étant aussi immoral, aussi aride, aussi desséchant, il y a moins de légèreté, moins de plaisanteries vigoureuses et beaucoup plus de mauvais goût.* » (22 pluviôse/12 février 1804, *Journaux intimes* [Paris, Gallimard, NRF, 1958], p. 59).

9. SAINT-CHAMAND, *L'Anti-romantique, ou examen de quelques ouvrages nouveaux* (Paris, Lenormant, 1816).

10. Charles D'OUTREPONT, *Promenades d'un solitaire* (Paris, Firmin Didot père et fils, 1828).

11. Voir Max MILNER, *Le Diable dans la littérature française de Cazotte à Baudelaire* (Paris, Corti, 1960), et Fernand BALDENSPERGER, *Goethe en France* (Paris, Hachette et Cie, 1904).

12. Cité par Max MILNER, *op. cit.*[11], p. 442.

13. *Revue encyclopédique*, t. X, avril 1821.

14. Joseph-Henri DE SAUR et Léonce DE SAINT-GENIÈS, *Les Aventures de Faust et sa descente aux enfers* (adapté de KLINGER, *Der Faust der Morgenländer...*, Leipzig, 1797) (Paris, Arthus Bertrand, 1825).

15. *Revue encyclopédique*, t. XXXVII, janvier 1828, p. 525.

16. Dr ROUSSET, *Faust, ou les premières amours d'un métaphysicien romantique : pièce du théâtre de Goethe, arrangée pour la scène française, en 4 actes, en prose* (Paris, Pélicier et Chatet, 1829), p .1.

17. N. BRAZIER, MÉLESVILLE, F.-A. CARMOUCHE, *Le Cousin de Faust*, pièce publiée par Quoy, libraire-éditeur, Magasin général des pièces de théâtre, n°18, 1829.

18. Alain PAGÈS, p. XI in *Dire la parodie*, Colloque de Cerisy, 1989, Cleve THOMSON *and* Alain PAGÈS *eds* (Londres, Peter Lang, 1985).

19. Charles GRIVEL, « Le Retournement parodique des discours à leurres constants », pp. 6–25 in *Dire la parodie (op. cit.*[18]), p. 6.

20. *Les Tentations ou tous les diables*, pantomime allégorique, Théâtre de la Cité-Variétés, 27 frimaire an V.

21. *Robert-le-diable*, comédie en 2 Actes mêlée de vaudevilles, de Jean-Nicolas BOUILLY et Théophile DUMARSAN, Théâtre du Vaudeville, 31 décembre 1812.

22. Cité par C. GRIVEL, art. cité, p. 8[19].

23. A. BOURDOIS et A. LAPOINTE, *Faust et Framboisy*, texte publié à Paris, par Beck, 1858.

24. HERVÉ, pseudonyme de Florimond Ronger.

25. H. CRÉMIEUX et A. JAIME, musique de HERVÉ, *Le Petit Faust*, publié à Paris, par Calmann-Lévy, 1891.

26. L. DE THÉAULON, *Faust*, Théâtre des Nouveautés, 27 octobre 1827 (Paris, Duvernois, 1827).

27. *Faust*, drame en trois Actes, imité de Goethe, par Antony BÉRAUD et Jean-Toussaint MERLE, créé au Théâtre de la Porte Saint-Martin, 29 octobre 1828 (Paris, J.-N. Barba, 1828).

28. J.-P. LESGUILLON, *Méphistophélès le diable et la jeune fille* (Paris, Beck-Tresse, successeur de J.-N. Barba, 1850).

29. *Fausto* (Paris, Roullet, 1830).

30. GOETHE, *Faust*, traduction de X. MARMIER (Paris, Charpentier, 1839).

31. H. BLAZE DE BURY, *Le Faust* (Paris, Charpentier, 1842).

32. A. DENNERY, *Faust* (Paris, Michel Lévy frères, 1858).

33. Référence à la scène de l'Acte II du *Faust II*, intitulée « Laboratoire », dans laquelle on voit Wagner donnant la vie à l'homunculus [Paris, GF-Flammarion, 1984], traduction de Jean MALAPLATE, pp. 300–6).

34. S. GOLOPENTIA-ERETESCU, « La Parodie et la feinte », pp. 35–72 in *Dire la parodie (op. cit.*[18]), p. 36.

35. Pseudonyme pris par Louis-Alexandre Gosset de Guines.

36. A. GILL, Préface, *La Parodie*, n° 1, 4 juin 1869, non paginé.

37. *La Favorite*, opéra de Gaetano Donizetti, créé le 2 décembre 1840.

38. *La Vestale*, opéra de Gasparo Spontini, créé en 1807.

39. J. ROUCHOUSE, *Hervé, père de l'opérette* (Paris, Michel de Maule, 1994), p. 259.

40. Cité par J. ROUCHOUSE, *op. cit.*, p. 273.

41. R. GRAINDORGE, *Le Nouveau Faust*, parodie musicale en 4 Actes et 5 tableaux (Paris, Imprimerie J. Chaffiotte, 1945), non paginé.

42. *Faust*, l'opéra de Gounod avait été créé le 19 mars 1859, sur un livret de Jules Barbier et Michel Carré.

43. Pierre ROUSSET, *Parodie de Faust* (Théâtre lyonnais de Guignol, Lyon, Dizain et Richard, 1895).

44. L'air de l'Acte I de l'opéra de Gounod est d'ailleurs repris de la tirade de Faust, dans la scène du cabinet d'étude.

45. *Faust-Parodien*, recueil de textes réunis par Waltraud WENDE-HOHEN-BERGER et Karl RIHA eds (Frankfurt-am-Main, Insel Verlag, 1989) [trad.].

46. On a ici, non une réduction de l'original de Goethe, mais tout au contraire une amplification burlesque et triviale de la scène dite de la « Taverne d'Auerbach, à Leipzig », dans le *Faust I* (*op. cit.*[33], pp. 93–106).

47. *Faust* (*op. cit.*[33]), p. 189.

48. *Faust II* (*op. cit*[33]), pp. 224–8.

49. ***, *La Nuit de Walpurgis, comédie politique du temps présent* (Paris, Michel Lévy frères, 1849).

50. *Faust* (*op. cit.*[33]), p. 113.

51. *Faust II* (*op. cit.*[33]), pp. 271–6.

52. On retrouve ici un souvenir du *Cain*, de Byron.

53. R. VON LAUN, *Mephistopheles über die Universitäten, eine Faust-Parodie* (Hamburg, C. Boysen Verlag, 1983), non paginé [trad.].

54. *Faust* (*op. cit.*[33]), pp. 84–91.

55. *Faust* (*op. cit.*[33]), p. 58.

56. Maurice BOUCHOR, *Le Faust moderne* (Paris, Charpentier, 1878).

57. Voir du même Maurice BOUCHOR, *Y a-t-il deux morales ?* (Paris, E. Flammarion éditeur, 1899).

58. A. CARRÉ, *Faust en ménage* (Paris, Choudens éditeur, 1923).

59. GHELDERODE, *op. cit.*[5], p. 248-9.

60. J. VARIOT, *La Drolatique histoire de Fauste le magicien* (Paris, Librairie théâtrale, Théâtre de tradition populaire, « Éducation par le théâtre », 1942).

61. E. SARDIN, Méphistophélès (Niort, Éditions de l'Ouest, 1932).

62. Le thème du diable trompé appartient aux lieux communs de la parodie diabolique héritée de la nouvelle de Machiavel, *L'Archidiable Belphégor*.

189

6

FAUST I ET *II* : UNE PIÈCE POUR LE FUTUR
à propos des mises en scène de
Christoph Marthaler, Janusz Wisniewski et Peter Stein

par Sieghild BOGUMIL

(Ruhr Universität, Bochum)

"Faust" sans fin

Lors du 250ᵉ anniversaire de Goethe en 1999, les mises en scène de *Faust* se sont multipliées. La pièce ne fut pas seulement jouée à Francfort, ville natale du poète, ou à Weimar, où Goethe vécut pendant cinquante-sept ans jusqu'à sa mort en 1832, mais on la montait un peu partout en Allemagne, entre autres à Brême, Magdeburg, Leipzig, Hanovre, Hambourg, Tübingen, Rostock, Cologne, Bielefeld, Göttingen... Cependant, la seule célébration de l'anniversaire ne justifie pas ce retour en force de la pièce qui s'annonçait dès 1990 avec la mise en scène de Wolfgang Engel à Dresde et devait se maintenir tout au long de la dernière décennie du XXᵉ siècle pour trouver un apogée avec la mise en scène de Peter Stein en l'an 2000 à Hanovre et Berlin. La célébration à elle seule ne justifie pas non plus la concentration des metteurs en scène sur le seul *Faust* au détriment des nombreuses autres pièces de Goethe, qui mériteraient aussi de nouvelles approches scénographiques. L'« année Goethe » aurait présenté une occasion propice. Mais aucune autre pièce du poète n'a attiré pareille attention, bien au contraire ;

beaucoup d'entre elles semblent reléguées dans les oubliettes de l'Histoire. La question qui se pose dès lors est de savoir d'où vient cet acharnement à se fixer sur cette pièce.

Une réponse toute faite vient immédiatement à l'esprit et risque d'empêcher toute réflexion nouvelle. Dans la mesure où elle véhicule un cliché profondément enraciné dans l'*opinio communis*, il est nécessaire de l'élucider comme tel dès l'abord et d'en finir une fois pour toutes avec cette idée propagée déraisonnablement. En effet, le *Faust* est en général considéré comme un sujet typiquement allemand, comme un thème qui exprime parfaitement l'« âme », l'« esprit », la « mentalité » allemands. Les Allemands eux-mêmes ont cultivé cette opinion. Richard Wagner parle du « "plus allemand" de tous les drames »[1]. Il le considère comme la « bible », comme un « livre sacré et symbolique »[2] pour lequel il réclame un lieu approprié, à l'instar du théâtre de Bayreuth qu'il avait créé pour ses propres opéras. Nous sommes en 1872, un an après l'unification allemande et au moment de la montée de l'idéologie nationaliste en Europe. Le terrain est donc favorable pour que l'appréciation de Wagner s'impose sans contestation. En 1911, Thomas Mann défend également le *Faust* comme « le plus haut et le plus authentique poème dramatique des Allemands »[3]. L'évolution historique allemande ne favorisa guère une révision du cliché. Au contraire, celui-ci fut propagé du temps du national-socialisme comme une vérité absolue et s'est maintenu ainsi jusqu'à l'après-guerre, voire jusqu'à l'époque actuelle. Cependant, force est de constater que le cliché est né lors de conditions historiques spécifiques qui n'existent plus et qu'il est désormais grand temps d'en finir avec ce lieu commun qui minimise l'importance de l'œuvre incommensurable du poète allemand au lieu de l'évaluer à sa juste mesure. La preuve que *Faust* dépasse la spécificité nationale est donnée par des metteurs en scène étrangers comme Antoine Vitez qui, avec sa mise en scène de 1981 à Paris, compte parmi ceux qui se sont chargés de désavouer l'aura de la pièce comme on l'avait fait en Allemagne depuis les années Soixante — l'aura non seulement de la pièce considérée comme hautement nationale, mais aussi celle d'une pièce dont la mise en scène de Gustaf Gründgens en 1957-58 semblait avoir paralysé la vie des adaptations ultérieures. Une preuve encore plus concluante de l'impact transnational de la pièce est la mise en scène de Giorgio Strehler au Piccolo Teatro en 1989-91 qui eut un succès retentissant. Le metteur en scène se servait précisément de la pièce de Goethe afin de présenter ce qu'il considérait comme le bilan de sa vie d'homme de théâtre.

La multiplication des mises en scène de *Faust* en Allemagne ces dernières années ne relève donc d'aucun désir ni besoin de « dépoussiérer » la pièce ou d'exposer le poète à une fureur iconoclaste, encore moins de le « réintrôniser ». Elle n'est redevable d'aucun préjugé idéologique, d'aucun cliché, voire d'aucun engagement sociopolitique comme cela fut encore le cas dans la mise en scène de Claus Peymann à Stuttgart en 1977. Le procès de la pièce — et de Goethe en général — est fait depuis longtemps, et l'on sait aujourd'hui saluer en lui notre contemporain. Face à cette situation, il est d'autant plus nécessaire de revenir à la question de savoir quelle est la raison de ces nombreuses représentations.

Un autre fait nous frappe et demande à être interrogé. Dans la plupart des cas, les metteurs en scène relèvent le défi de monter les deux parties de la pièce. C'est en effet un grand défi, car l'unité des deux parties ne s'impose pas d'emblée : l'une est une œuvre de jeunesse, l'autre une œuvre de la maturité, pourrait-on dire *grosso modo*, et des critiques universitaires défendent l'autonomie des deux parties. Goethe lui-même en a souligné la différence : alors que, dans la Première Partie, Méphisto conduit Faust à travers le « petit monde », dans la Deuxième Partie le « grand monde » est déployé devant lui dans « la plénitude des temps », à savoir « 3000 ans d'histoire depuis la chute de Troie jusqu'à la destruction de Missolonghi »[4]. Ce qui ressemble à des parallèles, comme la « Nuit de Walpurgis » dans la Première Partie et la « Nuit de Walpurgis classique » dans la Deuxième, ou les personnages de Gretchen et d'Hélène, ne se correspondent donc que de loin, et même Méphisto perd parfois sa dimension supérieure dans la Deuxième Partie. Il ne se sent pas à sa place parmi les figures de la mythologie grecque (vv. 7143–7145[5]), par exemple, ou même, il est obligé de laisser descendre Faust seul chez les Mères, et, à la fin, il est le trompeur trompé. Il s'amourache des anges, en particulier d'un « long garçon » (v. 11794), à qui il fait la cour d'une manière lascive, alors qu'entre temps les anges emportent l'âme de Faust au Ciel sans que le diable s'en aperçoive.

Au défi sémantique s'ajoute celui plus grand encore de la représentabilité. Goethe lui-même a conservé jusqu'à sa mort la Deuxième Partie dans ses tiroirs, considérant qu'elle ne pouvait pas être portée à la scène de son vivant étant donné qu'il la jugeait incommensurable et qu'il n'y avait pas de scène appropriée. Il voyait en *Faust II* une pièce écrite pour un temps futur. Aussi, après la mort de Goethe, tous les efforts se sont-ils concentrés sur la mise en scène de *Faust II*, *Faust I* ayant été représenté déjà du vivant du poète : une première mise en scène privée avait été réalisée en 1819 au château Monbijou à Berlin par le comte Brühl, avec l'accompagnement musical du Prince Radziwill, et fondée sur des remaniements du poète ainsi que sur un choix de textes fait par Brühl ; une deuxième mise en scène, publique cette fois, qui peut donc être considérée comme la Première mondiale de *Faust I*, fut montée à Brunswick en 1829. La même année — celle du quatre-vingtième anniversaire de Goethe — suivirent d'autres mises en scène de *Faust I*, dont la quantité étonna le poète. La Première Partie avait été publiée en 1808 ; vingt ans plus tard, elle commençait à porter ses fruits sur scène. La Deuxième Partie, en revanche, n'a été représentée pour la première fois, dans l'ensemble de ses cinq Actes, qu'en 1854. Mais les coupures et ratures du texte furent considérables, et il a fallu attendre la réalisation de Peter Stein en l'an 2000 pour que le texte intégral des deux parties de *Faust* soit présenté au public.

À ce tournant du XXIe siècle et particulièrement dans la dernière décennie du XXe siècle, on peut constater qu'après l'époque iconoclaste la pièce est soumise à des réalisations radicalement postmodernes dont l'effort pour apporter du nouveau n'est parfois que mal caché. Pourquoi cet envie de déchaînement sur scène à propos de cette pièce ? Pourquoi *Faust* ? Pourquoi ce désir de tout embrasser ? S'agit-il d'un simple jeu de hasard ? y aurait-il un rapport entre le changement de millénaire et la mainmise sur la pièce ? ou est-ce la pièce elle-même qui incite au dépassement ?

Certes, une relecture du texte lui-même à la lumière du XXIe siècle naissant pourrait apporter d'éventuelles réponses. Mais c'est surtout la pratique théâtrale elle-même qui permettra d'obtenir des éclaircissements car c'est la scène avec son langage propre qui invite aux lectures les plus éclatantes. Nous allons donc, dans un premier temps, présenter quelques mises en scène afin d'apporter certains éléments de réponse.

Parmi les nombreuses réalisations qui eurent un succès retentissant, celles de Christoph Marthaler à Hambourg en 1993, de Janusz Wisniewski à Düsseldorf en 1997 et, avant tout, celle de Peter Stein à Hanovre/Berlin en 2000 nous serviront de points de repère. Il s'agit, en effet, de trois approches du texte complètement distinctes, de trois conceptions scénographiques parfaitement différentes et de trois réalisations radicalement décisives où texte, scène et spectateur sont emportés dans un impressionnant mouvement des sens et de l'esprit que l'on peut qualifier lui-même de « faustien », tant il est vrai que ce mouvement aboutit à une recherche analogue du sens perdu. Ce choix devra ainsi permettre d'ouvrir l'éventail du défi épistémologique, esthétique et scénographique que les deux parties de *Faust* lancent aujourd'hui aux lecteurs ou spectateurs et aux hommes de théâtre.

Faust et après ?

En 1993 à Hambourg, Christoph Marthaler surprend, étonne, choque mais enthousiasme aussi avec un montage d'un peu moins de 200 vers tirés des deux parties de *Faust*. Il appelle sa mise en scène « Goethes Faust $\sqrt{1+2}$ ». Le titre évoque une concentration, une condensation, une sorte de régression à la source afin de dégager les fondements, le support significatif de la pièce. Il n'en est rien, et un titre tel que "Faust, et après?" aurait mieux rendu compte de l'entreprise particulière du metteur en scène suisse qui crée plutôt un nouveau *Faust* où il n'y a que quelques bribes de texte rappelant la pièce de Goethe. Car Marthaler montre Faust après son élan d'investigation et d'action. C'est un personnage fatigué d'avoir *lu tous les livres* et épuisé d'avoir parcouru tous les mondes possibles et imaginaires. Il a des difficultés à parler. Par endroits, il est incapable de prononcer un mot, comme lors de son entrée sur scène où il est censé se présenter en récitant son fameux monologue : « Philosophie, hélas ! jurisprudence, médecine, et toi aussi, malheureuse théologie !... je vous ai donc étudiées à fond avec ardeur et patience » (vv. 354sq.). Dans la mise en scène de Marthaler, Faust n'en trouve d'abord que les voyelles, qui en allemand sont : « Ae u, a ! iooie, / uieei u eii,... », et seulement petit à petit, il se souvient des consonnes et compose les mots de manière à ce que l'on comprenne à peu près le monologue quand il le répète. À la fin de la pièce, il s'arrête sur les seules voyelles du vers le plus connu de la pièce qui rappelle le pacte avec le diable : « Verweile doch ! du bist so schön ! » (v. 1700). Ce propos adressé à l'Instant n'est que balbutié : « eei eo ui oö ». L'état de faiblesse de Faust, toujours au bord de l'épuisement, le rapproche des figures de Beckett. L'homme plein de verve et d'élan, l'homme d'action de Goethe n'existe plus. Faust est au contraire un personnage qui a tout vécu, tout expérimenté, commente Marthaler dans une interview enregistrée en vidéo. Il est « rattrapé » par sa mémoire, il n'est lui-même qu'une mémoire qui, de plus, est « dramatiquement déformée », et elle le tourmente. Il faut réapprendre le texte au fur et à mesure et il faut se le remémorer comme l'un des personnages assis à l'un des quatre pianos enmurés jusqu'au clavier qui essaie en vain de se souvenir de la *Sonate au clair de lune* de Beethoven. Des séquences — car il n'y a pas de scènes — prennent parfois l'allure d'une classe d'école où les « élèves » doivent apprendre ou réciter le texte.

C'est le cas lorsque les quatre Gretchen récitent sagement et comme absentes l'inquiétude amoureuse qui les saisit après la rencontre avec Faust, la rencontre elle-même ayant été supprimée, bien entendu. Mais le texte lui-même est un montage constitué de différents propos de Gretchen dans la pièce. Une autre séquence répétitive est celle qui évoque le pacte de Faust avec le diable. Mot à mot, les personnages répètent la réponse que, chez Goethe, Méphisto donne à Faust lorsque celui-ci se moque du diable qui souhaiterait un contrat signé : « Le sang est un suc tout particulier. » (v. 1740). Chez Marthaler, un des personnages, hors contexte, « dicte » les mots aux autres, qui les répètent un à un. La mémoire s'autonomise et s'automatise pour s'autogénérer. Le texte éclate et se disperse d'autant plus facilement que, pour Marthaler, il est impossible de raconter aujourd'hui de « grandes histoires » comme celle de Faust. Car, dit-il encore, ce n'est plus un pauvre isolé qui est coupable, c'est le monde entier, nous tous sommes coupables. Le metteur en scène évoque des moments destructeurs : le Dadaïsme, la Première Guerre mondiale. Comme Faust, il semble être frappé d'aphasie et ne nomme pas la pire des destructions, l'Holocauste, mais il est vrai que l'atmosphère du spectacle rappelle cette époque. En revanche, Marthaler se réclame du Surréalisme, qui est une réalité pour lui. Il ne lui est donc plus possible de montrer le couple Méphisto (tout de blanc maquillé[6]), et Faust traversant ingénument le monde. La conception des rôles a également changé sous l'influence de l'Histoire. Les rôles sont interchangeables. À l'exception des deux pianistes, il n'y a que Faust qui garde le sien propre — ce qui demanderait cependant une explication, car Faust n'a plus rien en propre dans cette mise en scène. Il ne se distingue guère de Méphisto, par exemple, et il est aussi absent d'esprit que les autres personnages. Cependant, pour Marthaler, c'est particulièrement Gretchen qui est interchangeable, dans la mesure où il ne voit en elle que la femme qui doit servir aux aventures des deux « messieurs ». Méphisto se mêle à quatre autres personnages, qui représentent des « docteurs-chercheurs » ; la référence à la sombre atmosphère académique dont se moque

Goethe dans la pièce et à la tentative de Wagner de créer, dans la Deuxième Partie, un nouvel homme, Homunculus, est évidente. Tantôt debout, tantôt assis à des tables, ils étudient des poissons desséchés. Le commentaire de Marthaler en donne une fois de plus l'explication : « Au fond, c'est comme ça, tout est desséché. Mais ils doivent conserver ces poissons et en isoler les gènes et étudier ces poissons afin de les remettre à l'eau au cas où il y en aurait à nouveau. L'espoir existe. » Et Marthaler d'évoquer l'atmosphère d'un asile psychiatrique. En effet, l'enfermement des personnages dans un lieu clos d'où l'on ne peut sortir — le metteur en scène parle de « cellule » —, le rire idiot des « docteurs-chercheurs » et leurs gestes infantiles y font clairement allusion. Ce sont des personnages délaissés et desséchés comme les poissons eux-mêmes et qui ont besoin d'aide ; or, personne n'est là pour les secourir. Ils sont pour Marthaler à l'image de la société telle qu'il la perçoit en Suisse, ainsi qu'il le dit. Les gens vivent dans une sorte de torpeur. Faust et Méphisto parlent et déambulent parmi eux. Ils sont intimement liés à ce monde comme le sont aussi les Gretchen étendues ou assises sur un lit qu'elles quittent de temps en temps pour se mêler aux autres personnages. Tous ces groupuscules forment comme un petit monde perdu, délaissé, en attente de pouvoir sortir de leur cellule et de naître ; en attente de vivre, comme Homunculus. Il semble y avoir un désir de retrouver d'autres cellules qui paraissent exister quelque part pour former à nouveau un tout. Quelques rares signes indiquent qu'un *dehors* existe. Au milieu de la scène se trouve un escalier par lequel Méphisto tente de sortir de temps en temps. Mais les autres personnages l'en empêchent. Parfois, on peut entendre le bruit d'un ascenseur. Alors, tous se retournent vers les portes de l'ascenseur au fond de la scène et écoutent attentivement, les yeux levés dans une attitude qui exprime l'espoir que le cauchemar finisse. Ou bien, on entend la musique d'un des pianos mais qui vient comme de loin, comme si elle venait d'une autre cellule. « Tout est possible, dit Marthaler, une cellule qui plane quelque part et où tout se répète. Cela a bien affaire avec la science-fiction. » Cependant, ces lueurs d'espoir sont de brève durée. La pièce baigne dans une atmosphère de « fin de partie ». En effet, là où l'espace transcendant est occupé par un ascenseur, il n'y a pas d'issue.

Le jeu est rythmé par la musique. La pièce de Satie *Vexation*, jouée, comme le prévoit le compositeur, « infiniment » sur les quatre pianos emmurés, a l'effet d'un point d'orgue qui signale le hors-temps du jeu. Cette musique n'est interrompue que pour faire place à des « morceaux » célèbres de l'héritage musical allemand. La *Sonate au clair de lune* déjà mentionnée ; à un certain moment, tous les personnages chantent le chœur des chasseurs du *Freischütz* de Weber, le chœur du *Fliegender Holländer* ou le *Ave verum corpus* de Mozart. Faust chante *Du holde Kunst* de Schubert, et *Oh du holder Abendstern* de Wagner. Ces « morceaux choisis » font partie des bribes de souvenirs dont le texte est composé : des citations de *Faust*, du marquis de Sade et d'autres. Cela remonte comme d'un fond d'oubli, de manière imprévue, chaotique, à l'instar de la mémoire incontrôlée.

Ce n'est que lorsque tous chantent en chœur qu'un peu de mouvement et de vie anime la scène qui sombre plutôt dans la léthargie et dans l'épuisement qu'apporte Faust. Le héros de Goethe ne cherche qu'à dormir chez Marthaler, et il dort en effet beaucoup, par exemple pendant que c'est au tour des autres de jouer. L'effet est une pesante lenteur du jeu. Elle est, pour Marthaler, une révolte contre la « force centrifuge » qui catapulte l'homme toujours plus loin, alors que d'autres restent en arrière et sont exclus. Ce sont eux qui intéressent le metteur en scène et qu'il a mis en scène. Faust fait partie de ceux-là ainsi que Méphisto. Mais le rythme lent intéresse Marthaler aussi en tant qu'élément musical de l'écriture scénographique qui laisse aux comédiens le temps d'*être-là* tout simplement au lieu d'agir. Le metteur en scène demande aux comédiens d'être sur la scène sans rien faire, d'être ce qu'ils sont sans jouer, sans bouger. Par conséquent, Faust ressent une forte nausée lorsqu'il « se souvient » d'un de ses propos les plus significatifs chez Goethe : « tant que je suis je dois être actif ». Jusqu'au plus petit détail de la mise en scène, le *"Faust"* de Marthaler est un "anti-*Faust*".

Faust, Christ et l'art total —
une mise en scène de Janusz Wisniewski

Le poète polonais Janusz Wisniewski a créé en 1997 à Düsseldorf une mise en scène du *Faust* de Goethe non moins étrange que celle de Marthaler, mais qui a été reçue avec bien moins de reproches par la critique. Elle était aussi grotesque, aussi surréaliste, mais cet effet fut le résultat de moyens dramaturgiques et scénographiques opposés à ceux utilisés par Marthaler. Alors que celui-ci insistait sur la lenteur, Wisniewski met l'accent sur la rapidité. Sa mise en scène, qui est un montage du *Faust* entier de Goethe, ne dure qu'une heure. La scène n'est jamais vide, les séquences se suivent à la manière d'une revue et avec une rapidité éblouissante. Ce seul fait prouve que ce *Faust* est aussi une réécriture de la pièce du poète allemand.

Un autre trait de cette mise en scène est son caractère artificiel qui transforme tout, et en premier lieu les comédiens. Ceux-ci ne ressemblent plus à de véritables personnages mais plutôt à des poupées vivantes ou à des automates. Mêlées à eux se trouvent de véritables poupées surdimensionnées dont ils ne se distinguent presque pas, tant les comédiens aussi ont l'air fantomatique et irréel. On dirait que leurs maigres corps sont aussi empaillés. Wisniewski réussit ainsi à mettre en scène la corporéité elle-même. Il se réfère au récit de Bruno Schulz, « Traktat über die Mannequins oder das zweite Buch Genesis »[7] (« Traité des mannequins ou le deuxième livre de la Genèse ») où l'auteur souligne la qualité mystique de la matérialité du corps. Les costumes renforcent cet effet. Ce sont des vêtements de fripiers, de marchands forains qui donnent à tout cet assemblage de personnages et de poupées un air de gens du cirque. Même des personnages habillés « normalement » en costumes de théâtre, comme Faust, Gretchen ou Méphisto, semblent comme artificiels à côté de ces poupées, alors que les poupées prennent une apparence de comédiens réels. Cela est d'autant plus vrai qu'elles sont intégrées au jeu. Il n'y a pourtant pas de dialectique entre l'artificiel et le réel ; le caractère artificiel prédomine et un air de mort émane de la scène qui rappelle la théorie du « théâtre de la mort » de Tadeusz Kantor. L'influence en est manifeste ici. Mais l'imagination ne stagne pas, bien au contraire. On se souvient du traité des *Poupées* de Rilke. Le poète allemand fait ressortir leur manque de fantaisie sans fond, mais, dit-il, c'est précisément ce qui éveille en nous une imagination intarissable. De la même façon, les poupées mêlées aux personnages emplissent la scène d'une vie imaginaire qui ouvre aussitôt l'espace au-delà de la frontière de la mort. Car elles transmettent « le silence plus grand que vie », selon la formule de Rilke, « qui, plus tard, soufflait de l'espace jusqu'à nous chaque fois que nous nous approchions quelque part de la frontière de notre existence. »[8]. Plus que la Mort qui se trouve entre autres parmi les personnages vivants et qui tient une faux dépassant largement toutes les têtes, ce sont ces poupées qui « personnifient » l'idée de la *vanitas*, qui rappellent que l'homme est mortel, qu'il est abandonné et que la matière a été violée, comme le remarque Bruno Schulz, qu'elle a été fort mal traitée au point d'être méconnaissable à elle-même. D'autres personnages imaginaires, maquillés de manière excessive, peuplent la scène : parmi eux un directeur de théâtre ou de cirque habillé en blanc, un ramoneur représenté par une femme[9] et un soldat en costume napoléonien avec des gestes saccadés d'automate. Le Directeur apparaît de temps à autre afin de présenter et surtout de commenter les scènes. Il fait des remarques, en particulier à propos des séquences montrant Gretchen et Faust, et s'exclame de manière ironique et stéréotypée : « L'amour ! » ou bien « Qu'est-ce que l'amour ? », comme s'il avait une connaissance plus profonde de la vie. Il est, pour ainsi dire, la figuration du théâtre qui se réfère à lui-même ; en lui s'expose le côté artificiel de l'art. En même temps, son apparition irrégulière scande les séquences. D'autres éléments rythmiques, comme la musique, des répétitions textuelles, des rapports réciproques entre les séquences s'ajoutent comme autant de moyens d'organisation d'une suite d'images qui semble de prime abord parfaitement chaotique. Pourtant, le fil narratif que l'on trouve dans la pièce de Goethe est bien plus visible chez Wisniewski que chez Marthaler. Des fragments de l'histoire de Gretchen lui servent de fil conducteur autour duquel se tissent en filigrane d'autres effets de sens apportés par d'autres événements, images et textes insérés de manière à ce que le fil se relâche et se casse. C'est dire que, malgré une apparence de chronologie, il n'y a pas de hiérarchie. Tout se déroule au même niveau de signifiance produite par le montage, autre moyen dramaturgique de mise en scène. Des citations du *Faust* se confrontent avec des textes de la Bible, de Hölderlin, de Rilke ou avec de brefs propos inventés comme ceux du directeur de théâtre. La référence à la peinture ouvre également une dimension signifiante. Ainsi, allusion est faite à la *Cène* de Léonard de Vinci. Le tableau sert de référence pour la disposition des personnages dans la « Taverne d'Auerbach ». Au milieu d'un groupe de dix buveurs composé de personnages issus de la Première Partie de *Faust* et d'autres figures imaginaires, Faust est assis au milieu d'eux avec la même expression que le Christ sur le tableau de Léonard de Vinci, le regard absent transfiguré. Lorsque Méphisto lui tend un verre de vin, il se ranime et voue sa vie à la jouissance, récitant des vers de la scène du pacte avec le diable. Le pacte lui-même a été conclu antérieurement, mais sans que Faust y prête attention — signer avec son sang ne l'intéresse pas —, scène qui, de plus, n'est jouée que de manière allusive. Rien ne semble l'atteindre et ce n'est que le vin procuré magiquement par Méphisto qui l'éveille, signe que tout ce qui se passe sur la scène relève d'un état d'ivresse ou plus généralement de l'imaginaire de Faust. Goethe décrit ainsi la naissance de *Faust* dans la « Dédicace » : « du brouillard » surgissent des « illusions » (textuellement : « des figures chancelantes ») qui agitent sa poitrine d'un rajeunissant « souffle de magie » et qu'il s'efforce de « fixer » (vv. 1 sq.). Comme chez Marthaler, toutes les figures, Faust inclus, sont des produits de la mémoire, mais, chez Wisniewski, elles affichent trop leur caractère imaginaire pour pouvoir jamais atteindre le degré de réalité sociale concrète qu'elles ont chez le metteur en scène suisse. À la rigueur, il serait possible de les prendre, fantastiques qu'elles sont, pour des délaissées de la société telles que Brecht les avait conçues dans son *Opéra de quat' sous*, si l'arrière-plan d'une vie économique concrète était présent, mais celui-ci aussi est oublié, pourrait-on dire, et l'oubli ne fait qu'accentuer leur caractère fictif. Ces figures font plutôt l'impression de personnes sur de vieilles photos, parfaitement artificielles et complètement distanciées.

Ce mélange fantastique de personnages connus de l'histoire de Faust, de figures imaginaires et de poupées apparaît en alternance avec des séquences évoquant des moments de la vie de Faust. Tout ce groupe d'un autre monde, dirait-on, figures d'une "Nuit de Walpurgis diabolique", ne se distingue pas seulement des séquences évoquant le cheminement de Faust par leur aspect fantastique ou par leur nombre, mais avant tout par la référence faite au chemin de croix du Christ. En effet, du début jusqu'à la fin, cette foule prend la forme d'une procession qui suit le Christ dans sa montée au calvaire. La première image montre la foule parlant en choeur ou criant à haute voix ; chacun se lamentant sur soi-même en suivant le Christ qui porte la croix. La séquence suivante montre la procession accompagnant le corps du Christ — l'image représente une anticipation de sa mort — et, à la fin, tout le monde entoure le Christ crucifié. Le choc des images se référant à l'histoire de Faust et à la Passion du Christ est trop grand pour que l'on reconnaisse tout de suite que la succession s'entend plutôt comme une superposition simultanée. C'est au fur et à mesure du déroulement de la pièce que l'on s'aperçoit des rapports de sens produits par un travail de déplacement, de dissémination, d'oppositions ou de combinatoire insolite et que l'on reconnaît la mise en parallèle entre le cheminement de Faust et celui du Christ.

Afin de mettre en évidence la complexité et la subtilité du montage, le début et la fin de la pièce peuvent être cités en exemple. Avant que la lumière ne s'éteigne dans la salle, on peut entendre un bruit presque imperceptible comme celui d'une averse. Il s'arrête après un moment, à peine remarqué par des spectateurs encore inattentifs. Un instant plus tard, le rideau se lève. Le Directeur de théâtre apparaît et présente un bref prologue qui est un arrangement du « Prologue sur le Théâtre ». Suit un montage du « Prologue dans le Ciel » qui combine des parties de louanges chantées par trois archanges des chœurs à la fin du *Faust II* avec des passages tirés du pari entre Dieu et Méphisto pour supputer si Faust chutera ou non. Le Directeur de théâtre annonce finalement la pièce qui commence de manière tout à fait surprenante et apparemment incohérente avec la procession suivant le Christ qui porte la croix. En un mouvement lent, le groupe avance, du fond de la scène jusqu'au devant, criant et se lamentant, alors que le soldat napoléonien de petite taille et aux mouvements saccadés d'automate se détache de la procession au pas de parade et dessine sa propre voie. « Dessiner » est le terme exact, car tous les mouvements sont soumis à une organisation chorégraphique stricte de la scène et sont calculés et exécutés avec une précision minutieuse. Méphisto scande les cris de la procession d'un rire de dérision. L'image est d'autant plus incompréhensible qu'elle reste d'abord isolée, puis Faust entre en scène. C'est seulement après plusieurs séquences évoquant l'itinéraire de Faust que réapparaît la procession qui suit le corps du Christ. Grâce à la répétition ou à la variation, on reconnaît le chemin de croix avec ses stations, la superposition des deux cheminements et la mise en abyme du chemin de Faust devient manifeste. Mais on reconnaît aussi que, dès le début, avant même que le cheminement de Faust ne commence, son histoire, et l'Histoire en général, est plongée dans une lumière ironique et destructrice. L'ironie, voire le sarcasme ressort comme un trait significatif de la mise en scène. Il détruit tout sentiment humain à sa naissance même, comme par exemple l'amour de Faust mais aussi son aspiration à la connaissance. Le soldat, qui trace son propre chemin tout en étant lié à celui de la procession et du Christ, est un moyen de replacer l'image religieuse ou simplement humaine dans l'histoire pour rappeler que celle-ci se résume en un chemin de croix. Comme Méphisto, il disparaîtra dès la deuxième séquence qui se réfère à la Passion ; les signes, dirait-on, sont assez forts et il suffit d'une fois pour rappeler la raison profonde de la souffrance de l'homme et de la futilité de ses aspirations. Dès lors, le sens universel prend le dessus.

L'image de la fin comporte une multitude non moins grande d'effets de sens. Même si le spectateur s'était aperçu du bruit de la pluie au début, il l'aurait vite oublié face à cette avalanche d'images fortes qui l'immerge. Cependant, ce bruit se fait réentendre avant la fin de la pièce de la même manière, presque imperceptible, qu'au début alors qu'il neige sur la scène et que Méphisto versifie : « März, August, Dezember, Mai, / Die Erinnerung ist vorbei » (« Mars, août, décembre, mai, / la mémoire est passée »). Le spectateur est trop préoccupé du rapport de sens entre l'image et le texte pour s'apercevoir du bruit de la pluie et encore moins pour le rapporter à ce même bruit du début. Pourtant, Janusz Wisniewski a ainsi jeté un pont partant du jaillissement de la mémoire, liquifiée pour ainsi dire, dans la « Dédicace » jusqu'à la mémoire à nouveau figée sous la neige, la neige de l'oubli ou de la fin du moment créateur. Le bruit de la pluie qui accompagne la chute de la neige indique qu'il s'agit bien d'une variation du début. Cette séquence prélude à la séquence finale de la pièce. Celle-ci se concrétise dans un triple mouvement en parallèle avec la triple ouverture, non sans qu'auparavant référence soit faite au Baccalaureus de Goethe devenu un nouvel homme de la raison. La triple fin s'articule autour du Christ crucifié (et de son cri de détresse : « Mon Dieu, mon Dieu, pourquoi m'as-tu abandonné ? »), de Faust perdant la vue (et de sa mort ainsi que celle de Méphisto) et d'Homunculus qui, dans une séquence appelée « Le dernier jugement », prie pour que Faust soit reçu parmi le chœur des bienheureux. L'image de cette toute dernière scène est bouleversante dans sa nudité au sens propre du terme. Les comédiens, nus, apparaissent à moitié visibles derrière des poupées qu'ils tiennent fixées sur des bâtons devant eux. Des chaussures sont attachées aux mains des poupées qui couvrent le sexe des comédiens. Une fois de plus, le choc entre image et texte est extrêmement grand et l'on ne peut que supputer le sens à attribuer à cette image, à l'instar de celle du

Christ : c'est à l'évidence celui de la fin du cheminement de Faust, de la seule nudité qui lui reste après tant d'aspirations et d'actions, une illustration de ses souffrances.

Les effets de sens se détectent en suivant minutieusement les répétitions, les rapports métonymiques et les « reflets réciproques ». Le spectateur est ainsi conduit d'énigme en mystère et de mystère en effets de sens. Cependant, ce *Faust* est loin d'être un théâtre pour une élite intellectuelle qui prendrait plaisir à déceler les références, les rapports internes, les significations des figures. Ce théâtre parle d'abord aux sens du spectateur : par la richesse impressionnante des images, leur décor fantastique et la lumière mystifiante qui les baigne ; par l'accompagnement musical auquel s'associent les voix rythmées adjointes aux mouvements cadencés ; et surtout par l'arrangement chorégraphique des séquences. Tous ces éléments agissent de façon autonome et se confondent en même temps pour transformer le théâtre en un art total qui frappe les sens et l'esprit du spectateur avec une intensité et une violence inattendues. On assiste à ce spectacle comme emporté dans un état d'ivresse.

Peter Stein : une approche de l'incommensurable

Goethe imaginait une « très grande scène [...] presque impensable »[10] pour réaliser des scènes comme celle de la « Nuit de Walpurgis classique » dans la Deuxième Partie de *Faust*. Stein suit cette idée dans sa mise en scène. Un hall d'exposition à l'Expo 2000 à Hanovre lui sert de théâtre — il est si grand que les employés s'y déplacent souvent sur des patins à roulettes. À Berlin, l'espace théâtral où la pièce est ensuite représentée est aussi un immense hall industriel. Cet espace se répartit en des lieux scéniques variables vers lesquels les spectateurs sont invités à se déplacer après des pauses fréquentes. Goethe imaginait-il la mise en scène du texte *intégral* de *Faust* ? Stein a réalisé cet exploit pour la première fois. La représentation dure à peu près vingt-trois heures. Tout est immense dans cette mise en scène : le lieu, la durée, la beauté du décor qui, avec ses éclats de couleurs, ses arrangements scénographiques et ses richesses de costumes rappelle certaines des plus prestigieuses mises en scène d'Ariane Mnouchkine, en plus grandiose. Ici tout est encore plus riche, parce que tout est gigantesque.

Immense est aussi le travail sur le langage, car le texte contient d'énormes difficultés non seulement en raison de la langue qui est celle d'une autre époque (ce qui signifie toujours que l'on a affaire à un vocabulaire, une syntaxe plus ou moins différents et à un rythme souvent insolite pour des oreilles modernes), mais le travail effectué par Stein sur le langage est aussi considérable parce qu'il a su surmonter l'obstacle de la rime. Celle-ci ajoute à la difficulté de la prononciation, d'autant plus que l'on y trouve des vers extrêmement connus devenus presque des proverbes. Le metteur en scène a donc travaillé la rime, le rythme, l'enjambement, bref tous les éléments du vers pour éviter, d'une part, la platitude ou le ridicule et pour accentuer, d'autre part, le côté artificiel de la représentation. Car le spectateur doit se rendre compte que tout relève de l'art et de l'artifice. La plus grande difficulté vient cependant du fait — et cela concerne particulièrement la Deuxième Partie — que le texte est parfois empreint d'obscurité. Pour y faire face, Stein insiste sur une prononciation formaliste qui provoque des effets de sens au lieu de livrer des interprétations toutes faites. Il demande aux comédiens de s'appuyer sur la structure de l'énoncé et, plus précisément, sur la reconstruction de la structure grammaticale du vers. Ou bien il organise les pauses pour donner vie à l'énoncé pétrifié par le temps. «Mettre en scène, dit-il, signifie introduire quelques pauses. De toute façon, l'on ne peut faire davantage.»[11]. Ainsi a-t-il en effet réussi à élucider les 12110 vers. On dirait que le texte est devenu parfaitement limpide, transparent. C'est en effet un exploit considérable.

Une question se pose cependant : pourquoi Stein élabore-t-il un cadre aussi gigantesque ? Goethe l'a guidé, mais ce n'est pas une raison suffisante. N'aurait-il pas pu se contenter de mettre en scène l'intégralité du texte sans plus ? L'homme de théâtre donne la réponse lui-même dans son récit de la naissance de la mise en scène[12]. Il avait commencé à lire la pièce à l'âge du lycée et il avait été enthousiasmé par la Première Partie — comme tous les jeunes Allemands, il faut bien le dire — alors que la Deuxième Partie lui a été beaucoup plus difficile d'accès — comme c'est toujours le cas pour la plupart des lecteurs[13]. Même à l'âge d'étudiant, l'œuvre lui resta incompréhensible. Il lui fallut toute sa vie, sa vie d'homme de théâtre aussi, pour enfin trouver l'accès à l'œuvre, comme il avait fallu à Goethe toute une vie pour l'écrire. Stein reconnaît alors que *Faust II* en particulier est la somme du poète, et le désir naît en lui de mettre en scène, avant tout, la Deuxième Partie. Cependant, il dut se rendre à l'évidence qu'afin de déployer tous les thèmes que l'on y trouve, toutes les idées, la structure intrinsèque, la diversité générique, le métadiscours théâtral, les références à la Première Partie, en un mot la signifiance de *Faust II*, il était obligé non seulement de mettre en scène les deux parties mais aussi de « prendre au sérieux » et de suivre méticuleusement les propositions de Goethe dans les didascalies, en particulier en ce qui concerne les différents espaces du jeu. La pièce démesurée elle-même exige donc l'énormité de la représentation ; plus précisément, c'est la conception des espaces, réel et imaginaire, qui l'impose. L'espace de la pièce en fait un drame du monde extérieur et intérieur de l'homme qui demande une aire de jeu mobile et ouverte transportant le spectateur en un clin d'oeil d'un lieu réel à un lieu mythique ou tout simplement imaginaire. De plus, Stein s'est rendu compte que, selon les didascalies de Goethe, il y a aussi un changement constant du rapport spatial entre l'aire du jeu scénique et le lieu des spectateurs. Autrement dit, le lieu théâtral lui-même est inclus dans le mouvement perpétuel. Il fallait dès lors une scène multifonctionnelle et immense pour faire face à l'ensemble des différents changements incessants. Le projet de Stein, préparé et élaboré longtemps à l'avance, a paru tellement hors norme que le metteur en scène n'avait pu trouver ni le lieu ni l'argent pour le réaliser. C'est seulement grâce à la Direction de l'Expo 2000 à Hanovre, qui s'est intéressée au projet, qu'il a pu enfin trouver des sponsors et les lieux appropriés.

Face à un si vaste concept, l'impatience de voir la mise en scène de Peter Stein créait une tension extrême. On pouvait assister à un véritable théâtre total où non seulement différents arts sont intégrés — la musique, la chorégraphie, la peinture à laquelle se réfèrent certaines dispositions de scènes —, mais où, en outre, le public fait partie intégrante dans la mesure où il est constamment obligé de changer de lieu scénique. Les spectateurs sont ainsi conduits de scènes de formes plutôt classiques à des plateformes placées au milieu d'eux, face à eux, flanquées par eux, à des scènes doubles qui se font face et que relie un couloir formé par ces mêmes spectateurs. L'action peut encore avoir lieu au milieu d'eux et ils font alors partie de la foule de la pièce. Ils sont debout, assis, c'est selon. Au total, dix-huit arrangements scéniques différents sont mis en œuvre et les spectateurs accompagnent les changements à travers le grand hall — jusqu'à ce que fatigue s'en suive... Pourtant, l'esprit du spectateur est maintenu en état d'attention : on est emporté par le mouvement, il est vrai, mais aussi par la polyphonie de la langue de Goethe que Stein a su mettre en évidence. Il en fait entendre la grande diversité de ton où se reconnaissent par endroits les voix, le rythme des plus grands poètes. Les univers de Schiller, de Hölderlin, de Shakespeare, des Romantiques allemands jaillissent comme des éclairs par moments. La polyphonie des mètres et des strophes, le vers blanc, le tétramètre, le madrigal, le lied, la chorale ou même le tercet de Dante élargissent encore les mondes à imaginer[14]. La forme du texte en elle-même présente un opéra féerique, dirait-on, et il n'est que conséquent que la Deuxième Partie se termine sous la forme d'un véritable opéra pour lequel Goethe aurait souhaité Mozart comme compositeur. De plus, le spectateur traverse, au fil des souvenirs qui émergent par fragments du fond de l'oubli, des milliers d'années d'histoire et des univers imaginaires qui s'étendent de la mythologie la plus reculée des « Mères » jusqu'à l'imaginaire religieux le plus présent.

Un autre élément dramaturgique qui tient le spectateur en état de concentration permanente est la richesse intarissable des images ou des tableaux vivants. Tout est en mouvement ici aussi, car les scènes se suivent à la manière des « numéros » d'une revue. C'est, en effet, le principe de construction intérieure que Stein a discernée à travers la macrostructure cyclique où les cercles, précise-t-il, se superposent en forme de spirales. Par cette suite de scènes s'installe comme une fête des couleurs, de l'éclat, de la beauté. C'est la fête de l'art et de l'artifice. Elle est d'autant plus impressionnante que le principe dramaturgique de Stein est la visualisation du texte. Rien n'est dit qui ne soit aussi transposé en image. Ainsi Faust, qui se trouve dans la cuisine de la sorcière où il sera rajeuni, voit-il dans un miroir l'image d'Hélène. Comme dans le tableau de Velazquez *La Vénus au miroir*, elle lui tourne le dos et ce n'est que par moments qu'il peut voir son visage dans le miroir à travers un brouillard. L'atmosphère fantastique et magique de la cuisine, avec les quatre guenons et les machinations de la sorcière, rappellent à leur tour un tableau de Brueghel l'Ancien intitulé *La Tentation de saint Jacques* (on suppose que Goethe s'est servi de ce modèle pour cette scène). Ou bien, on retrouve dans les illustrations de William Blake et de Botticelli pour la *Divine Comédie* de Dante l'idée de la spirale qui, chez Peter Stein, descend, à la fin de la pièce, lentement du Ciel jusqu'à la Terre. Tout à fait dans le sens de Goethe qui s'étonnait lui-même de l'actualité ininterrompue de la « matière de Faust », ces renvois confèrent une densité historique à l'ouverture universelle du drame alors qu'en même temps la vie particulière d'un homme est transposée en une expérience de portée générale. L'autoréflexion des images ajoute à l'approfondissement du sens. Il y a des rappels, des reflets constants qui s'étendent comme un métalangage visuel par-dessus le texte. La grande spirale qui descend du Ciel à la Terre, par exemple, rappelle le Ciel du début où elle se présente en cercles métalliques brillants comme des sphères planétaires. Les trois archanges louant la Création et la pensée insondable de Dieu s'y déplacent lentement, à peine visibles, et la voix de Dieu y retentit. À la fin, une foule d'anges, de bienheureux, de pénitentes monte et descend lentement la spirale. Entre cercles et spirale, le spectacle est comme encadré. D'autre part, la spirale rappelle le chemin en zigzag par lequel toutes les sorcières et les autres figures fantasques cherchent à monter au sommet du Brocken, la demeure de Satan. On peut y reconnaître une déformation de la spirale qui évoque la chute de Lucifer dont avait parlé Méphisto au début de la pièce. Tout est ici, dans la « Nuit de Walpurgis », à l'image du chemin en zigzag, dépravation et obscénité, alors que la spirale relie les diverses régions du pur amour. Dans la « Nuit de Walpurgis » tout est effort vain de monter ; on tombe, on s'arrête à mi-chemin, on est dans l'obscurité. L'image finale, en revanche, baigne dans une douce lumière dorée connotant l'atmosphère d'une grâce illimitée, et tout plane dans un mouvement léger descendant/ascendant entre Terre et Ciel. Les oppositions, grâce à la clémence de Dieu, sont réconciliées.

C'est de cette manière directe que Peter Stein cherche à visualiser le texte et les idées exprimées explicitement, car il n'y a pas d'interprétation, c'est-à-dire pas d'herméneutique, il n'y a que visualisation. Parfois, celle-ci est directe, jusqu'à emprunter à un naturalisme à première vue simpliste. Ainsi du véritable caniche qui apparaît sur la scène pour se transformer en Méphisto comme au vieux temps du théâtre, antérieur à l'époque théorique de sa théâtralisation. On peut aussi citer en exemple la « gueule de l'enfer » amenée sur la scène par une machinerie, objet féerique gigantesque à faire peur aux enfants, et d'où sortent quelques diables pour saisir l'âme de Faust. Stein n'invente rien, il visualise le texte et obéit aux didascalies de Goethe. Pour donner un dernier exemple, on peut se référer aux images qui suivent la mort d'Hélène. Hélène disparaît et Faust ne garde d'elle que sa robe entre les mains. Les Chorétides l'en enveloppent de telle manière qu'il ressemble à une chrysalide et il est emporté ainsi hors de la scène. Comme le texte et les didascalies le disent, les vêtements l'emportent vers des hauteurs lointaines au-delà de tout ce qui est commun. Au début de l'Acte suivant, Faust apparaît en effet sur les hauteurs d'une montagne abrupte en train de se défaire de ces vêtements qui disparaissent comme un nuage se déformant sans cesse. C'est un grand pas de gagné dans son cheminement où le pousse son aspiration inassouvie. Faust l'énonce en des termes symboliques : des rais de brouillard matinal se transforment en une délicate image de femme, « elle s'élève dans l'éther, / Emportant avec elle le meilleur de moi-même. » (vv. 10065-10066). Méphisto commente dans son langage ironique-réaliste : « Voilà ce que j'appelle bien marcher ! » (v. 10067), et Peter Stein met en image hyperréaliste ce que la disdacalie indique : « Une botte de sept lieues arrive d'un pas lourd. Une autre suit aussitôt. Méphistophélès met pied à terre. Les bottes poursuivent rapidement leur chemin ». En effet, pendant que Faust se défait de ses vêtements, deux bottes de sept lieues apparaissent l'une après l'autre à peu d'intervalle ; Méphisto en sort et les bottes poursuivent leur chemin, seules.

Ces décors perdent leur naïveté apparente dès que l'on replace les images dans le contexte scénographique. L'ampleur du lieu scénique à elle seule apporte un premier effet d'étrangeté (Peter Stein a particulièrement travaillé le lieu scénique ; c'est un des éléments dont il se sert pour structurer l'ensemble et rendre plus clair le sens, surtout de la Deuxième Partie.) Cet effet est produit aussi par l'artificialité exagérée ou, au contraire, par le naturalisme outré, comme c'est le cas pour le caniche. À tout moment se font sentir le plaisir du jeu, le plaisir de la construction, le plaisir du théâtre comme art. Ils transforment les images en un immense champ d'associations, autrement dit en un lieu de production de sens. Il faut y ajouter le dialogue des images entre elles et la polyphonie du texte décrits dans ce qui précède. Tous ces éléments scénographiques et dramaturgiques concourent à déchirer la ligne d'horizon de la perception et à ébranler les idées reçues d'une possible signification du texte de Goethe, mais aussi d'une possible écriture scénographique. En effet, Stein utilise d'anciennes formes scénographiques, une fois de plus apparemment primaires, comme lors du rajeunissement de Faust. Par une simple porte battante, il produit le changement sur scène : le Faust âgé sort par un battant et le Faust rajeuni est ramené par l'autre. Le geste est exécuté avec une telle désinvolture que l'apparente naïveté s'inverse dialectiquement en un effet naturel au milieu d'une scène surnaturelle. Ainsi l'esprit du spectateur est aussi fortement mis en mouvement que les images scéniques elles-mêmes. Il est invité à réviser ses connaissances et ses expériences, à réactiver sa mémoire, à poursuivre les allusions à travers tout le spectacle, il prend lui-même un bain de jouvence.

Ces images ne sont que quelques exemples de l'ensemble impossible à décrire tant elles sont liées entre elles, s'appellent, se changent, se fuient, ouvrent l'espace et le referment, sont hyperréalistes ou parfaitement fantasques, ironiques, humoristiques ou dénomment simplement avec précision. Tout jusqu'au plus petit détail fait partie du grand ensemble dont même les grandes lignes sont difficiles à garder constamment à l'esprit, tant elles se dispersent, se croisent, se déplacent pour se rejoindre ailleurs et mener le jeu de l'imbroglio infernal. On peut reprendre la description d'un critique pour résumer l'impression générale de la mise en scène de Peter Stein :

« Le temps avec son avant et son après disparaît, se dissout en des moments, que nous nouons dans la mémoire — chacun pour soi et chacun d'une autre manière, ce serait une analogie à l'expérience de l'art aujourd'hui — à des correspondances d'images, à des inversements d'images. Ce que nous avons vu une fois change constamment au regard retourné des reflets répétés, c'est une fluctuation permanente. Ici on n'est pas au diapason ; ici on joue du théâtre et on en montre les moyens. Il y a là un constant basculement et glissement de la sévérité à la réfraction ironique et inversement dans une réflexion infinie. Tout est simulacre et illusion, tout est artificiel et pourtant on ne peut pas plus réel comme seulement l'art peut l'être. »[15]

En visualisant le texte de Goethe d'une manière que l'on peut dire fidèle au texte au sens large du terme, le metteur en scène réussit à transmettre une idée de ce que, pour le poète, signifie l'art et plus particulièrement la Poésie. C'est elle qui dans la « Mascarade » conduit le chariot de Plutus, le dieu de la richesse caractérisé par « la joie pure [...] à donner » (v. 5558), elle y est présentée comme son égale. La Poésie aussi est « la prodigalité » qui trouve son aboutissement chez « le poète qui se parfait / Quant il prodigue son bien le plus intime. » (vv. 5574-5575 sq.). Face à l'abondance des images fluctuantes, on assiste dans la mise en scène de Peter Stein à l'éclatement de la poésie prodigieuse du poète arrivé au sommet, là où il n'a qu'à distribuer le don qu'il possède.

pourquoi Faust ?

Après avoir passé en revue — combien sommairement, par nécessité — trois mises en scène d'une conception parfaitement dissemblable, revenons à la question initiale, à savoir le pourquoi de tant de représentations de la pièce de Goethe pendant la dernière décennie avant le tournant du millénaire. Évidemment, nous nous engageons sur le terrain incertain des conjectures, les mises en scène nous semblant cependant parler un langage assez clair pour que nous puissions tenter de formuler quelques hypothèses.

Une des raisons est donnée par la diversité même des points de vue adoptés par les metteurs en scène. Le *Faust* de Goethe offre une richesse inépuisable de thèmes qui, de plus, ne sont liés entre eux que d'une manière légère, permettant ainsi les plus diverses interprétations. Goethe lui-même formulait une telle optique symbolique :

« Le succès que [le drame de *Faust*] a trouvé ici et ailleurs [...] peut bien être dû à la qualité plutôt rare qu'il détient pour toujours la période du développement d'un esprit humain qui de tout ce qui tourmente l'humanité a aussi été affligé, qui de tout ce qui l'inquiète a aussi été ému, qui en tout ce qu'elle abhorre est également embarrassé, et qui par ce qu'elle désire est aussi animé. »[16]

Peter Stein donne à cette idée une formule plus contemporaine qui met en évidence la raison pour laquelle le spectateur peut s'intéresser à la pièce aujourd'hui, et particulièrement à la Deuxième Partie :

« La deuxième partie du drame peut être formulée de telle manière qu'un homme essaie de se réaliser moyennant toutes les capacités et toutes les possibilités qu'il possède. L'y poussent l'inquiétude, la curiosité, l'aspiration propre à la modernité, l'impatience, la soif de vivre, la soif de l'argent, la soif de la mort, le manque de persévérance et l'impétueux désir de vivre jusqu'au bout son programme génétique, ce qui chez un seul homme en raison de ses limites physiques n'est normalement pas possible. »[17]

Faust est l'homme qui se crée non par sa volonté comme le surhomme nietzschéen mais à partir de ses fondements génétiques et aussi sensoriels qui lui sont propres. C'est en raison de ce changement d'optique que Faust peut intéresser aujourd'hui. Ailleurs, Stein est encore plus explicite. Le *Faust* peut susciter l'intérêt des contemporains dans la mesure où il

« [...] traite des sujets et des problèmes centraux de l'homme soi-disant moderne comme l'engouffrement dans le futur et le manque du futur, l'accroissement excessif du virtuel dans l'économie et dans la vie quotidienne, la création d'une intelligence artificielle, le désir fatal d'intervenir dans la nature et de la transformer, les conséquences catastrophiques de l'inclination à la précipitation, à l'accélération de la suite des expériences vécues, etc. »[18]

Mais la dramaturgie parle encore un autre langage étant donné que — et c'est une fois de plus Peter Stein qui parle — « l'accentuation dans le langage courant se distingue par le fait que l'on ne saisit toujours qu'une seule chose. Mais au théâtre, il y en a au moins deux »[19]. En effet, au théâtre on entend les mots, mais on voit aussi les images. Or, celles-ci renversent plutôt l'optique de Goethe — ce qui est vrai pour les trois mises en scène décrites ici —, tout en « situant » le propos de Peter Stein en particulier. En effet, ce n'est plus Faust qui est le protagoniste, ce n'est plus lui qui représente toute l'humanité, ce n'est plus un seul homme qui cherche à se créer, mais c'est l'histoire de l'humanité avec ses sarcasmes et son côté dérisoire qui joue le rôle principal. Grâce à elle, l'image de Faust n'est plus celle d'un homme exemplaire unique, mais il apparaît comme notre « semblable », notre « frère », il est un parmi nous tous, coupable parce que nous sommes tous coupables, image de la souffrance parce que nous devons tous souffrir. Si l'on replace donc les thèmes indiqués par Stein dans leur contexte culturel, une nouvelle prise de conscience de l'Histoire devient évidente.

Le *Faust* de Goethe suscite une nouvelle sensibilité pour *l'Histoire* en général mais aussi pour les innombrables événements *historiques* douloureux qui se sont produits depuis des milliers d'années. Après tant de siècles d'aspirations déçues de l'homme, Faust apparaît aujourd'hui comme celui qui veut le bien et ne fait que le mal. Il est aux yeux des contemporains le grand coupable vivant, grâce à sa clairvoyance, dans l'état de déchéance dans lequel se réfléchissent les effets de la violence de l'Histoire. Même l'orgueil du personnage aveuglé ne peut, à la fin de la mise en scène de Stein, que mal cacher cette défaillance. En Faust se reflète la situation sans issue de l'homme d'aujourd'hui qui a perdu son identité et son autonomie de sujet et qui se débat désespérément tout en croyant encore à sa souveraineté toute-puissante et à sa capacité à refaire le monde en ce début du troisième millénaire. Il est en cela plus proche de Don Quichotte — ou d'Œdipe — que de Manfred ou d'Iphigénie. Ou serait-il plus proche encore d'Emma Bovary qui naïvement poursuit une chimère ? Toujours est-il que le sarcasme de Méphisto — « Tu es, au reste... ce que tu es » (v. 1806) — contrebalance aujourd'hui d'une tout autre manière les aspirations de Faust. Il frappe les oreilles d'un contemporain désillusionné qui, en parfaite connaissance de cause, ne continue pas moins à lutter contre des moulins à vent. Méphisto maintient cette clairvoyance éveillée et ne cesse de renvoyer Faust à lui-même. Sans trêve, il le met dans la situation de devoir prendre la décision périlleuse à nouveau, à chaque instant. Cette ironie, ce déchirement, ce chemin de crête où l'homme marche constamment, exposé, au péril de sa vie, sans pouvoir s'arrêter ni reculer sont autant de défis toujours d'actualité.

Le drame traite donc des grands thèmes qui préoccupent l'homme au tournant du millénaire : le rapport entre le singulier et l'universel, le naturel et le factice, l'autonomie et la programmation génétique, la souveraineté et le conditionnement historique, le réel et le virtuel, alors que les jeux sont déjà faits et que le premier des deux pôles opposés n'est déjà plus qu'une illusion.

Dans la mesure où le drame de *Faust*, dans sa structure de comédie humaine, vient à la rencontre de ces préoccupations actuelles, il n'est ni un drame « typiquement allemand » ni le reflet d'un « esprit » particulièrement allemand, il est un véritable drame du genre humain, *theatrum mundi*. Tant par cette ouverture thématique sur le monde — Goethe lui-même se considérait comme un citoyen du monde qui ne s'intéressait en rien à l'idée naissante de « nationalité » — que par sa structure ouverte interne, le drame permet de réfléchir à ces oppositions en d'infinies variations de concrétisations, ce que démontrent les trois réalisations décrites. Autrement dit, la pièce donne une liberté comme le fait rarement une pièce : on peut tout faire, on se sert de la pièce, et on la sert. C'est plus particulièrement la Deuxième Partie qui s'offre aux metteurs en scène contemporains comme une carrière où l'on trouve des blocs à travailler, comme le bloc d'une réforme économique et culturelle dans le premier Acte (Stein), le bloc des réflexions sur la création (les scènes autour de Homunculus) et sur le pouvoir de la poésie (la rencontre de Faust et d'Hélène) dans les deux Actes suivants et, finalement, les blocs de la réforme militaire et du projet de Faust de gagner des terres sur la mer. Il y a des mondes gigantesques à créer, des mondes vastes possibles, des mondes infinis imaginaires et même le monde impossible qui serait totalement dominé par l'homme. Or, les moyens techniques sont tels aujourd'hui que tout semble possible, grâce à la projection cinématographique, à la vidéo, à la création d'images virtuelles, à des machineries les plus sophistiquées et les plus simples des débuts du théâtre moderne, mais aussi grâce à une nouvelle conception de l'art total qui exploite entre autres le rapport dialectique entre l'artificiel et le naturel ou entre l'imaginaire et le réel, comme le démontre avec la plus grande maîtrise Janusz Wisniewski. Au moment où l'homme continue sa quête en portant sa croix en toute lucidité, l'heure a sonné pour le metteur en scène que le *Faust* du XXIe siècle incite à se transformer en poète. La théâtralisation s'impose, le théâtre réclame explicitement son droit à l'art et donne libre cours à l'imagination du metteur en scène afin qu'il crée l'image du monde impossible qui est le nôtre. *Faust* suscite comme l'atmosphère d'une nouvelle Renaissance, l'époque du *Urfaust*. Le poète prend son envol pour rendre l'impossible possible. Il joue et prend plaisir à jouer comme Euphorion, le fils de Faust et d'Hélène, que Goethe a conçu comme l'image de la nouvelle poésie[20].

Le drame de *Faust* n'est donc plus considéré comme une pièce toute faite, il sert plutôt de matériau pour une œuvre à créer, il sert de « matière à Faust ». Les différentes approches montrent le grand intérêt dramaturgique que la pièce de Goethe suscite aujourd'hui. Une de leurs principales caractéristiques est le refus de raconter l'histoire ou les histoires du *Faust*. Le récit s'avère impossible dans la mesure où les personnages sont déterminés par des facteurs extérieurs. On se voit au contraire obligé de faire table rase et de réécrire la pièce. C'est un signe qui met en évidence qu'une nouvelle époque de mises en scène commence. Elle est elle-même faustienne dans le sens où elle est inconditionnelle. Précédemment, on a pu voir que la pièce réclame une mise en espace, une mise en voix, une représentation temporelle, corporelle, un éclairage, des costumes, des accessoires et des objets dont la conception d'ensemble débouche nécessairement sur un théâtre total où le public est sollicité pour prendre un rôle actif de spectateur et en même temps de « performateur ». Cette nouvelle perspective, imposée surtout par la Deuxième Partie, engendre une approche révisée de la Première. Le metteur en scène doit se libérer de presque deux cents ans de mises en scène, ce qui signifie un effort considérable d'amnésie qui inclut également les lectures critiques habituelles de *Faust* afin de réaliser le nouveau théâtre que, déjà, Goethe avait imaginé. En revanche, la Deuxième Partie a été bien moins jouée et reste à conquérir.

Grâce à tous les moyens techniques dont on peut se servir aujourd'hui pour ouvrir l'espace scénique et évoquer l'artifice d'une trajectoire qui s'inscrit dans le simulacre d'une réalité autrement réelle, grâce à toutes les possibilités linguistiques et paralinguistiques d'une production de sens par encastrements, superpositions, procédés métonymiques, intertextuels et autres, *Faust* invite aujourd'hui à un nouveau plaisir du spectaculaire. Par art et artifice, par voix et silences, par mimétisme et virtualité, autrement dit par un art total qui s'étend à toutes les possibilités de l'expression humaine, le monde incommensurable de la pièce qui n'est rien d'autre que notre monde parfaitement mondialisé, est proche d'être accompli, et c'est cela aussi qui semble avoir séduit les metteurs en scène et les spectateurs à ce tournant du millénaire. C'est le plaisir de créer un théâtre total qui n'embrasse pas seulement tous les arts, mais aussi toutes les faces de la réalité : naturaliste, imaginaire et virtuelle. Mais c'est le plaisir aussi de se révéler en Faust et de mourir en lui, de s'élever en Faust et de rire avec lui, d'être en lui Dieu et le diable, l'homme désespéré et l'homme virtuel, et tout cela à la fois, inextricablement, dans un jeu qui s'ouvre sur l'infini humain en la plus grande liberté.

1. [Trad. de] Richard WAGNER, « Über Schauspieler und Sänger » in *Dichtungen und Schriften*. Jubiläumsausgabe in 10 Bänden, édité par Dieter BORCHMEYER (Frankfurt am Main, Insel, 1983), t. 9, pp. 183–262 ; cité d'après Bernd MAHL, *Goethes Faust auf der Bühne (1806–1998). Fragment — Ideologiestück — Spieltext* (Stuttgart - Weimar, Metzler, 1998), p. 49.
Toutes les traductions sont de l'auteur de cet article, à l'exception des citations de *Faust* qui renvoient à la traduction de la « Bibliothèque de la Pléiade » (Paris, Gallimard, 1951).
2. [Trad. de] Cosima WAGNER, *Die Tagebücher*, t. 1, 1869–1877, édité et commenté par Martin GREGOR-DELLIN (München, Piper, 1976), cité d'après Bernd MAHL, *op. cit.*[1], p. 49.
3. [Trad. de] Thomas MANN, « Versuch über das Theater » in *Gesammelte Werke* (Frankfurt am Main, Fischer, 1960), t. 10, p. 59, cité d'après Bernd MAHL, *op. cit.*[1], p. 84.
4. [Trad. de] Lettre de Goethe à S. Boisserée, du 22 octobre 1826, citée d'après *Peter Stein inszeniert "Faust" von Johann Wolfgang Goethe. Das Programmbuch Faust I und II*, édité par Roswitha SCHWAB avec la collaboration de Anna HAAS (Köln, Dumont, 2000), p. 89.
5. Les indications de vers renvoient à l'édition allemande de *Faust* dans la

reproduction photomécanique de l'édition de Weimar (Sophien-Ausgabe), édité par ordre de la Grande-Duchesse SOPHIE VON SACHSEN (Weimar, Böhlau, 1887–1919), t. WA I, 14 et 15,1 (München, Deutscher Taschenbuch Verlag, 1987), t. 16 et 17.

6. Marthaler fait allusion, ici, au Méphistophélès dans la mise en scène de Gründgens, qui eut également lieu à Hambourg, trente-cinq ans auparavant. Marthaler fut conscient du défi qu'une telle situation signifiait pour lui.

7. Bruno SCHULZ, « Traktat über die Mannequins oder das zweite Buch Genesis » in *Gesammelte Werke* in zwei Bänden. Band 1 : *Die Zimtläden und alle anderen Erzählungen,* herausgegeben von Mokolaj DUTSCH, aus dem Polnischen von Josef HAHN (München, Hanser, 2000).

8. [Trad. de] : « [...] *jenes überlebensgroße Schweigen, das uns später immer wieder aus dem Raume anhauchte, wenn wir irgendwo an die Grenze unseres Daseins traten.* » (Rainer Maria RILKE, « Puppen » in *Sämtliche Werke*, Rilke-Archiv, in Verbindung mit Ruth SIEBER-RILKE, besorgt durch Ernst ZINN (Frankfurt am Main, Insel, 1955), Werkausgabe t. 11, p. 1069.

9. Le personnage de cette femme amoureuse peut sembler une invention gratuite du poète polonais, mais il n'en est rien, elle s'explique. C'est une transformation de la sorcière qui rajeunit Faust. Chez Goethe, elle arrive dans sa « cuisine » en descendant par la cheminée. Transformée en « ramoneuse », elle ajoute à la fictionalisation des personnages de Wisniewski.

10. [Trad. de] GOETHE, Conversation avec Eckermann du 20 décembre 1829, citée d'après *Peter Stein inszeniert "Faust"...*, *op. cit.*[4], p. 86.

11. [Trad. de] *Peter Stein inszeniert "Faust"...*, *op. cit.*[4], p. 147.

12. Voir « Zur Entstehungsgeschichte unserer Faust-Aufführung », in *Peter Stein inszeniert "Faust"...*, *op. cit.*[4], p. 8-9.

13. Claus Peymann, dans sa mise en scène des deux Parties conçues pour deux soirées, en 1977 à Stuttgart, se sentait obligé de faire une réduction sur le prix d'entrée pour la deuxième soirée (*Faust II*) afin que le public vienne voir aussi cette partie ; voir Bernd MAHL, *Goethes Faust auf der Bühne, op. cit.*[1], p. 166, n.1. La Deuxième Partie était depuis toujours considérée comme n'intéressant avant tout que la bourgeoisie cultivée.

14. Voir Klaus REICHERT, « "Bin die Verschwendung, bin die Poesie" », p. 6 sq. in *Goethes FAUST: Peter Steins Inszenierung in Bildern*, Photographien von Ruth WALZ (Köln, Dumont, 2001) [trad.].

15. *Ibid.*, p. 8.

16. [Trad. de] GOETHE, Conversation avec Eckermann, 1828, citée d'après *Peter Stein inszeniert "Faust"...*, *op. cit.*[4], p. 219.

17. [Trad. de] *Peter Stein inszeniert "Faust"...*, *op. cit.*[4], p. 93.

18. [Trad. de] Peter STEIN, « Zur Entstehungsgeschichte unserer Faust-Aufführung », in *Peter Stein inszeniert "Faust"...*, *op. cit.*[4], p. 8 sq.

19. [Trad. de] *Peter Stein inszeniert "Faust"...*, *op. cit.*[4], p. 165.

20. Byron, mort récemment, et que Goethe avait en haute estime, lui sert de référence pour créer le personnage d'Euphorion.

JACK FAUST :

D'UNE SCIENCE SANS CONSCIENCE
À LA RUINE DE L'HOMME

(UNE UCHRONIE FAUSTIENNE
DANS UN ROMAN DE SCIENCE-FICTION)

par Véronique ZAERCHER

(Académie Nancy-Metz)

L E succès remporté par *Jack Faust*[1] de Michael Swanwick[2] auprès des lecteurs de science-fiction pourrait s'expliquer par la densité de son projet littéraire car le récit ne prétend ni mener l'analyse sur le terrain d'accidents prévisibles dans un futur relativement imminent, ni transposer des réflexions contemporaines dans un ailleurs métaphorique, mais bien remettre en perspective le contenu et la valeur éthique de l'Histoire occidentale. Le recours au mythe séculaire de Faust à l'intérieur de ce cadre renouvelle le discours allégorique qu'il est possible d'élaborer à partir de sa teneur originelle et fondamentale : un homme, savant brillant et incompris de son époque, devient le détenteur d'un savoir et d'un pouvoir absolus, conférés par un extra-terrestre figuré sous les traits de Méphistophélès[3]. Le récit exploite aussi une temporalité complexe, claire dans ses grandes lignes, brouillée néanmoins, à dessein, dans les détails. En effet, l'auteur ne se contente pas de donner à Faust des connaissances pour qu'il les rende opérantes à la Renaissance, et l'uchronie[4], telle qu'elle s'impose dans l'ouvrage, ne vise pas uniquement à opérer une remontée chronologique dans l'Allemagne des XVIᵉ et XVIIᵉ siècles ou dans l'Angleterre de la Révolution industrielle. L'originalité du roman tient à l'effet produit par toutes ces techniques et innovations engendrées par le savant en un court laps de temps. Elles mettent alors en relief le caractère exacerbé, presque une fièvre ou une ivresse, qui s'empare de l'Humanité occidentale au cours de son évolution. C'est assurément là que réside le sens aux yeux d'un auteur dénué d'angélisme naïf et attentif à ce qui constitue la folie humaine.

L'ouvrage investit donc trois champs dominants de la réflexion courante de la science-fiction[5] : les progrès de la connaissance, leurs retombées au sein d'un groupe défini d'individus et la monstruosité de l'humaine nature. L'intérêt majeur de *Jack Faust* réside dans l'étroite imbrication de ces trois aspects. À partir de la mutation d'une société de type moyenâgeux en une société plus que techniquement avancée, l'auteur examine deux aspects classiques du débat : grâce à Faust, il observe l'immersion dans une folie programmée par Méphistophélès, folie symbolisée non seulement par la destruction morale d'un individu suprêmement intelligent et assoiffé de pouvoir, mais encore par la course à l'autodestruction des sociétés. De fait, l'approche extrêmement pessimiste de l'auteur s'attache à l'immuabilité des comportements, à l'incapacité des hommes d'user convenablement du progrès pour le transformer en source et moyen de perfectionnement.

un vaste panorama des sciences et des techniques

La plupart des *"Faust"* s'ouvrent sur un état des lieux des connaissances et exposent le découragement du personnage principal à en savoir si peu. Le roman de Swanwick n'échappe pas à ce modèle : le premier chapitre, à l'instar de Marlowe ou Goethe, montre Faust dans son cabinet de travail, brûlant les livres des Anciens, considérés comme inutiles. Mais c'est à un tout autre état des lieux qu'invite rétrospectivement la lecture de *Jack Faust* : celui de tous les progrès qui séparent le XVIᵉ siècle du Faust historique et le XXᵉ siècle finissant, progrès dont le roman propose l'inventaire, avec cette ironie pessimiste toute particulière que les inventions de Faust ont finalement mené les hommes au bord de la fin du monde.

La liste des découvertes faustiennes dans ce roman de science-fiction est considérable : elle couvre cinq siècles de l'histoire de l'humanité pour rejoindre l'actualité du lecteur, non sans naturellement susciter nombre de réflexions esthétiques. L'on peut néanmoins en proposer un classement raisonné qui, tout en se voulant le plus exhaustif possible, permet d'appréhender les enjeux de l'ouvrage.

Le domaine de l'astrophysique se constitue à partir de quelques révélations fondamentales dont Méphistophélès fait bénéficier Faust. Sa première apparition permet au savant d'accéder en une unique étape au savoir d'un Copernic, d'un Galilée ou d'un Giordano Bruno, personnages sulfureux s'il en est, et dont la réception au XVIᵉ siècle, entièrement dominée par l'Église, opère une assimilation à l'image du fou et du suppôt de Satan. À la rotation de la Terre autour du Soleil ou à l'infini de l'univers font chronologiquement suite la compréhension de la rotation de la Terre sur elle-même (p. 69) ainsi que la construction d'un télescope destiné à dévoiler les « *lunes de Jupiter* » (p. 76), les « *anneaux de Saturne* » (p. 79), de nouvelles planètes ou des entités encore totalement inconnues telles les galaxies (pp. 44 ou 79) et les nébuleuses (p. 79). À une époque où la cosmologie aristotélicienne fait encore du ciel un empilement de sphères concentriques tournant autour de la Terre, le Faust de Swanwick intègre intellectuellement ces nouvelles connaissances. Il tente ensuite de les transmettre à la communauté scientifique en avançant de surcroît la possible existence d'autres univers, tout en s'appuyant sur une donnée plus tardive, la gravitation des corps (p. 75). Ce champ n'est pas davantage exploité par l'auteur, ce qui paraît tenir, pour l'essentiel, à deux raisons. Le projet que rêve de réaliser Méphistophélès s'en tient exclusivement à se donner, par l'intermédiaire de Faust, les moyens d'influer sur le destin de l'humanité et de pousser les hommes à leur propre destruction. Par conséquent, la réflexion ne se trouve pas déplacée du côté des enjeux inhérents à l'exploration d'un ailleurs — l'ailleurs est déjà symbolisé par la civilisation lointaine de Méphistophélès — mais bien du côté d'une société capable ou non d'évoluer positivement. Par rapport à la chronologie réelle de ces découvertes, Swanwick conserve une diachronie qui souligne la volonté de ne pas produire d'interférences avec les périodes historiques ultérieures et de conserver une cohérence manifeste à l'intérieur d'un cadre spatial tel que l'Allemagne.

Le domaine médical s'impose également très vite dans l'ouvrage, dès la maladie de Faust[6]. Dans ce cas, les innovations obéissent à une chronologie qui permet d'esquisser progressivement des problématiques familières au lecteur d'aujourd'hui. Aux sangsues du docteur Schnabel[7] s'oppose une analyse scientifique du sang, énoncée par Faust, où figure un lexique spécialisé : « éléments nutritifs », « cellules mortes » ou « plaquettes infinitésimales ». Ainsi, le propos nous entraîne loin de la théorie des humeurs. Le microscope, introduit en même temps et par association complémentaire avec l'invention du télescope, bouleverse la conception du microcosme propre à la Renaissance et rend concret, perceptible, le monde de l'infiniment petit, ce que laisse transparaître la réaction plus qu'effrayée de Wagner :

Wagner s'exécuta, en hésitant. Il n'y eut tout d'abord qu'un cercle lumineux indistinct, puis des formes vagues apparurent, se condensèrent et acquirent brusquement des détails. Il cria et recula. « C'est plein de monstres, là-dedans ! »   (p. 67)

L'épisode de la peste à Nuremberg est encore l'occasion d'opposer, d'une part, charlatanisme et religiosité superstitieuse et, d'autre part, des traitements plus avancés, donc nettement plus efficaces. Il situe ainsi le récit au XVIᵉ ou XVIIᵉ siècle, puisque la peste a disparu de l'Occident au siècle suivant. Le charlatanisme, représenté par Charles Ataman (l'équivoque, facile, avec *charlatan* figure à la page 160), fonctionne à travers la promesse du remède-miracle (p. 151) ou les vertus de l'amulette (p. 154), tout en mettant fortement en valeur la crédulité des foules face au bonimenteur. Dans l'ordre religieux des clarisses, c'est la pratique superstitieuse qui l'emporte : prières, mortifications et adoration de reliques (p. 157), alors que les pages consacrées à l'ordre de sainte Catherine acceptant d'obéir aux recommandations scientifiques de Faust se construisent à partir de descriptions techniques précises, destinées à donner du couvent l'image d'un laboratoire pharmaceutique hautement spécialisé. « Stérilisation », « inoculation », « cryptogame »... autant de termes qui installent le *thema* de la recherche, mais sans que soit exclu l'humour autoréférentiel au sujet du champignon servant de remède et baptisé « *streptomyces* FAUSTI ». Alors que Faust se trouve en Grande-Bretagne, il met encore au point deux médicaments d'effets en quelque sorte voisins. Tout d'abord, l'aspirine (p. 208), réellement mise au point en 1899, se voit définie comme « *un analgésique simple et sans contre-indications* ». Cette panacée à la douleur physique semble un moyen d'apaiser certaines revendications populaires[8]. La consommation d'opium sous forme d'« *élixir de laudanum* » (p. 228)[9] est utilisée pour obtenir un effet similaire et assujettir, cette fois, la volonté d'un notable, Lord Howard. Le XXe siècle est illustré par la pilule contraceptive commercialisée et consommée par Gretchen, par des travaux menés sur la matière cérébrale de fœtus (p. 283) et par ces amphétamines qu'absorbent Faust et Wagner pour couvrir le trajet Reims–Metz en voiture et demeurer éveillés (p. 306). C'est sans doute avec ces deux derniers procédés que Swanwick s'efforce de mettre en relief la folie qui s'empare des hommes et les répercussions éthiques indissociables de ces inventions. Il n'est pas sans bizarrerie que les hommes cherchent à mêler le début et la fin de l'existence humaine en vue d'élaborer un projet de maîtrise de la sénilité grâce à des fœtus : c'est le cycle de la vie qui s'en trouve perturbé. De même, l'absorption excessive d'amphétamines se solde par des délires et donne lieu à la « Nuit de Walpurgis » (p. 307) au cours de laquelle Faust se transforme

225

en monstre débridé, incapable de se souvenir de son acte[10] : « *Une telle chose n'avait pu avoir lieu. Ce devait être une hallucination.* » (p. 308).

Le domaine des infrastructures ouvre des perspectives différentes : à la fin de l'ouvrage s'impose peu à peu la représentation de notre monde contemporain. Du « *ressort à lames* » sommaire, destiné aux diligences (p. 81), à la voiture louée par Faust et Wagner pour parcourir l'est de la France (p. 303), de l'aérostat trop rudimentaire pour ne pas chuter au bout d'une demi-heure de parcours (p. 85) au biplan « *doté d'un moteur ultraléger en aluminium* » (p. 289) en passant par l'aéroplane employé comme instrument de guerre (p. 213), de la locomotive qualifiée encore de « *dragon de métal noir* » par l'entourage effrayé de Faust (p. 135) à l'Express joignant Calais à Paris en quelques heures (p. 289), M. Swanwick crée en effet le sentiment que l'espace est de mieux en mieux maîtrisé, qu'il ne cesse même de se rétrécir dans les esprits. C'est ici le prélude à l'Internet ainsi qu'au concept de « village mondial » tel qu'il est stigmatisé dans le discours médiatique de la fin du XXe siècle :

Le problème, c'était que la Terre n'était plus aussi vaste qu'autrefois. Les distances avaient été réduites. Il ne suffisait plus de monter dans une voiture et de voyager pendant un mois pour laisser son passé derrière soi. Deux cents lieues n'étaient rien, pour un poursuivant décidé. Dans un avenir proche, les technocrates procéderaient à la fusion des centaines de compagnies télégraphiques et téléphoniques pour l'instant rivales et créeraient un réseau bourdonnant de liens et d'informations qui relierait tous les villages et hameaux, mettrait tous les points du globe à portée l'un de l'autre. Il n'y aurait alors plus aucun secret et ce serait la fin de la vie privée et de la liberté individuelle. (pp. 282-3)

Le propos souligne l'abolition de toute véritable liberté, la mainmise de l'État sur ce qui relève en propre de l'individualité. Ajoutons à cette perspective le fait que Swanwick dépeint ici un univers superposable par sa « condensation » continuelle à la petite communauté de Wittenberg décrite au cours des premières pages (cf. p. 20). L'essor des infrastructures semble paradoxalement aboutir à un rétrécissement des centres d'intérêt, une sorte de vase clos dans lequel cherchent à s'enfermer les esprits. L'univers spécifique des médias confirme pour une bonne part ces prévisions très sévères. Afin d'avoir le plus de retentissement possible et de mieux modeler les esprits, le sermon de Faust fait l'objet d'un enregistrement et d'une rediffusion radiophonique avec « *batteries* », « *caisses d'appareils électriques* » et « *récepteurs* » (p. 176) depuis l'église de Nuremberg. L'information est encore évoquée à propos d'un reportage mené par un journaliste sur la production de pellicules photographiques. Son sujet est destiné à provoquer un scandale, à frapper les esprits en n'omettant aucun détail[11], et Swanwick semble ainsi dénoncer une presse qui se complaît dans l'exhibition d'images outrancières.

En ce qui concerne les techniques et l'industrie, les découvertes à visée utilitaire alternent avec les découvertes consacrées à la guerre. L'on relève le « *métier à tisser à cartes perforées* » (p. 113), le « *bobinage d'un rotor* » (p. 115) ou la première machine à vapeur (p. 141). Le moteur électrique sert autant à la construction de centrales qu'à l'invention d'appareils encore inconnus (p. 117) ; dans le même ordre d'idées, la scène d'ouverture du onzième chapitre (p. 188) est consacrée à l'installation des premiers paratonnerres. La révolution industrielle est dépeinte à travers les « *houillères, puits de mine, usines à gaz, forges, briqueteries* » (p. 210) ou les chantiers navals[12]. L'armement militaire consiste tout d'abord dans la lunette d'approche qui, considérée *a priori* avec frilosité en tant qu'instrument d'optique (p. 111), suscite l'intérêt du fabricant Reinhardt, puis celui de l'armée de Nuremberg, en raison de ses qualités de surveillance. La technique s'améliore au profit d'armes plutôt stratégiques : Faust se fait l'inventeur du « *fusil à répétition* » capable de « *tirer dix fois d'affilée* » (p. 120). Le procédé est perfectionné par le concept de fabrication en série qui ajoute à l'efficacité de l'arme[13] et à sa grande souplesse d'utilisation[14] une gestion optimale et concertée de sa production. Un pas de géant est franchi avec les armes chimiques. Celles-ci contribuent à faire le lien avec les grands conflits du XXe siècle : « *chlore, phosgène et gaz moutarde* » sont alors produits par les entreprises de Gretchen (p. 232). L'ouvrage se clôt par un défilé des armées faustiennes où la technologie de pointe participe de la vision apocalyptique finale :

> Tout était en mouvement. Ses armées se déversaient en torrents, non pour parader mais pour gagner un champ de bataille. Les véhicules passaient en grondant : lance-roquettes, chars d'assaut, porteurs de missiles guidés, convois de munitions, plates-formes sur lesquelles étaient posées les bombes radioguidées et les têtes à charges chimiques et biologiques, bombardiers qui volaient dans le ciel, chasseurs, drones, moyens de destruction massive plus robotiques qu'humains. (pp. 348-9)

La dernière comparaison de cet extrait expose une préoccupation inhérente aux stratégies de la deuxième moitié du XXe siècle, pour lesquelles la machine en tant qu'arme doit prendre le pas sur l'homme.

Puisqu'il est question de scénario catastrophe, le champ économique nous y ramène par le biais de deux passages conçus comme complémentaires. La rencontre de Faust avec les usuriers de Nuremberg est l'occasion pour ceux-ci de découvrir en quoi consistent « *une société à responsabilité limitée* » (p. 195), les parts, les actions, les achats à terme ou les options (p. 196). L'intérêt de ces notions, outre le fait qu'elles bouleversent entièrement des pratiques séculaires, tient au commentaire critique formulé par l'un des protagonistes : « *Considéré dans son ensemble, tout cela pourrait avoir des conséquences catastrophiques. Les opérations financières auraient de nombreux points communs avec les jeux de hasard.* » (p. 196). En fait, cette opinion constitue la prolepse de la crise financière qui s'empare de la City au moment du départ précipité de Faust pour l'Angleterre (p. 305).

Dans un registre plus léger, Swanwick accorde également une large place à des inventions qui, renvoyant aux loisirs ou aux arts ménagers, se rapprochent de notre univers familier. Pour ce qui est du divertissement, Faust fait découvrir, à l'occasion des réceptions des Reinhardt, une lanterne magique projetant des dessins d'Albrecht Dürer (p. 135). Ses commentaires sur les futures applications de l'objet annoncent l'apparition du cinéma :

Faust avait donné une conférence pour expliquer qu'il était possible d'enchaîner ces vues afin de reconstituer les mouvements, comme dans la vie réelle, ce qui avait ébahi et déconcerté son auditoire.   (p.135)[15]

Le savant crée aussi des objets destinés à séduire Marguerite-Gretchen, ou du moins à entrer dans les bonnes grâces de ses parents : il livre alors la machine à coudre (p. 135), la glacière (p. 136) et la sorbetière (p. 137) ! À la jeune femme plus spécifiquement s'adresse la construction d'une « *grande roue en bois* » (p. 141). Au passage, il est aussi question de l'invention du « *livre de poche* » (p. 291) et un séjour à Paris permet de découvrir des galeries de tableaux dont l'esthétique fait référence, indubitablement, à la peinture du XXe siècle dans ses manifestations les plus caricaturales : « [...] *un art dégénéré, fidèle reflet de cette triste époque, des œuvres sans harmonie ni sérénité, de simples barbouillages ou des inepties incompréhensibles.* » (p. 295).

Une place de choix est réservée à la paléontologie, du fait des réactions hostiles qu'elle engendre. La parenté que Faust prétend établir entre l'homme et le singe suscite une manifestation virulente qui l'oblige à rejoindre Londres. De même, lors de la visite d'un parc d'attractions londonien où sont exposés des ossements de dinosaure, Faust choisit de taire ce qu'il sait de la Préhistoire :

« [...] Oh, nos ancêtres devaient se pisser dessus quand ce monstre... »
Il ne mangeait que des poissons, s'abstint de dire Faust. Cela se voit à la courbe de la mâchoire et à sa similitude frappante avec celle des crocodiles piscivores actuels. Les dents et les écailles de lépidostées fossilisés trouvés au milieu des ossements, à l'emplacement qu'occupait son estomac, l'ont confirmé. En outre, nos aïeux ne pouvaient en avoir peur étant donné que ces reptiles, tout impressionnants qu'ils étaient, avaient disparu des dizaines de millions d'années avant que des êtres ressemblant de près ou de loin aux humains n'imposent leurs volontés à un monde sans méfiance.
Conscient qu'ils auraient ri de lui s'il avait tenté de le leur expliquer, il ne dit mot.   (pp. 218-9)

Lieu d'un regard nouveau sur les origines humaines, la paléontologie suscite autant d'hostilité parce qu'elle sape nombre de convictions et de superstitions. Elle remet en question le discours biblique de la Création et annihile la prétention des hommes à avoir été toujours présents dans l'Histoire. Aussi Faust est-il conscient, à chaque fois, de bouleverser les prétentions de l'anthropocentrisme.

uchronie et sens du progrès

Les voies explorées par Swanwick en matière de sciences et de techniques sont diverses. Elles s'accompagnent d'une vaste réflexion visant à dépasser un anti-modernisme simpliste et à disséquer le rôle fondamental joué par le fonctionnement interne des sociétés, cette déshumanisation latente qui peut endosser des formes inédites, plus exacerbées au contact de la machine et du potentiel de réalisations qu'elle fait miroiter. Swanwick tend à démontrer combien la société la plus paisible en apparence reste, par essence, un creuset de violence, de cupidité et d'intérêt qu'il suffit d'insérer dans un contexte spécifique pour que ce qui demeurait larvaire soit libéré et se manifeste au grand jour. La description initiale de Wittenberg qui précède la rencontre de Faust avec Méphistophélès est, à cet égard, très significative. Tout comme les hommes vont s'étouffer avec la masse des découvertes apportées par Faust, la cité de Wittenberg est, à l'origine, présentée tel un monde clos, gavé, et prêt à exploser à cause de sa prospérité économique et sociale :

À l'intérieur de l'enceinte fortifiée, les terrains avaient tant de valeur que les constructions s'y multipliaient. Les maisons se serraient les unes contre les autres dans d'étroites venelles. Balcons et ajouts divers proliféraient dans les hauteurs et se disputaient l'air et la clarté du soleil tels les arbres de la Forêt-Noire. Les fenêtres des mansardes se touchaient presque, permettant à de nombreux amants de gagner la chambre de leur belle par les toits. Ces adjonctions étaient si nombreuses que certaines ruelles s'apparentaient à des tunnels et que leurs pavés n'étaient éclairés qu'à midi, quand l'astre du jour brillait à leur aplomb. (p. 20)

Dans cet univers étroit où il s'avère même difficile de respirer, les habitants concourent à leur façon, dans une action concertée et unanime, à amplifier l'étouffement constitué par la saturation de l'espace : « *Cette cité qui avait toujours des relents nauséabonds devenait pestilentielle en été. Chaque corps de métier — tanneurs, boulangers, teinturiers, équarrisseurs — y contribuait.* » (p. 20). Si, dans un premier temps, l'abondance est désignée comme gage de paix, ce que soulignent le lexique ainsi qu'un style à dominante paratactique[16], l'auteur distille très vite les indices de la catastrophe à venir : « *Ces gens n'avaient nullement conscience de la folie qui se tapissait au fond de leur esprit.* » (p. 21). La complexité du rapport existant entre la cité et sa tranquillité fermentaire est évoquée à travers un « *mécontentement irrationnel* » (p. 21), lequel ouvre la voie à un désir de destruction entretenu, alimenté, vers quoi s'orientent toutes les pensées :

Tout Wittenberg sommeillait et songeait presque avec plaisir à l'étincelle qui finirait tôt ou tard par l'embraser. Ses habitants s'agitaient, gémissaient et se tournaient dans leur lit, en espérant que le feu purifierait les rues fétides des immondices et obligations accumulées au fil des ans. Les bâtiments eux-mêmes rêvaient d'un holocauste. (p. 21)

Cet état en quelque sorte attentiste de la ville est à mettre en rapport avec ce monde que Faust s'efforce de modeler et avec l'univers lointain auquel appartient Méphistophélès. Ces deux états à la fois complémentaires et successifs, formant une manière de triptyque avec le premier, ne font que mettre en relief l'inutilité d'envisager une quelconque amélioration de la civilisation. Le commentaire explicatif dans lequel le Malin révèle à Faust les raisons de sa visite, notamment livrer un savoir universel, dévoile de façon parallèle les motivations agressives d'une société déclinante, rongée par l'angoisse de son propre effacement, et incapable de délivrer l'enseignement moral que l'on pourrait attendre d'un état aussi techniquement avancé. L'analogie de l'homme et du cafard[17] utilisée par Méphistophélès proclame la gratuité d'un projet qui privilégie un anéantissement intégral plutôt que la transmission d'une sagesse. De même, la folie couve au sein de la société que Faust est chargé de modeler[18]. Elle ne nous paraît pas tant résider dans les épisodes de guerre que dans le comportement instinctif et irrationnel des individus. Elle est évidente, par exemple, lors de la scène de manifestation menée contre les affirmations de Faust au sujet de l'homme et du singe :

> Brusquement, l'air fut saturé par les miroitements d'une menace larvée, les crépitements silencieux d'un déferlement imminent de violence. Une onde de chaleur remonta la colonne vertébrale des jeunes gens, jusqu'à leur nuque. L'odeur de sueur et de crasse devint plus prononcée. Tous frémissaient de colère et de désirs malsains.
> Les membres de leur entourage étaient soumis aux mêmes pulsions. Leurs yeux et leurs dents avaient un éclat de mauvais augure. (p. 198)

Cette folie se retrouve dans le revirement de l'opinion publique londonienne avant et après la guerre contre l'Espagne : « *Debout à la fenêtre de son cabinet de travail, les mains derrière le dos et les sourcils froncés, l'homme le plus haï de Londres contemplait la rue en contrebas* » (p. 207) / « *Faust était l'homme le plus aimé des Londoniens* » (p. 273). Elle est encore manifeste dans cet autre mouvement de foule, plus modeste, provoqué par l'avortement de Gretchen :

> Elle était sortie argumenter à une ou deux occasions, lors des premières manifestations organisées devant ses résidences et laboratoires pharmaceutiques. Elle avait rapidement pris conscience qu'ils n'écoutaient pas ce qu'elle leur disait, qu'ils étaient convaincus de connaître ses pensées. « J'estime comme vous que la vie est sacrée », leur avait-elle dit. « Non, certainement pas, avaient-ils rétorqué. Vous vous dites... » Et l'un d'eux avait craché sur elle. Il existait des domaines où nul ne croyait son contradicteur sincère, une frontière de passions que nul n'osait franchir, ni dans un sens ni dans l'autre. (p. 287)

À partir de ces élans tantôt hostiles, tantôt bienveillants, Swanwick met en avant leur caractéristique assurément la plus certaine : l'imprévisibilité. La volonté d'un groupe est inévitablement fragile et contingente. Il suffit qu'un programme réponde à une attente, à l'insatisfaction demeurée latente, pour que le mouvement laisse émerger ses désirs profonds et aille dans le sens attendu par tel ou tel protagoniste.

Par ailleurs, à chaque grande étape « historique », le décalage ne cesse de s'accentuer entre l'accélération d'un progrès rendu fulgurant par sa présentation parcellaire et les comportements, que l'individu soit pris seul ou fondu dans le collectif. Ainsi, lorsque Faust présente son télescope au monde scientifique de la première époque — la scène se passe aux bains et dépeint les érudits Beckmann, Phaccus, Mette Sibrulius dans des postures grotesques (pp. 72–9) —, sont vivement mises à mal l'incrédulité et l'ignorance de ceux qui, assimilant le savoir à un pouvoir, prétendent le maintenir en l'état. Chaque argument avancé pour condamner le télescope s'en rapporte à une logique qui exclut de considérer l'objet en tant que tel, pour ses qualités, mais prétend le dévaloriser en le comparant à d'autres objets plus anciens, par conséquent plus rassurants. Au cours de cet épisode s'opposent donc la superstition, la frilosité de ceux qui, vingt siècles plus tard, se réfèrent toujours à Aristote, et l'esprit d'aventure et de découverte. Cette étape est un préalable auquel s'ajoutent deux scènes tout aussi éclairantes. Dans la première, Faust évoque avec Méphistophélès toutes les lettres adressées aux savants de son époque et demeurées sans réponse. Les discours tenus par le second, alors déguisé en singe, s'en prennent avec virulence au retard non pas seulement du savoir mais, surtout, des mentalités et des intelligences de ceux qui devraient être les premiers à s'y intéresser. Une nouvelle fois, le grotesque et l'incongru sont convoqués, tout particulièrement quand Méphistophélès rappelle, au sujet de l'Homme, que « [s]euls 2% [de l'ADN] [le] différencient du singe » (p. 80), tandis qu'il accompagne son discours de gestes obscènes et orduriers. Proche de la farce, puisque la représentation traditionnelle du diable est ici ravivée — le désespoir de Faust s'inscrivant, en outre, en contrepoint d'un Méphistophélès brillant par ses connaissances mais, à dessein, vulgaire dans sa gestuelle —, la scène vient dégonfler les représentations de savants aux noms pédants mais aux esprits intolérants. Dans la seconde scène, le professeur Faust se fait huer et moquer par ses étudiants — public ignare et déplaisant, pourtant censé constituer l'avenir de la science —, et c'est à lui qu'incombe d'endosser un « *déguisement* » imitant l'ours blanc, encore inconnu à cette époque en Occident, afin de stigmatiser la bêtise des comportements (p. 84)[19].

Les techniques ne suscitent un intérêt qu'à partir du moment où elles deviennent rentables, mais Swanwick en tire avantage en revenant à plusieurs reprises sur la compromission et la duplicité du savant Faust : le désir de reconnaissance, le souci de faire admettre ses découvertes poussent ce dernier à devenir par moments un représentant commercial capable de prôner les qualités militaires ou économiques d'une machine plutôt que ses bienfaits scientifiques. Lorsque, par exemple, Faust tente d'entrer dans les bonnes grâces des parents de Marguerite, le mépris manifesté par Herr Reinhardt vis-à-vis de l'optique incite le savant à vanter les vertus de la lunette d'approche :

Le potentiel militaire, tout particulièrement à bord des navires et des cités portuaires, est évident. Grâce à cet appareil, les capitaines esquiveront les pirates, les défenseurs des villes auront devant eux des heures pour se préparer à une attaque et il sera possible de remarquer de très loin le déploiement d'une armée ennemie.   (p. 111)

De même, quand Faust fait découvrir sa glacière, les réticences[20] s'effacent très vite devant les prévisions de rentabilité que le savant escompte tirer de cette invention :

Les ventes débuteront au printemps et quand viendra l'été toutes les ménagères de Nuremberg voudront une de ces boîtes. À l'automne, l'insatisfaction gagnera celles qui n'en auront pas.   (p. 137)

La fuite de Faust à Londres l'amène à formuler des recommandations à Marguerite-Gretchen, demeurée à Nuremberg pour gérer les entreprises de ses parents. Les conseils prodigués au sujet de la conservation des serres, sources de produits potagers ou médicinaux extrêmement utiles, relèvent du même genre d'intention (p. 208). Avec cette image d'un Faust peu scrupuleux, qui sait tirer parti de la nature humaine aussi bien que des stratégies économiques, c'est finalement à l'idée plus générale de germination qu'il nous est donné de revenir. À l'instar de la folie qui couvait dans la cité de Wittenberg, le savant a en lui une folie le poussant à exploiter ses découvertes, quel qu'en soit le prix.

Dans une perspective plutôt collective, deux idées majeures organisent le récit. L'une d'elles se fonde sur l'image de l'implosion : trop de science tue la science. Une telle issue figure dans le projet de Méphistophélès recourant à l'image de l'homme repu, non de richesses mais de connaissances :

Voilà pourquoi nous sommes disposés à vous faire profiter de toutes nos connaissances. Une telle abondance de savoir, en fait, que vous vous en gaverez au point d'en étouffer. Nous vous donnerons les moyens de commettre tous les crimes et atrocités que concevront vos imaginations fertiles. Par ton entremise, nous accorderons aux hommes une puissance sans limite qu'ils utiliseront pour s'autodétruire dans un crescendo d'abominations.

(p. 49)

Grâce à ces thématiques de la satiété et de l'anéantissement, et contrairement à une conception optimiste du progrès, celui-ci se voit dévalué puisque source de vide, d'ennui, puis de régression. Il est loin d'être illimité, et ce, parce que l'homme en revient toujours à l'homme et à des méthodes par lesquelles il détourne la science à son profit. Avant que ne se produise l'implosion, le propos tend à démontrer que l'Histoire est déterminée, qu'elle fonctionne selon un schéma immuable dont Méphistophélès dévoile les règles essentielles à un Faust devenu personnage virtuel, sous les traits du matelot Juan, pendant la guerre opposant l'Angleterre à l'Espagne :

Je vais te montrer quelle est l'essence de l'Histoire, fit le Cornu. [...] La première chose que tu dois savoir, c'est que ses faits marquants se produisent presque exclusivement dans le noir. (p. 262)

Mais les nécessités économiques gouvernent le monde. Telle est la conclusion de la deuxième leçon : l'Histoire, c'est ce qui est inévitable. (p. 264)

Mais la leçon tire à sa fin. C'est mon troisième et dernier enseignement :

l'Histoire n'est que la vie expurgée de tout ce qu'une personne saine d'esprit peut souhaiter y trouver. (p. 271)

Outre le pessimisme de ce point de vue, ces révélations se font au cours d'un épisode violent qu'à sa demande Faust vit comme s'il s'agissait de la réalité. Or, cette expérience, à la portée didactique plus que soulignée par Méphistophélès (p. 262), n'empêche nullement Faust de rêver à une apocalypse dont il serait lui-même l'instrument. L'Histoire n'est pas présentée comme un défilé de conflits, mais bien comme un acharnement perfectionniste vers une fin annoncée.

Une seconde idée domine, relative à l'aliénation des masses : le progrès n'engendre pas forcément le mieux-être. Les descriptions consacrées à l'Angleterre de l'industrialisation insistent sur l'aspect fantomatique du peuple, sur sa lassitude ou sa gravité (pp. 207, 210 ou 211). Le *topos* de la fourmilière domine pour exprimer l'activité mécanique des travailleurs. La condition sociale de ces derniers transparaît principalement dans les commentaires des protagonistes, lesquels oscillent entre une compassion de bon aloi, comme c'est le cas dans la bouche de la tante de Marguerite-Gretchen :

— J'ai malgré tout l'impression qu'il y a bien plus d'atrocités, à présent. Comme si quelqu'un avait construit un moulin identique à celui qui produit le sel au fond de la mer, et qu'il n'en sort que des souffrances. Tant de souffrances ! » (p. 276)

ou le cynisme plus éclairé de Faust :

— Le travail en usine est difficile, monotone et nuisible tant pour l'âme que pour le corps. Les hommes ont besoin d'espoir pour vivre. Alors, je leur en ai apporté... un monde idéal pour leurs petits-enfants et de la bière gratis tous les dimanches ! C'est une drogue inoffensive, un soporifique qui distrait les classes laborieuses et soulage leur détresse. (p. 252)

De surcroît, tout ce qui touche au droit des travailleurs ou au syndicalisme est à chaque fois dénoncé comme illusoire et impuissant[21].

Le monde aurait-il été abandonné de Dieu, livrant l'homme à lui-même ? Le motif de la mort de Dieu figure dès l'épisode du pacte et marque l'abolition des codes et des limites. « Communiquée » par Méphistophélès, l'information offre à Faust la perspective d'un athéisme conforme à sa conviction intime (p. 48). La voie est ainsi largement ouverte à l'acte gratuit : « *Tout était donc possible. Rien n'était interdit.* » (p. 48). Cependant, malgré le premier effroi provoqué par la vision de l'avenir réservé à l'humanité, Faust ne jugule nullement son savoir, à l'exception de ces périodes où les capacités trop lentes d'assimilation de ses contemporains le freinent. Quelles que puissent être les conséquences morales, il livre ses inventions en toute connaissance de cause, entretenant de la sorte le pari qu'il a fait à l'origine avec lui-même : « *Si les hommes ne sont pas capables de relever le défi du savoir, si la seule entrave à leurs instincts les plus vils est l'ignorance, ils méritent le destin qu'ils se forgeront. Je m'en lave les mains.* » (p. 50). De même, à cause de son statut d'intermédiaire entre Méphistophélès et les hommes, il est conduit à transmettre ce message à l'assemblée de Nuremberg : « *Il n'existe aucun interdit. L'ensemble de sa loi se résume ainsi : que votre volonté soit faite.* » (p. 180)[22]. L'expérience de la liberté, certes, donne naissance à un monde sombre et chaotique, mais Swanwick insiste tout particulièrement sur les conséquences fatales de cette logique menée jusqu'à son terme. D'une part, l'acte meurtrier permet à Wagner de se voir confirmer la prescience de son indépendance morale pleine et entière : « *IL N'EXISTE AUCUNE LIMITE. À souligner. Je me sais désormais capable de faire n'importe quoi. Absolument tout.* » (p. 310). D'autre part, l'apocalypse finale apparaît à la fois comme l'œuvre d'un homme et comme l'acceptation unanime d'un peuple : « *Il ne pourrait réaliser tout cela à lui seul, certes, mais il ne se chercherait pas d'alliés et de subordonnés. Ses paroles les amèneraient à lui. Il n'aurait qu'à dire tout haut ce que tous pensaient tout bas. Il savait quoi.* » (p. 350). Après qu'il a entraperçu la possible fin du monde, c'est à un Faust sardonique qu'il incombe de clore l'ouvrage par ces mots : « *Que Dieu les*

protège ! s'exclama-t-il. Que Dieu les protège tous ! » (p. 350)[23].
La fin du récit reste ouverte, mais l'auteur maintient son scepticisme quant à l'inclination des hommes à toujours préférer la folie meurtrière.

personnages et démesure

Le Faust de Swanwick, dans la lignée de modèles antérieurs, condense d'autres figures, incarne d'autres mythes. Outre la signature *NeoPrometheus*[24] que Faust appose au bas de ses lettres, une référence à Dédale s'impose à propos de l'affiche annonçant l'envol de l'aérostat. Le texte met d'ailleurs l'accent sur une promesse de liberté : « *L'Humanité libérée de la tyrannie de la terre* » (p. 85), qui peut s'interpréter de deux façons : c'est-à-dire soit le champ de l'attraction terrestre, soit l'oppression des idées. Cependant, le message ne se réduit pas à ce seul champ symbolique : Swanwick lui associe la figure christique, au moins dans l'annonce du miracle et dans un ancrage temporel hautement révélateur, la fête de l'Ascension. Au moment où Marguerite et sa cousine Sophia observent Faust en train de travailler, celui-ci s'apparente à un « *sombre Héphaïstos* » (p. 129), étroite combinaison de Dieu, du forgeron du monde[25] et de l'amant malheureux. Si, au fil du récit, Faust endosse la paternité de chaque invention, incarnant de la sorte un ensemble de créateurs avérés, et qu'il se substitue à ce Dieu dont Méphistophélès proclame la mort dans le ciel, il devient une image du Mal, par renversement. Son identité se précise ensuite par analogie avec un personnage qui désormais appartient également à l'Histoire : Hitler. Tandis qu'à l'occasion du premier discours prononcé à Nuremberg Faust se contente d'être le porte-parole de Méphistophélès et de transmettre un premier message en vue de conditionner les esprits, son retour à Nuremberg prend place dans un contexte référentiel précis, à savoir l'Allemagne des années Trente[26] :

238

« *De quoi parles-tu ?* »

De politique, Faust. Ne t'est-il pas venu à l'esprit que l'Allemagne a besoin d'un grand chef ?

« *Nous avons un empereur.* »

Oui, un vieillard indolent qui garde ce pays ruiné, morcelé et affaibli. S'il n'y avait pas ce vieux gâteux sur le trône, un homme fort ou un duc énergique s'emparerait du pouvoir par le feu et la conquête ; et, ce faisant, il soumettrait et unirait les petites communautés divisées en un colosse puissant et indomptable qui chevaucherait le monde, écraserait ses rivaux sous son talon et imposerait sa juste tyrannie aux races inférieures de toute la Terre[27]. (p. 346)

En conférant à Faust le statut et le programme du fondateur de l'idéologie nazie, Swanwick écarte toute ambiguïté. Les signes emblématiques du nazisme sont en effet sans équivoque. Ainsi du salut qui consiste à tendre le bras (p. 347), de la présence d'un ministre de la propagande (*ibid*), du symbole figurant sur les drapeaux[28], et des « *jeunesses faustiennes* » (p. 348). La conclusion s'impose d'elle-même. C'est dans le cœur des hommes que réside le mal, et il suffit d'avoir vécu parmi eux pour devenir son propre Méphistophélès :

Il n'obtint pas de réponse. Le démon s'était cloîtré dans un profond silence. Mais il percevait sa présence au tréfonds de son être, un nœud perpétuel de mécontentement, un tiraillement implicite d'ambition, le besoin dévorant de se venger de ceux qui l'avaient traité avec tant de morgue et de cruauté. (p. 350)

Tout au long du roman, la mutation graduelle du savant fou en *leader* politique se trouve amplifiée par l'écart manifeste entre les catégories d'émetteurs et de récepteurs du savoir et par une disposition typographique propre à différencier la voix démoniaque des autres discours. Après que le pacte a été noué entre Méphistophélès et Faust, les répliques imparties au premier sont signalées en italique. La parole du diable marque l'emprise opérée sur la conscience du savant : seul Faust entend son discours. Alors que celui-ci a ingéré la totalité des connaissances pendant sa maladie, ce discours parallèle lui dévoile des informations secrètes, relatives à la vie privée d'autrui ou à l'avenir.

Il faut attendre la fin de l'ouvrage pour voir disparaître ces italiques, juste avant l'effacement de Méphistophélès lui-même : sans doute est-ce pour indiquer que Faust est devenu son égal. Entre-temps sont instaurées deux structures similaires à deux voix dans lesquelles la typographie contribue à indiquer, cette fois-ci, un déséquilibre entre Faust et un autre protagoniste. En livrant depuis Londres ses conseils à Gretchen, le savant se révèle un double de Méphistophélès. En effet, la teneur de ses informations n'est pas que technique, il arrive que certaines d'entre elles soient de nature plus intime : « *Ta secrétaire est, malheureusement, d'un tempérament émotif. Tout cela la déstabilisera et son travail s'en ressentira. Licencie-la.* » (p. 244). De même, alors que Wagner, le serviteur de Faust, entreprend de rédiger la biographie de son maître au cours du voyage de retour à Nuremberg, les réflexions consignées en italique incitent à ne pas y voir qu'un procédé formel destiné à distinguer l'écrit personnel du reste des dialogues. Wagner signale d'emblée non seulement l'étroite collaboration le liant à son maître, mais encore l'influence irrésistible de ce dernier : « *Nous sommes à bord du train et, dans ses instants de lucidité, le maître me fait des confidences avec une sincérité bouleversante. Il ne dissimule rien. Des conversations aussi intimes fortifient le cœur.* » (p. 292). Cette influence est d'ailleurs corroborée, puisque Wagner commet un meurtre sur l'injonction de Faust (p. 309). À ce titre, le roman superpose deux plans de façon très nette. Par rapport à ses contemporains, Faust occupe une position dominante en matière de savoir. Le texte ne cesse de démontrer toute l'ambiguïté d'une « relation » où le groupe se contente de profiter de ses découvertes sans jamais en mesurer les tenants ni les aboutissants. Un abîme sépare un Faust plus que lucide quant à la destinée finale de l'Histoire des protagonistes totalement subjugués par l'innovation technique. Les proches de Faust, en tant qu'emprunts au personnel du mythe, ont été remaniés par Swanwick : l'originalité de l'auteur réside dans le fait que ces personnages ne sont pas forgés par Méphistophélès, mais subissent assurément la seule influence de Faust qui les manipule.

En ce qui concerne plus particulièrement Marguerite-Gretchen, Swanwick renouvelle la figure compassée du personnage. D'une part, la jeune femme ne constitue plus seulement un objet de désir pour Faust, elle gère surtout les entreprises Reinhardt en l'absence de ses parents et avoue son intérêt profond pour l'arithmétique (p. 131). D'autre part, elle représente la dualité inhérente à chaque individu, dualité qui s'élabore à partir des couples bien/mal, innocence/déraison, docilité/autonomie. Son originalité tient à ce que, à l'instar de Wagner, elle accepte de devenir l'élève de Faust en toute connaissance de cause — sans doute aussi est-elle dotée de meilleures prédispositions. En effet, l'héroïne est construite sur une dyade, un amalgame Marguerite-Gretchen : la bonne part d'elle-même est assumée par Marguerite, le rôle de la polissonne est endossé par Gretchen. Cette seconde identité d'un personnage en somme bicéphale domine de façon définitive quand Marguerite cède aux avances de Faust (p. 186) : elle exprime son consentement à l'univers du Mal. La présence, au cœur même de l'acte amoureux, d'une analepse où Marguerite se souvient de ses jeux d'enfant, du serpent d'un ami et de sa fascination pour le reptile (« *Elle ne lui avait rien trouvé de diabolique.* » (p. 185)), inscrit une acceptation ferme et lucide de l'influence faustienne. Elle consolide ainsi une inclination déjà préparée par Faust à Nuremberg.

Swanwick dépeint Gretchen en véritable femme d'affaires, à qui il incombe de gérer une multinationale aux activités diversifiées (tréfileries, armement, industries chimiques, teintureries, produits pharmaceutiques, etc.), de contrecarrer ses concurrents (p. 207) ou de surveiller les visées ambitieuses de ses propres collaborateurs (p. 230). Dès lors qu'elle devient le principal directeur des industries Reinhardt et que, par le pacte amoureux, elle accepte de suivre à la lettre les directives émanant de Faust, elle n'apparaît plus que sous les traits d'un chef d'entreprise cynique, plus soucieux de rentabilité que d'environnement ou de respect des vies humaines — le contraste étant d'ailleurs très net avec la scène dans laquelle elle réalise des travaux de broderie en compagnie de sa cousine Sophia (pp. 129-30). Que l'on se reporte à ses commentaires lorsqu'elle découvre l'enquête menée par un journaliste sur la pollution et les maladies engendrées par son usine de pellicules (pp. 229–31), ou à l'habileté dont elle use pour se défaire de l'opposition de ses collaborateurs quant au lancement de la pilule contraceptive :

Elle ne laissait jamais ses subordonnés contester ses décisions en se référant à son sexe ; un comportement typique de la gent masculine. S'ils pensaient que ces contraceptifs n'étaient importants que pour les femmes, ce projet s'enliserait dans leur mépris. Mais elle était rusée et elle vaincrait le machisme par le machisme, leurs ergotages par des arguments juridiques et leurs objections par la logique. (pp. 233-4)

Swanwick prête à son héroïne un mépris pour l'humain qui n'est pas sans rappeler celui de nombre de dirigeants de multinationales au XXᵉ siècle et en deçà déjà — le machinisme, la rationalisation du travail comme la gestion de la production et la fabrication en série, la vision de l'usine et du travail à la chaîne en tant que déshumanisation évoquent, en outre, le taylorisme.

Qui plus est, le personnage de Gretchen permet de livrer une image de la femme moderne, en avance sur les mœurs de son époque. Son comportement est censé être à l'origine de phénomènes de mode, conformes à un féminisme ambigu :

Il y avait au rez-de-chaussée un magazine de mode parisien avec sa photographie en couverture, un exemplaire à paraître qui lui avait été adressé par l'éditeur. Il contenait un article où elle était portée aux nues comme la Nouvelle femme... CHIC, INFLUENTE ET MAÎTRESSE DE SON EXISTENCE. (p. 280)

Cependant, à l'instar de Faust que la hardiesse de ses inventions transforme parfois en personnage haïssable aux yeux du public, Gretchen a été conçue comme un double féminin dont le comportement social et le désir d'émancipation restent fortement contestés. Swanwick ne néglige aucun détail. Malgré la désapprobation générale, Gretchen revendique haut et fort le droit de fumer en public et de se teindre les cheveux (p. 241), faisant écho à des préoccupations affichées dès le XIXᵉ siècle par les femmes (ne songeons qu'à George Sand). Son avortement et les manifestations violentes qu'il suscite de la part de certaines ligues (p. 286) ramènent le lecteur à une actualité plus proche. De même, le consentement facile avec lequel elle accepte de passer une nuit en compagnie de sa secrétaire et un diplomate polonais paraît faire référence à une évidente libéralisation des mœurs (p. 244). Il faut noter qu'à cette occasion Gretchen symbolise encore le mal, puisque, dans la métaphore biblique désignant le trio, elle endosse le rôle du serpent : « *Ils entrèrent, nus et innocents : Adam, Gretchen et Ève dans le jardin d'Éden.* » (p. 244). Enfin, le choix de se suicider plutôt que d'être condamnée au gibet ou de chercher à soudoyer ses juges, la gestion de la succession des entreprises menée jusqu'à son terme (pp. 320-1) ou l'ingestion méthodique des barbituriques (p. 328) contribuent à la mise en forme d'un personnage de femme désireuse, malgré tout, de rester maître de son destin.

*

À l'épreuve d'une Histoire remodelée, mais dont le sens est conservé intact par l'auteur, l'Homme semble ne pouvoir s'appréhender que comme une entité maléfique. La fiction ne cesse de le répéter : Méphistophélès s'est intériorisé en Faust, Gretchen l'emporte sur Marguerite, le monde occidental perfectionne à l'envi les machines afin d'alimenter ou d'améliorer le mécanisme d'autodestruction. Au moyen d'une indexation de découvertes et d'événements significatifs, Swanwick obtient un effet similaire à celui que Faust provoque auprès de Wagner avec son microscope : « *C'est plein de monstres, là-dedans !* » (p. 67). Le « mythe » du savant fou, personnage en soi éminemment faustien dès l'origine, dont on connaît les développements fréquents en science-fiction, trouve ici une cohérence et une expansion jubilatoires pour le lecteur connaissant un tant soit peu le mythe de Faust. C'est en effet à l'épreuve de celui-ci, de ses principaux invariants, que s'articule le parcours du personnage éponyme. Swanwick ne s'est pas contenté d'ajouter un énième *"Faust"* à un hypotexte déjà dense et directif, mais a su élaborer une œuvre aux résonances très fortes pour le lecteur d'aujourd'hui.

« Science sans conscience n'est que ruine de l'âme », écrivait Rabelais, ce à quoi l'on peut ajouter les propos que Mary Shelley donnait dès 1817 dans sa « Préface » à *Frankenstein* :

Le lecteur ne supposera pas que j'accorde la moindre croyance aux produits de l'imagination ; néanmoins, en basant sur eux une œuvre de fantaisie, je n'ai pas eu en vue de décrire uniquement une série de terreurs surnaturelles. L'événement qui fait le sujet de cette histoire [...] permet à l'imagination de décrire des passions humaines plus étendues et plus impérieuses que ne le comportent ordinairement les récits d'événements réels.

(p. 7[29])

Tout comme *Frankenstein* s'apparie au mythe du savant fou et à celui de Faust, constitue en un certain sens un récit de science-fiction, lire *Jack Faust*, roman de science-fiction, c'est reconnaître la part maléfique qui est en l'homme, renoncer à un humanisme béat. Mary Shelley revendiquait déjà ce choix d'un sujet pouvant heurter les philosophies bien-pensantes :

[...] je me suis en premier lieu attachée à limiter les effets énervants des romans actuels, exhibition pleine d'amabilité des affections familiales et l'excellence de la vertu universelle. (p. 8[29])

Entrer dans l'univers de Mary Shelley comme dans celui de Michael Swanwick, c'est non seulement prendre conscience de la mort individuelle comme collective, renouer avec ces romans de fin du monde, ces récits où l'on narre la catastrophe qui met fin à l'existence sinon de l'univers tout entier, du moins de la Terre et de l'humanité, mais, surtout, oublier ce point de vue chrétien traditionnel selon lequel la fin de l'humanité appartiendrait à Dieu qui en déciderait... et voir s'élaborer un point de vue nouveau selon lequel la fin de l'humanité et de la Terre serait inscrite dans le destin même de l'une et de l'autre. La fin du monde survient au terme d'une évolution dont les grandes inventions qui scandent le récit de Swanwick s'apparentent à une marche, une mort programmée : l'euthanasie institutionnelle.

Dans un monde sans dieu ni éthique, en dépit d'un Victor Frankenstein pensant œuvrer pour le bien de l'humanité ou d'un Faust désireux d'apporter le progrès, l'Apocalypse biblique se voit supplantée par une apocalypse technologique.

1. Le texte, publié en 1997 aux États-Unis, a été traduit en français en 2000 par Jean-Pierre Pugi, aux Éditions Payot & Rivages. Nous travaillons à partir de l'édition du Livre de Poche parue en 2001. Sans autre précision nos renvois sont à cette édition. — Le prénom *Jack* est attribué au héros par l'espion anglais Will Wycliffe. Celui-ci, soigné par le savant au cours d'une épidémie de peste, prétend ne pas pouvoir retenir la dénomination latine « *Johannes Wilhelm Faustus* » (p. 153) et le nomme ainsi. Faust accepte sans réticence et adopte définitivement cet appellatif au moment de l'échange des « *noms intimes* » avec Marguerite qui succède à la scène d'amour (pp. 186-7). Swanwick emprunte le prénom de son héros à Jack l'Éventreur, d'ailleurs cité en épigraphe.
2. Michael Swanwick a débuté dans la science-fiction en 1980 avec la publication de la nouvelle « The Feast of St Janis ». C'est dans ce genre qu'il a rédigé la plupart de ses textes. Trois autres romans ont déjà paru, dont *Stations of the Tide* (1991) qui illustre le mythe de Prométhée.
3. Méphistophélès est une entité artificielle de créatures démoniaques appartenant à un autre monde que celui des humains. De manière originale, son nom résume en une équation l'ensemble des lois de l'univers, en même temps qu'il est une adresse rendant possible son invocation et qu'il symbolise les rapports des hommes avec les créatures de cet autre cosmos. Possédant un savoir absolu, maîtrisant les sciences, les techniques, et capable de montrer le passé comme l'avenir, Méphistophélès propose à Faust un pacte qui tient à ce que les créatures qu'il incarne appartiennent à un milieu où « *le temps s'écoule bien plus vite* » (p. 43). Aussi Méphistophélès et les siens visent-ils à l'élimination de la race humaine, puisque celle-ci devrait, sans l'intervention de Faust, survivre à leur propre race, elle-même logiquement menacée d'extinction, selon une loi de décadence et de disparition inhérente au développement des sociétés — soient-elles démoniaques... —, voire, plus simplement, selon une loi « inéluctable » que détermine le développement de l'univers (pp. 48-9).
4. La façon dont l'uchronie a été élaborée dans ce roman de science-fiction appelle quelques commentaires. Si l'arrière-plan historique propre au mythe se laisse aisément deviner — Faust brûle des livres considérés comme des piliers du savoir au début du XVIᵉ siècle ou ignore encore la place de la Terre dans le système solaire —, le repère temporel initial, « *au début de ce siècle* » (p. 19), empêche toute véritable détermination chronologique, à moins d'estimer que le déictique suffise à établir que nous sommes au siècle du Faust historique. En outre, si l'on se reporte à la définition stricte de l'uchronie selon laquelle il s'agit d'insérer des événements fictifs dans une trame historiquement déterminée, l'ouvrage de Swanwick a pour particularité d'entremêler toute une série de décou-

vertes réelles, qu'il est possible de dater, à l'invention d'un contexte où prend place son héros. L'auteur a donc fait le choix de concentrer cinq siècles de progrès technique en à peu près autant d'années de vie humaine. À ce titre, le roman semble construit à l'image du décalage existant entre la croissance à vitesse vertigineuse que connaît la civilisation de Méphistophélès, et celle, plus lente, de la Terre. Les rares marqueurs de durée ou de saison ne servent qu'à étayer une vraisemblance, mais tendent ensuite à s'effacer. Dans les dernières répliques de l'entretien entre Faust et Méphistophélès se fait jour l'idée d'un vieillissement global, où les hommes devraient avoir déjà vécu pendant un siècle :

« Il va être minuit », dit Méphistophélès.
Faust baissa les yeux sur ses bras atrophiés, ses mains livides et tachetées. « Je me sens si vieux, si faible.
— C'était à prévoir. Le siècle tire à sa fin. L'œuvre de ta vie est presque achevée. [...] » (p. 348)

Soulignons la complexité de cette clôture, le lecteur n'ayant jamais eu l'impression qu'un siècle s'était écoulé. Qui plus est, l'assimilation de Faust à Hitler renvoie à l'histoire du XXᵉ siècle, et le récit crée des échos jusqu'aux dernières décennies dudit siècle.

5. Voir Jean GATTÉGNO, La Science-fiction (Paris, P.U.F., « Que sais-je ? », 5ᵉ édition, 1992).

6. Cette maladie succède immédiatement à la rencontre de Faust avec Méphistophélès. L'état d'inconscience dure sept jours (p. 52), ce qui correspond, dans la Genèse, au temps utilisé par Dieu pour créer le monde. La figure du Christ est elle-même convoquée au moment où Wagner prodigue des soins à son maître : « *Il savait qu'il fallait frictionner d'alcool ses membres livides et son torse de Christ décharné.* » (p. 52). Pendant son délire, Faust récite des sommes de connaissances — cf. pp. 54 à 59 — qu'il ingurgite comme par inoculation dans son cerveau et dont le haut degré d'érudition s'avère largement supérieur aux connaissances qu'il est en mesure de dévoiler à ses contemporains : « *L'émissivité spectrale d'un radiateur thermique est le rapport du rayonnement dudit radiateur dans une direction donnée et de celui d'un corps noir de même température.* » (p. 55).

7. *Schnabel* : le personnage porte un nom symbolique, *Schnabel* désignant dans son sens dénoté le « bec », l'« éperon », et, par connotation, la chair déchirée, le vautour.

8. Cet objectif, la panacée à la douleur physique, est rappelé dans la suite de la réplique : « *Charge-le de lancer la production de cette teinture de laudanum puis d'étudier les propriétés des autres opiacés, sédatifs, antalgiques, etc.* » (p. 208). Le savant à qui est confiée cette tâche n'est autre que Paracelse, souvent associé à Faust.

9. L'usage toxicomanique de l'opium se développe en Occident à la fin du XVIIIᵉ siècle.

10. À moitié déshabillé, fumant un cigare bien symbolique, Faust se livre à des ébats sexuels devant une assemblée. Comme il s'agit de la fête du diable, il porte lui-même une couronne dotée de cornes.

11. Voir : « *Elle n'avait jamais véritablement regardé ces images. Elle le fit et vit les mains palmées, les colonnes vertébrales tordues, les expressions des*

parents. Cette vieille mère qui donnait un bain à son fils... comme son visage témoignait avec éloquence de son interminable désespoir ! Nous sommes en enfer, disait-elle, et depuis longtemps. » (p. 323).

12. L'auteur utilise un lexique spécialisé : « *remorqueurs - cargos - grues - chalands - tombereaux - fourgons - wagons - péniches - pots d'échappement - fonderies* » (p. 245).

13. Voir : la démonstration de Faust : « [...] *l'âme du canon est rayée pour imprimer une rotation à la balle, ce qui rend sa trajectoire plus rectiligne et accroît sa portée et sa précision.* » (p. 120).

14. Voir : « *Que toutes ces armes aient un calibre constant permet en outre de fabriquer des cartouches — incluant tant le projectile que la poudre — convenant à chacune d'elles.* » (p. 120).

15. Il est à nouveau question de lanterne magique pendant le séjour de Faust à Londres mais l'analyse est cette fois-ci plus sombre : « *Il pensa avec amertume aux espoirs qu'avait fait naître en lui le cinématographe ; il avait cru que cette invention permettrait d'éduquer les illettrés, d'enseigner des métiers et d'encourager l'hygiène publique. Partout où il portait le regard, il voyait ses créations perverties et utilisées à des fins qu'il n'avait pas prévues.* » (p. 216).

16. Voir : « *Dans les habitations aux toits pointus, la population était aussi imbue d'elle-même et satisfaite de son sort qu'une colonie de souris dans un fagot de brindilles.* » (p. 21) ; « *Les greniers étaient pleins ; les artisans, aubergistes et petits marchands prospéraient ; les bourgeois étaient gras et avaient une abondante progéniture ; la plupart des femmes attendaient un enfant.* » (p. 21).

17. Voir : « *Si tu étais agonisant et qu'un cafard vienne se promener sur ta table de chevet, à moins d'un pouce de ton poing serré... Que ferais-tu après avoir pensé qu'il sera toujours là pour assister à un lever de l'aube que tu n'auras pas la possibilité d'admirer ?...* » (p. 49).

18. Le motif du dieu faisant le monde à son gré figure en plusieurs endroits du texte. Par exemple : « *Le monde attend mes révélations pour être remodelé.* » (p. 64) ; « *Lui, Faust, avait entrepris de transformer le monde, de le remodeler à son image, et il rendrait par la même occasion ce petit négociant immensément riche.* » (p. 127).

19. La scène opère sans doute une variation à partir de la chronique, antérieure au *Volksbuch*, rédigée à Erfurt par Zacharias Hogel autour de 1580. Cf. André DABEZIES, *Le Mythe de Faust* (Paris, Armand Colin, 1972), p. 15 : « *[À] l'université d'Erfurt, [Faust] fait apparaître aux yeux des étudiants médusés (à l'aide peut-être d'une lanterne magique) jusqu'au féroce Polyphème qui fait dresser les cheveux à toute l'assistance...* » Outre la similitude des situations — Faust est professeur —, Swanwick a déjà développé le motif de la lanterne magique, comme on l'a dit.

20. Voir : « *Marguerite avait déjà constaté qu'ils ne réservaient un accueil chaleureux qu'à ce qui avait des applications militaires.* » (p. 136).

21. Voir à ce sujet le commentaire de Gretchen sur l'ordre social, pp. 275-6.

22. On notera l'emploi, dans la bouche de Faust, de formules religieuses détournées : « Je m'en lave les mains » (PONCE PILATE), « que votre volonté soit faite » (prière, entre autres paroles liturgiques, du *Notre Père*).

23. À nouveau, les propos sont démarqués de formules évangéliques : « Que

Dieu les protège ! » rappelant les dernières paroles du Christ en croix : « Pardonnez-leur, ils ne savent pas ce qu'ils font. »

24. *NeoPrometheus,* traduit, sert de titre au chapitre 3 (« Le Nouveau Prométhée »). Wagner l'emploie pour désigner Faust et le faire reconnaître (p. 294). Par ailleurs, une réminiscence du roman de Mary Shelley, *Frankenstein* — récit faustien, s'il en est —, peut se lire : *Frankenstein* a pour sous-titre « *The Modern Prometheus* ». Enfin, Faust prône la dissection des cadavres pour une meilleure connaissance du corps humain (pp. 23-4), ce qui n'est pas sans rappeler les expériences de Victor Frankenstein.

25. Rappelons que, chez Homère, Héphaïstos forge le bouclier d'Achille.

26. L'issue finale est précédée par une visite de Faust à un couple de Juifs cachés à Nuremberg. L'intérêt de la scène tient entre autres aux indices révélateurs d'une Histoire violente. Ainsi, l'évocation des perquisitions et des rafles transparaît dans les mots prononcés par Faust à son arrivée : « *Faust entra en souriant, alla droit vers le berceau, prit le bébé, se tourna et dit : "Vous êtes tous des juifs."* » (p. 335). Il est également question d'un pogrom passé : « *Tous vos semblables ont été chassés de Nuremberg.* » (p. 336). Faust se complaît à rappeler les traits qui caractérisent traditionnellement le Juif aux yeux des autres peuples : la passion de l'or, la thésaurisation, la peur ou la soumission. La condamnation par les Chrétiens de la Crucifixion n'est pas oubliée. La dramatisation progressive de l'échange (Faust propose à l'homme de reproduire l'histoire d'Abraham et d'Isaac avec son propre enfant) et son contenu renouent avec l'état des mentalités tel qu'il a pu prévaloir dans l'Allemagne des années 1930. Le choix de la ville de Nuremberg est, quoi qu'il en soit, absolument significatif : rappelons que, bien avant le fameux procès, Nuremberg fut précisément choisie par Hitler comme siège annuel du congrès annuel du Parti national-socialiste.

27. On notera à nouveau la référence à Prométhée, mais à un Prométhée lui-même inversé : le voleur de feu travaillait pour le bien de l'humanité, tandis qu'ici le « feu » se veut destructeur. La récupération des métaphores des Évangiles — en un syncrétisme révélateur, puisque se mêlent références mythologiques et références bibliques — se poursuit : Faust aspire à écraser les hommes « sous son talon », alors que, dans l'iconographie, c'est la Vierge qui écrase le Mal (le serpent) « sous son talon ». En outre, écraser « ses rivaux sous son talon », image polysémique, en réfère aussi à la représentation de la botte qui figurait dans les affiches de propagande du nazisme.

28. Équivalent de la croix gammée, le « *cercle blanc sur fond rouge dans lequel était représenté un poing noir stylisé* » (p. 347) peut être rapproché du cercle incantatoire de la magie servant à convoquer le démon.

29. Mary SHELLEY, *Frankenstein ou le Prométhée moderne,* traduction de Eugène ROCART et Georges CUVELIER (Paris, La Société Nouvelle, 1994).

8

L'ENFANCE DE FAUST

OU COMMENT RAJEUNIR UN MYTHE

(FAUST EN BANDE DESSINÉE)

par Pascal NOIR et Michel PEIFER

ÉTONNANTE bande dessinée, qui a dû dérouter le lectorat amateur du genre, puisque incontestablement le fruit de la connaissance d'une documentation érudite, les deux volumes élaborés par Michel Crespin (dessins) et Karel Dhoyen (*scenarii*), publiés l'un en 1995 et l'autre en 1998, offrent un *"Faust"*[1] relativement fidèle à celui qui se distribuait tel un petit livre de colportage, le *Volksbuch* de 1587. Outre cette veine « populaire », le personnage de Faust y côtoie nombre de figures référentielles fort connues à l'époque, mais quelque peu oubliées en ce début de troisième millénaire. Aussi voudrions-nous faire la lumière sur cette bande dessinée, très elliptique — tout un chacun peut néanmoins la lire plaisamment sans pour autant noter les allusions, les références qu'il y croise —, qui, pour un lecteur préoccupé des origines de la légende, s'avère un jeu de pistes des plus ludiques. Crespin et Dhoyen renouvellent un mythe en faisant *quasi* abstraction de ses réécritures, remontant aux sources mêmes de la légende tout en insérant dans leur fiction nombre de personnages historiques qui ont été les contemporains de Faust et ont laissé des témoignages à son sujet. Entre hypotexte (le

Volksbuch) et sources historiques (les témoignages antérieurs à la publication de ce *Volksbuch*), cette bande dessinée restaure un mythe en le replaçant dans son cadre, celui du difficile passage du Moyen Âge à la Renaissance — de l'ancien au moderne —, lieu de tensions multiples (science/magie ; lettrés/peuple ; professeurs/charlatans ; moines incultes/savants humanistes, etc.) dont les auteurs se font l'écho.

La bande dessinée, exploitant non seulement volontiers les catégories du démoniaque ou de la démonologie mais aussi étant très férue de cadres médiévaux — les ouvrages de chevalerie ou consacrés à la seule figure de Merlin, caricaturée et réinventée, sont légion —, ne pouvait ignorer un personnage aussi mythifié que Faust. S'il existe, certes, en Allemagne, de nombreuses bandes dessinées dévolues à cette figure, d'origine allemande d'ailleurs, la fresque livrée par Crespin et Dhoyen retient l'attention parce que son personnage éponyme n'est ni galvaudé ni mâtiné d'un pseudo-fantastique à la mode de nos jours, ni placé dans un contexte de pacotille pour jeunes lecteurs avides de contes fantastiques et fantasques. La vision d'un univers médiéval et d'un début de Renaissance correspondent, même s'il s'agit désormais de *topoï*, aux invariants structuraux et narratologiques des romans du Moyen Âge, voire à ce qui se lit sous la plume d'un Rabelais.

Divisée en deux époques et deux volumes, cette bande dessinée se présente tel un récit de formation assujetti aux *topoï* contextuels du genre romanesque : le premier volet, *Faust, le Remords de Dieu*, évoque l'enfance de Johannès. Au terme de celui-ci, l'enfant part étudier. Le second volet, *Faust d'Heidelberg, l'Étudiant*, rapporte la vie estudiantine et le moment où Faust acquiert renom et savoir. Il s'agit, en somme, du canevas du roman de formation et d'initiation, lequel répond à la trame du *Volksbuch* ainsi qu'à la structure qui régit l'œuvre d'un Rabelais (naissance et enfance de Gargantua, études jusqu'à l'acquisition de la sagesse). Ce schéma linéaire[2], sinon simpliste, permet un ancrage, cependant, dans un cadre spatio-temporel qui paraît être né au XVIe siècle. En effet, élément de la narration romanesque, la localisation des deux volumes présente un authentique chronotope : «*Est du Wurtemberg, Février 1490*» (I, 3) pour la première époque, «*Heidelberg, sur la Necckar [sic, pour le Neckar]... Avril 1505*» (II, 5) pour la seconde. Faust a «dix ans» dans le premier volume et, par déduction, vingt-cinq à l'ouverture du deuxième. Les dates sont exactes ou relativement, la critique s'accordant pour faire naître le Faust historique vers 1480, tandis qu'il serait mort aux environs de 1540. Par ailleurs, la spatialité est avérée : Faust est effectivement né dans le Wurtemberg (à Knittlingen[3]) et a étudié à Heidelberg ; même si cette source est contestée, il y a bien un certain Johann Faust (est-ce le même ?) qui a obtenu, début 1509, son grade de bachelier en théologie dans cette ville[4]. Or, le Johannès Faust de Crespin et Dhoyen obtient, non pas le baccalauréat mais sa «*licence en théologie*» (II, 7) à Heidelberg. Johannès est également issu d'une famille de paysans, à l'instar, cette fois, de l'ouverture du *Volksbuch* (première partie) le faisant, précisément, le fils de pieux paysans. La bande dessinée s'ouvre d'ailleurs sur des vignettes sans texte présentant un village et se focalisant (en gros plan) sur une Vierge à l'Enfant qui semble veiller sur cette bourgade rurale. La magie, dès l'enfance de Johannès, est cependant d'ores et déjà présente : Faust s'amuse à jouer au «sorcier» — mention prémonitoire — et semble même pourvu d'un don de voyance lui permettant, malgré lui et dès son plus jeune âge, de voir le passé comme de prédire l'avenir. Le motif, s'il ne figure pas tel quel dans le *Volksbuch*, répond néanmoins à la nécromancie que le récit populaire donne comme afférente à l'adulte. Tout concourt donc à poser le cadre historique de la fiction. Ainsi, il n'est aucune ville qui ne renvoie soit aux référents du Faust historique (biographèmes plus ou moins sujets à caution mais néanmoins connus), soit à ceux constitués par le *Volksbuch* : s'il est question d'Ingolstadt (I, 24), le personnage historique aurait séjourné dans cette ville ; s'il est encore fait mention, à deux reprises, de Wittenberg — l'oncle de Johannès y est commerçant (I, 33), y possède une maison qui conviendrait parfaitement aux recherches qu'escompte mener

Faust (II, 14) —, cette ville constitue le référent cardinal de la légende comme de l'Histoire. En effet, non seulement la première partie du *Volksbuch* présente Faust menant des études à Wittenberg mais, en outre, le Faust historique a dû s'enfuir de cette ville, le duc Jean ayant lancé un mandat d'arrêt à son encontre. Rappelons, d'ailleurs, que la légende faustienne s'est précisément développée dans les milieux luthériens de Wittenberg. Curieuse, en revanche, est l'alliance que Crespin et Dhoyen développent entre Johannès et Tritheim[5], car l'abbé bénédictin a laissé de Faust un virulent portrait-charge. Néanmoins, les auteurs de la bande dessinée ont dû avoir connaissance de cette fameuse lettre de Trittheim, qui constitue le plus ancien témoignage que nous possédions. Johannès, afin d'augmenter son savoir, accompagne Tritheim à Spire (II, 55) ; or, le célèbre abbé de l'Histoire n'a jamais, a-t-il écrit, rencontré Faust mais a séjourné maintes fois dans des villes où Faust, chaque fois, le fuyait. Voici ce que notait l'abbé au sujet de celui qu'il considérait comme un « insensé » :

Plus tard, tandis que j'étais à Spire, il vint à Würzburg et, poussé par le même orgueil, il aurait avancé, devant une foule de témoins, « que les miracles du Christ Sauveur ne sont pas si étonnants, que lui-même pourrait refaire tout ce que le Christ a fait [...] ».[6]

Ainsi, l'on oscille constamment entre figure légendaire et historique. Le *Volksbuch* a, quant à lui, également été colporté, dans un premier temps, entre Francfort et Spire, tout en situant la vie de Faust à Wittenberg. Sans doute est-ce ainsi, en un florilège de témoignages entretenant un flou artistique désormais impossible à dissiper, qu'une légende se crée — songeons à Gilles de Rais, le compagnon de Jeanne d'Arc, lui-même féru de sorcellerie, d'alchimie et de satanisme, qui a donné lieu, par une tradition populaire à l'instar de celle qui s'est greffée sur Faust, à de nombreux récits sanguinaires, notamment *Barbe Bleue* —, en tout cas qu'est élaborée cette bande dessinée, elle-même nourrie tout à la fois d'Histoire et de légende.

L'expression de l'espace et du temps renoue, en outre, avec

une société dominée par la religion. Johannès a une prémonition qui devrait se réaliser pour la « *Saint Jean d'été* » (I, 5), tandis que d'autres activités doivent être accomplies « *après Complies* » ou « *pour Matines* » (I, 38), à « *l'heure du chapitre des coulpes !* » (I, 46). L'influence du temps liturgique, qui régit notamment les études de Johannès, semble vite un carcan auquel l'enfant a du mal à se plier. S'il est question de la « Règle » à laquelle il faut se conformer comme dans tout monastère, Johannès se demande pourquoi on lui tond les cheveux : il n'en étudierait pas moins bien avec ses cheveux longs... Cette simple remarque — par-delà une castration métaphorique et l'assujettissement de l'individu à une communauté cléricale — énonce d'ores et déjà une rébellion, la vanité d'une société et de ses rituels ressentis comme stupides. À un niveau supérieur, le temps humain se voit d'ailleurs doublé par un symbolisme cosmique établissant une dichotomie entre le jour et la nuit, le soleil et l'ombre. Une progression du temps accompagne et soutient la progression de l'action. Celle-ci apparaît à travers le symbolisme des saisons et des heures qui structurent le récit : dès le prologue, nous sommes en hiver, dans un petit village calme et comme placé sous la tutelle de la Vierge ; un « *homme noir* » (I, 14) viole une jeune fille (la luxure est dévolue à ce personnage et non pas à Faust), Cosima, ce qui constitue l'élément perturbateur du drame, voire de la tragédie (Cosima est aussi tuée). La tranquillité du village est ainsi bouleversée et ouvre sur le monde de la nuit et de l'occulte. La profanation appelle une restauration de la situation initiale (trouver et châtier le coupable), et c'est Johannès qui découvre le meurtrier. *Climax* de cette tragédie, Johannès subira, en pleine nuit, un assaut des forces du Mal : s'il vainc le maléfique, l'on peut supposer que cet assaut qui le projette dans les airs au milieu de son sommeil renoue, tout en le réécrivant, avec l'épilogue du *Volksbuch*. Le récit populaire, en effet, se clôt sur une épouvantable nuit au terme de laquelle Faust est retrouvé mort au matin, son corps démembré par le diable. Étant donné que le Johannès de Crespin et Dhoyen n'y laisse pas sa vie, il est probable que les auteurs de la bande dessinée se sont inspirés non pas du

Volksbuch seulement mais aussi d'un témoignage de Melanchton, lequel a noté :

> Le diable l'emporta en l'air, l'y tourmenta et le secoua de telle façon que, retombé sur le sol, il resta étendu presque mort. Cependant il ne mourut pas cette fois-là.[7]

La bande dessinée met en image, à la lettre, tous ces éléments : Faust aspiré dans les airs, violenté par des forces malignes, retombe à terre, abattu. Néanmoins, Crespin et Dhoyen semblent composer leur scène en imbriquant cet épisode rapporté par Melanchton dans un autre épisode également fourni par le texte de Melanchton :

> [...] Faust répondit à l'aubergiste que, s'il entendait quelque chose dans la nuit, il ne devait pas s'effrayer. À minuit, il y eut un grand vacarme dans la maison. Le matin, Faust ne se leva pas [...].[7]

La bande dessinée romance ce témoignage, car Johannès, passant la nuit chez un ami, Conrad, a précisément mis en garde ce dernier, lui expliquant ses craintes et l'invitant à ne pas s'effrayer si, nuitamment, quelque événement devait advenir. Le manichéisme jour/nuit et la progression des saisons sont d'autant plus prégnants que Johannès, sorti victorieux du combat contre les forces du Mal, va poursuivre sa quête aux côtés de Tritheim en des vignettes qui, cette fois, attestent que l'hiver (bien symbolique) est bien révolu, puisque tout laisse à penser que nous sommes en été.

S'inspirant des plus anciens témoignages concernant le Faust historique (Trittheim, 1507 ; Melanchton, autour de 1550), Crespin et Dhoyen pratiquent une innutrition en amont du *Volksbuch* de 1587 et livrent, en somme, ce que l'on pourrait appeler la « protohistoire » de Faust puisqu'ils recourent aux premiers textes, souvenirs qui se veulent véridiques mais sont déjà polémiques et fabuleux. En cela, d'ailleurs, leur *"Faust"* des années 1990 gagne en originalité car les auteurs échappent à un mythe obéré par tant de livres, tant d'écrivains dont on aurait pu croire qu'ils avaient tari toute possibilité de renouvellement d'un récit souvent considéré comme convenu.

Plus symbolique encore est la métaphore filée du soleil qui sous-tend les deux volumes tout en faisant régulièrement contrepoint au régime nocturne. Présente dès le *Volksbuch*, la cosmologie développée par Crespin et Dhoyen se veut très médiévale ou "Renaissance", bien que ses sources remontent à l'Antiquité. Une scène, très révélatrice en dépit de son caractère anecdotique — Johannès descend à la cave pour aller y chercher du vin —, est tout à fait prémonitoire du parcours de l'enfant : Johannès remonte de l'obscurité de la cave pour retrouver la lumière. «*Le voici qui sort du ventre de la terre*» (I, 12), déclare son père. Le manichéisme ombre/lumière énonce la quête et l'ambition à venir. Programmatique, ce détail apparent met en abyme le parcours faustien : passer de l'obscurité — de l'obscurantisme du Moyen Âge — à la lumière, la connaissance de la Renaissance. Sortir du « ventre de la terre » pour accéder au soleil pose non seulement l'antithèse démonologique entre le Diable, sous terre, et Dieu, dans la clarté, mais, aussi, dans un registre syncrétique, l'ancienne distinction entre les dieux chtoniens et ouraniens. Ce syncrétisme est maintes fois corroboré. Si Johannès s'écrie, « *Un jour... Un jour je volerai... Un jour je te capturerai... Soleil..* ».(I, 24), le mythe s'amalgame à la mythologie prométhéenne tout en s'agrégeant des mythèmes très icariens, mais il pose également des motifs caractéristiques de l'Ancien Testament. En latin dans le texte, l'expression *Lux mundi* (I, 38) renvoie tout à la fois au soleil, la lumière du monde, et à la lumière divine, au Christ et à la Bible posant la Lumière comme la seule source de connaissance — songeons au fameux *Fiat lux*. De surcroît, la temporalité fournie par les deux volumes (cf. les chronotopes des deux tomes, l'un donnant 1490, l'autre 1505) situe le récit à une période charnière de l'Histoire, le passage du Moyen Âge à la Renaissance ou, si l'on préfère, à ce que Rabelais, recourant lui-même à une métaphorique de la lumière et de la nuit, voyait comme une sortie du « temps [...] ténébreux [...] des Gothz », des Ténèbres gothiques, du Moyen Âge qu'il abhorrait et avec lequel il souhaitait rompre pour aller de l'avant[8]. Il s'agit bien, ici, d'aller de l'avant... une page essayant d'être tournée[9]. C'est par cette quête de la lumière que Johannès tente de s'élever, tout en demeurant — contexte oblige — quelque peu prisonnier d'une religion dont il est difficile de s'affranchir et que Rabelais, encore, stigmatisait. Amalgamant référent religieux et aspiration ouranienne, la rébellion du personnage s'exprime dans la transgression. En effet, au monastère, une seule porte est interdite, celle d'une tour inaccessible aux jeunes élèves. Johannès enfreint l'interdiction, et son discours est tout à fait syncrétique : « *Il y a du soleil là-haut et je veux le voir. Et si Dieu doit me condamner à rester dans l'ombre...* » (I, 46), alors l'enfant est prêt à le rejeter. « *Je hais Dieu* », clame-t-il en gravissant les marches qui mènent au sommet du monastère. Le motif mythique de l'ascension, en des vignettes en plongée ou contre-plongée (I, 46-8), préparé par une vignette d'un ciel étoilé (I, 43), est décliné, et la rébellion consommée. D'emblée, on l'aura compris, ce n'est pas le clergé du monastère qui détient la lumière, il faut monter. Le premier volume s'achève sur cette ascension symbolique de l'enfant, ascension programmatique : au sommet de la tour est enfermé un alambic (la magie, l'alchimie auxquelles se livrent certains moines sans succès), cependant que l'enfant découvre la science, entrevoit pour la première fois le Grand Œuvre. La quête est bien profane et sacrée, la métaphore filée du soleil, des plus polysémiques, atteignant son *climax* lors du second combat avec les forces obscures, qui, dans le deuxième volume, oppose Faust au Mal. Ces forces obscures sont repoussées par la double invocation de « *Eloïm* » (II, 42) et de celle de « *Hélios* » — le dieu Soleil, c'est-à-dire de la Lumière dans la mythologie grecque, en un paragramme significatif. Qui plus est, c'est le nom d'Hélios qui est proféré en dernier et repousse les forces obscures, chtoniennes, corroborant l'ouranisme de Johannès mais aussi les vertus créatives, Hélios étant précisément la divinité de la chaleur permettant la vie[10]. La nuit cède donc la place à la lumière sans que l'on puisse décider, à rebours du *Volksbuch* et de sa morale chrétienne (il faut adorer Dieu), à qui revient la victoire sur les Ténèbres. En cela, le Faust de Crespin et Dhoyen s'écarte du récit scripturaire, mais en livrant une vision qui paraît conforme à l'image que l'on se fait, aujourd'hui, de la Renaissance : une mise en question de la religion ressentie comme obsolète, une mise à distance du clergé préparant le passage à une nouvelle ère, un autre mode de pensée, celui de l'humanisme.

Toujours sur un mode manichéen — la dualité marquant profondément le XVIe siècle : le Bien/le Mal ; la religion/la science ; la culture/l'ignorance, etc.—, une antithèse, révélatrice par ailleurs de la vie à l'époque, oppose également le milieu campagnard et le monde citadin. Le village est lieu des superstitions, freins à toute évolution, tandis que la ville (lieu des études : Ingolstadt ou Heidelberg) est plus propice à une ouverture intellectuelle, fantasmatiquement en tout cas.

Le motif du lieu étriqué, de la sclérose, se voit tripliqué : dans le village isolé se situe la maison des parents de Johannès, laquelle comporte une cave. La structure de l'enfermement et la propension de Johannès à quitter le lieu clos se lisent dans maintes vignettes, lesquelles n'ont nullement besoin de comporter de texte. L'enfant, souvent, sort et court hors de la demeure familiale, il ressort de la cave comme on l'a vu et, *in fine*, quitte le village. Tout jeune encore, il rêve des marchands «*qui vont en Italie et qui remontent le Rhin*» (I, 4) en des désirs de voyages comme dans le *Volksbuch*, qui rappellent aussi le pèlerinage de tout humaniste digne de ce titre. Si la geôle constituée par la cave (son père l'y enferme d'ailleurs) est expressément qualifiée par Johannès de «*sans issue*» tandis que ce qui l'«*appelle* [lui], *c'est... de la liberté*» (I, 12), le village n'est qu'une clôture supplémentaire à franchir également. Johannès «*ne peut plus rester au village*» (I, 24), selon son oncle qui est prêt à lui payer ses études : «*Il faut le soustraire à la vie d'ici où le monde est trop simple pour lui*». À l'instar du Faust adulte du *Volksbuch*, l'enfant a «*soif d'apprendre le Monde*» (I, 28) et se range à l'avis de son oncle : «*Je n'aurais pas pu me garder ici... dans ce village...*» (I, 28). L'enfant, toutefois, découvrira une quatrième clôture, la clôture monastique où il est reclus pour l'étude. On l'a vu, il transgresse celle-ci en enfreignant la Règle et l'on comprend qu'il finisse par suivre Tritheim, lequel peut lui fournir les connaissances que les moines ne sauraient lui apporter. Deux conceptions du monde entrent, en fait, en conflit : la mère de Johannès et Gretchen incarnent la piété mais aussi la superstition, tandis que l'oncle, pourtant simple marchand, incarne l'accession au savoir. Une dyade se dessine entre des freins à la Culture :

— Gretchen : « *Il faut brûler les sorciers !* » (I, 7) dit Gretchen en ce XVIe siècle où, effectivement, ceux-ci sont partout condamnés au bûcher pour avoir vendu leur âme au diable — rappelons que l'enfant, précisément, aime à jouer au sorcier ; « *As-tu le don de double vue ?* », « *Es-tu le fils du Diable ?* » (I, 22), demande encore la vieille femme ;

— la mère de Johannès, constamment effrayée par les récits de son fils, notamment par ses prémonitions. Elle rechigne d'ailleurs à le laisser partir étudier ;

et des adjuvants tels Tritheim et, depuis toujours, l'oncle Thomas Sdrig issu d'un milieu citadin. Thomas incarne la protection comme la possibilité d'étudier en dénonçant la force d'inertie du village. Aux parents de Johannès, il déclare :

Il est étrange, en effet... mais c'est seulement que la nature lui a donné plus de pouvoir et d'intelligence. Et cela effraie les gens de ce village [...]. Non, il n'a rien d'un diable ! Par contre, il doit étudier.   (I, 22)

Entre un monde rural dominé par la superstition, assujetti au clergé, et un vieil homme qui semble bien plus proche des conceptions humanistes — « *Tu dois apprendre à lire... et à écrire... et faire ta théologie... C'est la base de toute connaissance* » (I, 33) —, se rencontrent deux univers antagonistes dont l'enjeu est l'enfant et qui reflètent les clivages de la société d'alors.

L'oncle Thomas permet la mise en place de certains mythèmes qui, dans le *Volksbuch*, sont obtenus grâce à l'entremise de

258

Méphistophélès. Non seulement il apporte à Johannès les voyages mais, également, puisqu'il couche Johannès sur son testament, il lui ouvre la voie de la richesse. C'est l'oncle qui veille sur son neveu, non pas Méphisto qui pourvoit à la réalisation des désirs du jeune homme. Il est, d'ailleurs, le destinateur de la quête de son neveu. Les études, en revanche, sont conformes au récit populaire mais, surtout, ce qui est notable, aux exigences d'éducation d'un humaniste. Faust obtient sa « *licence en théologie* » (II, 7) (cf. la première partie du *Volksbuch*) mais ne s'arrête pas là car il désire obtenir ensuite la « *maîtrise de philosophie* ». Le désir d'embrasser toutes les sciences répond à l'ambition humaniste, et l'on voit même le jeune homme parler latin (II, 38), prononcer des paroles qui ressemblent, dans certaines bulles, à des caractères hébreux (II, 30). Certes, Johannès, à l'imitation de son illustre modèle, s'adonne à l'alchimie, est versé dans la science des simples et compose onguents, élixirs ; avant d'affronter pour la seconde fois les forces du Mal, il boit une médication, composée par Conrad, dans laquelle entre de l'or ; mais, à rebours du *Volksbuch*, l'astrologie semble remplacée par le don de prémonition, inné apparemment, du jeune homme. Le programme humaniste — qui intégrait d'ailleurs l'astrologie comme une science — se voit ainsi décliné tel qu'on le rencontre, entre autres, dans les célèbres pages de Rabelais vantant l'idéal de l'homme de la Renaissance aspirant à une culture synoptique.

À l'instar, encore, des nombreuses attaques que Rabelais porte à l'encontre des Professeurs ou Docteurs (satire des « Sorbonistes » et « Sorbonagres »), et du clergé naturellement (satire des « théologiens » et « papistes »), la bande dessinée opère une nouvelle partition entre vrais et faux savants, érudits et charlatans. Deux visions d'une société s'affrontent : d'un côté les professeurs et les moines, figures de l'ignorance, de l'autre, Faust et Tritheim (seul membre du clergé à faire exception), cultivés et mus par un désir de connaissance. Ainsi, lors d'un banquet (II, 7) que donne Johannès à ses amis et professeurs (motif du banquet donné aux collègues et étudiants qui figure déjà dans le

Volksbuch), les professeurs ne s'y rendent que pour les victuailles ! Les moines, quant à eux, sont donnés comme incapables car, s'ils travaillent secrètement à des expériences alchimiques pour obtenir de l'or, jamais ils n'ont réussi cette transmutation. En revanche, Johannès a réussi cette transmutation, puisqu'il distribue de l'or à ses amis. L'élève, en somme, est devenu le maître. En outre, Johannès se refuse à embrasser la carrière ecclésiastique, refus qui corrobore son aversion pour un clergé inculte : Johannès refuse de lui être agrégé. La science est bien du côté de Faust, non du côté des religieux pourtant lettrés :

Je veux bien être savant... mais pas moine !   (I, 33)

Je veux apprendre pour surtout ne jamais être moine ni prêtre ! ! Jamais !
                                                                      (I, 43)

répète le jeune homme. Cette dénonciation d'un clergé considéré comme ignorant mais revendiquant la culture répond exactement aux visions que Rabelais nous a laissées. De surcroît, à l'instar de la verve rabelaisienne, Crespin et Dhoyen émaillent leur bande dessinée de maximes satiriques stigmatisant un clergé riche et corrompu — les moines travaillant l'alchimie pour s'enrichir :

Et tous ces biens... Messeigneurs de l'Église... que vous gaspillez en ripailles et en catins, ne vous sont acquis ni par le commerce... ni par le travail de vos mains ! !   (I, 29)

ou encore :

Alors Pontifes ! Que faites-vous quand je dois le secours aux pauvres affamés, aux meurtris ? Vous riez et faites bonne chère ?   (I, 31)

Comme les professeurs, les moines ne s'adonnent qu'aux ripailles et victuailles. Ces deux groupes, dépositaires normalement du savoir à l'époque, fustigent d'ailleurs les seuls vrais lettrés du récit : Tritheim et Johannès. Ces deux derniers personnages sont intimement liés car Johannès devient en quelque sorte le disciple de l'abbé dont il reconnaît avoir lu et suivi tous les travaux (II, 21) — travaux qui ne sont pas reconnus par la classe officiellement détentrice de la culture. Dans cette période pré-scientifique, les professeurs mis en scène sont les tenants d'un rationalisme dogmatique et, par là, les opposants de Tritheim : « *Nous sommes des Philosophes, des Scientifiques, pas des charlatans !* » (II, 25). En effet, Tritheim souffre des calomnies colportées à son sujet. Certes, on l'a dit, le Trittheim de l'Histoire a dressé un portrait sévère de la personne de Faust, peut-être par jalousie comme certains critiques l'ont avancé, mais le personnage historique, qui n'a nullement fraternisé avec Faust, était néanmoins lui-même fasciné par l'alchimie et les sciences occultes. A-t-il perçu Faust tel un rival ? Peu importe, Crespin et Dhoyen apparient les deux personnages par le truchement de leur goût commun pour « *la Magie des Anciens* » (II, 23). Grande figure de l'humanisme en Allemagne, Trittheim passait, aux yeux de ses contemporains, pour pratiquer la magie, et c'est cette suspicion jetée par les lettrés de l'époque sur Trittheim que développe la bande dessinée : le personnage de Tritheim est qualifié par les professeurs de « *magicien satanique* [...] *invoqu*[*ant*] *les démons dans son abbaye* » (II, 25). Se retrouve bien là un fait caractéristique de l'époque : les lettrés mais aussi le monde populaire[11] pourfendaient tous ceux qui paraissaient échapper au commun, vouloir enfreindre les règles imposées par un clergé désireux de conserver le pouvoir. D'ailleurs, la bande dessinée mentionne d'autres personnages qui ont subi les mêmes avanies. À la clausule du deuxième volume, Johannès rencontre un enfant auquel il déclare : « *Un jour, tu choisiras de t'appeler Paracelse et tu guériras les gens.* » (II, 63). Si les comparaisons entre Faust et Paracelse (homme de science effectif quant à lui) sont récurrentes dans les reprises du mythe, précisons que Paracelse — ainsi qu'Agrippa von Nettesheim, personnage référentiel du récit — a donné lieu tout autant à des anecdotes sataniques et fantastiques, à des légendes s'apparentant à celle de Faust lui-même. Quoi qu'il en soit, Johannès et Tritheim incarnent le savoir, un savoir rejeté par la religion populaire. Il est tout à fait notable que le Tritheim de la bande dessinée soit fasciné par la Kabbale — comme nombre d'écrivains de l'époque — et possède une

« *bibliothèque de plus de 2000 ouvrages* » (II, 21), laquelle est réduite en cendres... L'on songe non seulement à l'incendie de la bibliothèque d'Alexandrie mais aussi au roman d'Umberto Eco, *Le Nom de la rose*. Aussi, de satanisme n'est-il plus guère question... et le mythème de l'obstacle ou des limites à l'acquisition des connaissances s'avère constitué par la société elle-même, qui n'est pas prête aux changements[12], et c'est en cela, grâce à la reconstitution socio-historique à laquelle ils se livrent, que Crespin et Dhoyen revitalisent le mythe.

Car Johannès ne signe aucun pacte. Les auteurs choisissent le parti de dresser un portrait de Faust en humaniste soucieux d'aller de l'avant et seuls les propos du jeune homme énoncent la damnation : « *Je serais capable de donner ma vie dans son entier pour la connaissance... promise au meilleur des hommes, et de me damner pour cela.* » (II, 8). La formulation n'est qu'optative, qui plus est insérée dans un dialogue avec l'oncle, personnage bienveillant. Néanmoins, et seul un vecteur comme la bande dessinée pouvait recourir à une telle technique, deux avatars de pacte sont cryptés dans les vignettes. Dès le *Volksbuch*, Faust devait signer deux pactes (première et troisième partie) avec Méphistophélès — le second confirmant le premier et l'aliénant définitivement au Malin —, doublet que reprennent Crespin et Dhoyen, mais sur un tout autre mode. Johannès subit deux assauts des forces du Mal et, pour les repousser, s'écrie tantôt « *Ma force est en Christ* » (II, 30), tantôt « *Eloïm* » (II, 42). Certes, on retrouve le motif du *Volksbuch* qui a généré la signature d'un second pacte (Faust aspirant à se convertir pour rompre le contrat), mais il ne s'agit que d'échos du pacte mythique puisqu'il n'est nullement question de conversion : ces propos figurent simplement dans des bulles imitant des caractères manuscrits rouge sang. Les deux scènes ne constituent donc aucunement un pacte — le sujet n'est pas un contrat —, mais la typographie rappelle ce mythème, cardinal à l'origine, mais qui, ici, est absent, ou tout au moins totalement subverti : aucun texte n'est signé car il s'agit de paroles, aucune inféodation au Mal car il s'agit de clamer Dieu, simplement un recours à des bulles couleur sang, clin d'œil en quelque sorte à destination du lecteur.

Le diabolisme lui-même, par rapport au récit scripturaire, subit le plus souvent une déflation. D'une part, Johannès est assimilé au diable parce qu'il a soif de savoir : il n'est diabolisé que par une population tournée vers le passé, les traditions et la religion, qui ne peut concevoir ses désirs d'apprendre. Faust, en somme, n'est diabolique que dans la mesure où, du fait de l'entour historique où ont pris soin de l'enraciner les auteurs, son aspiration au savoir est en butte aux superstitions et à l'orthodoxie religieuse. D'autre part, s'il a des prémonitions, celles-ci ne sont nullement dues à un quelconque diabolisme : la preuve en est que, à rebours du *Volksbuch* où Faust exploite ses pouvoirs à ses propres fins, Johannès déclare que ses visions concernent toujours autrui et que, jamais, elles ne peuvent le concerner directement. En outre, c'est le lexique qui tend à faire de lui un personnage inquiétant : une métaphorique développe une polysémie conférant à Johannès des sèmes faustiens qui ne lui sont, en fait, absolument pas afférents. Il « *sort du ventre de la terre* » (I, 12), paroles prononcées par le père, alors que Johannès remonte de la cave ; « *l'homme noir* », qui l'accuse d'être « *maudit* » (I, 19), apparaît comme un prêtre pervers, à la limite de l'idiotie et de la folie[13], et poursuivant le héros de sa rancœur pour avoir été dénoncé par lui comme le violeur de Cosima ; Gretchen, paysanne emblématique d'une population inculte et superstitieuse lui demande s'il est « *le fils du Diable* » (I, 22). Ce dernier motif a d'ailleurs fait fortune dans l'élaboration du mythe puisque certains témoignages, bien antérieurs à la publication du *Volksbuch*, mentionnent cette filiation d'un homme descendant du démon. Après tout, il y a bien eu un fils de Dieu, pourquoi l'imagination populaire n'aurait-elle pas inventé, par contrepoint et symétrie, un fils du Diable ? C'est un constat, Johannès n'est diabolique que par le truchement d'un mode d'insertion des mythèmes faustiens qui relève du « on dit... » Il n'est pas jusqu'à l'ami de Johannès, Conrad, qui ne reçoive des pièces d'or et s'exclame, sourire aux lèvres : « *Suppôt du diable !* » (II, 46). Polysémique et ironique, le *scenario* procède de même en ce qui concerne le doublet narratif de Faust, à savoir l'abbé Tritheim, qualifié aussi de « *magicien satanique* » (II, 25). Ce mode du « on dit » est d'ailleurs renforcé par le recours à un bestiaire ressortissant à la démonologie : à nouveau, c'est l'imagination populaire qui diabolise le personnage, le tout sous-tendu par les vignettes de Crespin qui présentent tel un leitmotiv un chat noir suivant Faust. Comme le chat peut voir dans l'obscurité, un parallèle est établi entre l'animal aux yeux rouges et Johannès enfant : le don de « double vue » (expression de Gretchen) ou les prémonitions. L'enfant, mais c'est un enfant fantasque qui joue au sorcier[14], corrobore cette assimilation : « *J'ai bien été chat pendant tout ce temps, mon père... et puis, je suis devenu hibou* » (I, 12). Il est bien difficile de prendre à la lettre ces affirmations puisqu'elles sont le fait d'un gamin ludique de dix ans à peine. Chat noir, hibou, mais encore loups féroces et oiseaux noirs planant dans le ciel, sortent tout droit d'un Moyen Âge avide de bestiaires démoniaques et féru d'augures. Crespin joue à l'envi de ces stéréotypes, recourant même à une allégorie : une vignette sans texte présente un aigle montant dans le ciel et suivi de près par un oiseau noir. Le lecteur ne peut que songer à Faust, voulant s'élever, poursuivi qu'il serait par son mauvais génie, Méphistophélès, en une mise en abyme parlante. Cette fois, ce ne sont pas les autres personnages du récit qui diabolisent Johannès mais le lecteur lui-même, livré qu'il est au décodage convenu d'une imagerie topique de la sorcellerie, Johannès ayant, qui plus est, les cheveux roux et les yeux verts...

Jamais, cependant, le nom de Méphistophélès n'apparaît dans les deux volumes. L'appellatif retenu est celui d'« *homme noir* » (I, 14) pour, nous semble-t-il, diverses raisons. Non seulement ce nom périphrastique corrobore la dyade antithétique relevée, celle d'une lutte entre l'ombre et la lumière, mais aussi le fait que ce personnage est plutôt stupide. Faire de Méphistophélès un moine, plus précisément un « *abbé* » (I, 17), confirme un autre axe de lecture relevé : l'inculture et la bêtise corrélées au clergé. Néanmoins, l'apparence de cet « homme noir » renoue en partie avec un épisode du récit populaire, notamment lorsque Méphistophélès s'habille précisément en moine (deuxième partie) pour révéler à Faust la corruption de Rome — corruption qu'incarne d'ailleurs cet «homme noir» ayant violé et tué une jeune fille. Sont rejoints, à nouveau, l'avilissement et la débauche que Crespin et Dhoyen donnent comme inhérents au clergé. Cet avatar de Méphistophélès est d'emblée bien peu rusé puisque Johannès démasque le meurtrier : toute une problématique biblique de la profanation — celle de la souillure, motif biblique s'il en est — caractérise le transgresseur ; à propos de la mort de Cosima, Johannès déclare que l'«homme noir» «*l'a forcée... et souillée...*» (I, 16), l'a «*souillée, en même temps [qu'il] la tu[ait]*» (I, 18). La luxure comme la profanation ne sont donc pas, *a contrario* du *Volksbuch*, imputées à Johannès mais à ce «*loup démon*» (I, 18), selon l'expression même du personnage principal. Si le nom de Méphistophélès n'est jamais mentionné, en revanche, il est tout à fait révélateur que ce soit l'«homme noir» qui, le premier, prononce celui de «*Faust*» (I, 14). Jusqu'alors, le jeune homme avait toujours été appelé Johannès. La rencontre entre les deux protagonistes du mythe est donc des plus elliptiques. Elle est, quoi qu'il en soit, placée immédiatement sous le signe d'une supériorité de Johannès sur Méphistophélès, puisque le jeune homme ne peut, toujours à rebours du *Volksbuch*, être la victime des machinations du Malin (il a d'emblée découvert son identité) : ce n'est plus le diable qui lit dans l'esprit de Faust et exploite ses désirs secrets, mais Johannès lui-même qui «*conna[ît] [les] pensées*» de son ennemi (I, 14). Démasqué, l'«homme noir» s'enfuit alors sur le cheval le plus rapide, réécriture, à nouveau déflationniste, d'un Méphisto parcourant les airs sur des chevaux ailés. Qui plus est, cet avatar de Méphistophélès (après une chute de cheval!) échappe de justesse à la mort, cerné par des loups qui commencent à le mettre en pièces ! Ayant survécu à ses blessures, l'«homme noir» ne participe ensuite plus guère au récit, même si le montage alterné ou parallèle le rend omniprésent : nombre de vignettes, toutes sans texte d'ailleurs (II, 6, 11 ou 23), le montrent suivant Johannès, épiant dans l'ombre. Contrairement au *Volksbuch*, Méphistophélès n'a proposé aucun pacte et il ne participe aucunement à la diégèse : seule sa présence, obsédante pour le lecteur — et non pas pour Johannès, à qui il reste invisible — rappelle qu'il guette toujours sa proie. L'hypotexte s'en trouve profondément réécrit car, si Méphisto pourvoyait à tous les désirs de Faust, Johannès poursuit sa route seul, sans la moindre intervention ou aide maléfique. Toute ambiguïté paraît levée lorsque l'« homme noir » surgit à nouveau. Ce dernier affirme que Johannès Faust se nomme, en fait, « *Georg Hans Fust* » (II, 19), nom issu précisément de certains témoignages de l'époque (d'aucuns parlent d'un Georgius Faustus, notamment Conrad Mutianus en 1513), ce qui tend à prouver que Crespin et Dhoyen ont été abondamment documentés. En effet, ce n'est que plus tardivement et sous la plume de Melanchton que le *Georges* Faust de l'Histoire est devenu, pour la postérité, *Johannes*, prénom même qu'adoptent nos auteurs. En outre, l'« homme noir » dévoile ses intentions lors d'une scène, cette fois, absolument stéréotypée : « [...] *j'ai promis au Grand Satan lui-même de rapporter ton âme !* » (II, 28). Si cette déclaration paraît topique du mythe et semble accréditer le fait que l'« homme noir » soit bien Méphistophélès, rien n'est cependant certain. En effet, le rival est assimilé à un « *démoniaque sorcier* » (II, 35), non pas à l'envoyé du Diable. Deux duels opposent alors Johannès et l'« homme noir » : duels fantastiques — éclairs, feu, projection dans les airs — qui relèvent davantage de combats opposant des magiciens rivaux ou des sorciers que d'une lutte avec un démon. Crespin et Dhoyen semblent, en fait, opérer un amalgame à partir des données léguées par le récit populaire : l'« homme noir », en somme, est une création hybride qui emprunte tout à la fois ses traits à Méphistophélès et, justement, à l'épisode au cours duquel Faust livrait un combat contre un magicien rival (troisième partie du *Volksbuch*). Comme dans l'hypotexte, Johannès vainc son rival mais la victoire demeure néanmoins différente : Faust avalait son concurrent tandis qu'ici l'« homme noir » est retrouvé calciné, démembré en « *douze* » morceaux (II, 51)[15]. Dans aucune version du mythe, à notre connaissance, Méphistophélès n'est mutilé, carbonisé ni mis à mort, ce qui expliquerait, sans doute, que l'«homme noir» ne soit jamais appelé Méphistophélès, même s'il lui emprunte certains traits. Les deux assauts livrés contre Johannès relèvent davantage de la sorcellerie et de la démonologie que d'une lutte dont l'enjeu serait une *âme*. L'homme noir, et c'est l'unique mention de ce terme dans les deux volumes, est seul à prononcer le terme « *âme* » (II, 28), Johannès n'y songeant apparemment jamais. En revanche, les deux assauts menés par une force maléfique — pourquoi deux ? — constituent peut-être un écho des deux pactes que l'hypotexte développait. De damnation, cependant, il n'est nullement question, et l'avatar de Méphistophélès est évacué de la fiction aux deux-tiers du récit. Plus encore, la mise à mort de l'«homme noir» constitue une réécriture symétriquement inversée par rapport à la clausule du récit scripturaire : le *Volksbuch* se clôt après une nuit épouvantable au terme de laquelle est retrouvé, au matin, le corps de Faust mis en pièces par le diable tandis qu'ici, à l'issue d'une nuit également redoutée par Johannès, c'est le corps du moine qui, le lendemain, est retrouvé déchiqueté.

Tuer Méphistophélès, en faire un simple mortel, voilà qui est nouveau pour un mythe que l'on aurait pù croire obéré par tant de réécritures, tant de livres et de chefs-d'œuvre. C'est que, cela se constate à chaque page, Crespin et Dhoyen font abstraction de tous ces chefs-d'œuvre — y compris de Goethe qui a donné pourtant une inflexion incontournable du mythe — en remontant soit directement au *Volksbuch*, soit aux témoignages préexistant à la publication du récit populaire de 1587. D'autres sources d'inspiration, et non plus les réécritures multiples que les siècles nous ont léguées, se greffent en fait sur le récit et, tout particulièrement, par le truchement de l'image. Méphistophélès est tué comme on tuerait un vampire, le vampire entretenant une parenté avec les démons (il appartient au monde des morts, de la nuit dont la bande dessinée fait un des termes de sa dialectique, il vole également les âmes de ses victimes devenant à leur tour maudites, etc.), à la différence près qu'il peut être exterminé.

Crespin et Dhoyen mâtinent le mythe en recourant à un phénomène de mode — les films sur le vampirisme ne se comptent plus ces dernières décennies, et la toute dernière production, *Dracula 2001*, confirme ce goût — qui, plus que jamais, passionne le public[16]. L'esthétisme des planches de Crespin flatte ces désirs d'un public fasciné par l'occulte tout en renouant avec un autre goût actuellement à la mode, celui des scènes gothiques. Légion sont d'ailleurs les bandes dessinées proposant des histoires de vampires comme des fictions ayant pour contexte le Moyen Âge — Crespin a lui-même composé un album en trois volumes intitulé *Troubadour*[17] — et empruntant un cadre gothique. Le phénomène est bien sociologique, voire endémique : il n'est que de voir le nombre impressionnant de jeux vidéo, jeux de rôles qui développent des *scenarii* dans des labyrinthes, sous des voûtes obscures, dans des cryptes ou des cathédrales aux gargouilles redoutables... Plusieurs vignettes, étrangement sans couleurs, blanches comme pour attirer l'attention, dessinent des scènes dans un monastère (I, 34) où, toujours blanches par contrepoint avec les autres vignettes aux couleurs vives, figurent des voûtes précisément gothiques (I, 37). Néanmoins, Crespin et Dhoyen ne puisent pas à n'importe quelle source : leur Méphistophélès, qui évoque non seulement la silhouette de la Mort telle que les allégories nous la représentent habituellement, mais aussi celle d'un Nosferatu à mi-chemin entre celui de Murnau et d'Herzog, crâne rasé, nez crochu, chauve, vêtu de noir, doigts longs comme munis de griffes, visage blafard et émacié, emprunte bel et bien ses traits à un vampire stéréotypé. Se retrouve la dialectique de l'ombre et de la lumière, le vampire redoutant la clarté (leitmotiv du soleil déjà vu). Comme Faust, de surcroît, le vampire est lié à la religion, au sacré, et le personnage du moine ou du prêtre intervient fréquemment dans ces fictions. Le fait que Crespin et Dhoyen fassent de Méphistophélès un abbé n'est pas innocent : en rupture de ban, ce moine maudit est peint, une seule fois, une croix renversée sur son froc (II, 30). L'imagerie est topique, mais corrobore l'enchevêtrement des sources, tout en renouvelant le mythe. Tous les prêtres, à l'exception de Tritheim, ont d'ailleurs des airs démoniaques et sardoniques, des bouches aux dents vampiriques (le père Axel entre autres). Le mythe de Faust interfère avec celui du prêtre maudit ou coupable d'apostasie[18] : « *Où sont-ils ces prélats arrogants... ces hypocrites... qui livrent son Église à son ennemi le Diable ?* » (I, 36), martèle un des personnages. Travaillant « *l'alchimie* » (I, 42) pour « *trouver la preuve de l'or* », les moines oublient Dieu, outre qu'à l'époque magie et science sont confondues dans l'esprit du peuple : « *Le ver est dans le fruit. Pontifes ! Dans la queue le venin !* Venenum in Ecclesia effectum est ! » (I, 44), semble mettre en garde une autre voix...

Le latin, alors que, de nos jours, de moins en moins d'étudiants l'apprennent, semble avoir changé de statut. Crespin et Dhoyen y recourent plusieurs fois (même s'il s'agit parfois d'expressions lexicalisées) et paraissent avoir compris ses vertus nouvelles. En effet, la langue latine, pour les générations actuelles, n'est plus seulement perçue comme langue érudite, mais, justement, comme langue de l'occulte, voire du démoniaque. Toute phrase latine sonne, aux oreilles des lecteurs ou cinéphiles actuels, comme une formule magique ou incantatoire. Ce changement de statut du latin, curieusement réinterprété (même si le sens échappe à beaucoup), est dû, sans conteste, à son galvaudage dans nombre de productions exploitant la sorcellerie, un engouement pour les *scenarii* sataniques comme on l'a dit, en tous les cas comme langue qui échappe au commun et semble l'apanage même du personnage au-dessus de ses contemporains, une sorte de surhomme ayant accès à ce qui est interdit, indéchiffrable à d'autres, et recourant à cet emploi d'une langue en quelque sorte cryptée et propre à la démonologie[19]. Sans doute, le *Volksbuch* avait-il de quoi séduire les auteurs tant il essaime des thèmes et motifs au goût du jour...

Par ailleurs, et cette fois le latin retrouve son statut de langue du savoir, Johannès récite tout un passage issu de Tite-Live : « [...] in silva ambulans, deum videt. Deus Rheam Silviam amat. Ita Rhea gemellos pariet : Romulus et Remus [...] » (II, 38), et pourrait tout aussi bien réciter Cicéron et Virgile. Outre sa culture humaniste, Johannès, suite à l'incendie de la bibliothèque de Tritheim, se propose de dicter les textes des œuvres perdues (II, 62)[20] : Crespin et Dhoyen semblent se souvenir d'une chronique rédigée vers 1580 à Erfurt par Zacharias Hogel — où Faust est d'ailleurs déjà un humaniste — qui présente un Faust discourant avec des collègues professeurs regrettant la perte des comédies de Térence et de Plaute. Faust se propose justement de faire recopier ces textes disparus, mais les théologiens n'acceptent pas son offre. L'anecdote est reprise à quelques détails près dans la bande dessinée : Tritheim et ses amis ne croient pas Johannès. Avec humour d'ailleurs, s'il n'est pas question de la perte de certaines œuvres de Térence, le cheval de Johannès s'appelle précisément Térence !

À l'instar du *Volksbuch* et de sa concaténation alternant scènes sérieuses et passages comiques, la bande dessinée imbrique encore ces deux registres : entre références sérieuses s'immiscent quelques hâbleries, vantardises et tours de magie issus des anecdotes populaires qui émaillent le récit scripturaire. Ces *Erzählungen*, qui ont fait le succès de Faust auprès du peuple, relèvent de la farce. Johannès distribue des pièces d'or à des enfants, celles-ci fondent dans leurs mains « *comme de la corne de bouc* » (II, 62). Autre facétie : Johannès fait apparaître un fastueux banquet et les aliments se changent en vent (II, 60). Ce banquet — il y en a d'ailleurs plusieurs dans le *Volksbuch*, et deux dans la bande dessinée — reprend les anecdotes ou le folklore sur le magicien qui procurait à ses amis des repas pantagruéliques, mais le tout premier banquet, chez Crespin et Dhoyen, est aussi le lieu d'une fustigation satirique des professeurs ayant un estomac plus qu'un cerveau. On le voit, les facéties et anecdotes légendaires se mêlent aux rêveries, bien plus sérieuses, humanistes. Veine plus moderne, en revanche, l'humour dont font preuve Crespin et Dhoyen ; humour qui permet, par exemple, de poser le mythème de l'orgueil de Johannès : alors que le jeune diplômé en théologie exprime toutes ses ambitions, son oncle lui rétorque : « *Y a-t-il à l'Université des cours de modestie, mon enfant ? Il faudra t'y inscrire.* » (II, 9). Moderne, également, et preuve d'une distanciation de Crespin et Dhoyen par rapport aux multiples réécritures de *"Faust"* auxquelles ils se refusent tout emprunt, préférant, on l'a dit, le recours à l'hypotexte ou ses sources historiques plutôt qu'à des textes encombrants pourrait-on dire — Goethe, notamment —, la petite tragédie imbriquée dans la bande dessinée. Ni Hélène comme dans le *Volksbuch*, ni Marguerite comme chez Goethe ou dans la quasi-totalité des fictions post-goethéennes, mais une jeune fille prénommée Célina, qui se porte en avant des désirs du héros. À rebours de Goethe chez qui la séduction entre Faust et Marguerite est orchestrée par Méphisto, Johannès a une aventure amoureuse sans la moindre entremise des forces obscures, lesquelles, jamais, ne pourvoient à ses désirs. Le personnage de Célina permet une cristallisation de divers mythèmes qui, en ce sens, renouvellent le mythe quelque peu figé. En effet, Crespin et Dhoyen déplacent les motifs du récit mythique sur le personnage féminin qui permet leur mise en place. Ainsi, ce n'est pas Johannès qui, le premier, expose le rêve d'une jeunesse éternelle, mais la femme qui lui déclare : « *Johannès, j'aimerais que tu sois toujours le même... aussi jeune, aussi fort.* » (II, 52). L'amant de lui répondre, mais dans un second temps seulement : « *Tu verras, tu seras vieille et moi, encore jeune.* ». De même, si le Faust de l'hypotexte et des siècles suivants est souvent dominé par la sensualité, Johannès repousse Célina (comme le Faust de Goethe abandonne certes Marguerite), et c'est en somme la femme, et non pas Johannès, qui incarne la sensualité :

> Demeure donc à ton plaisir !
> Va-t'en ! (II, 53)

lui intime l'amant que le plaisir charnel ne semble guère intéresser. Pas de scène du cachot (où, chez Goethe, Faust rejoint Marguerite qui se meurt), encore moins de sabbat luxurieux, mais un suicide de Célina présentée une fiole à la main puis flottant sur les eaux en une pause stéréotypée qui, esthétiquement, l'assimile à Ophélie (II, 57). Ce suicide est d'ailleurs monté en parallèle

271

par rapport aux aventures de Johannès : le jeune homme, contrairement au drame de Goethe — dans lequel il existe déjà des similitudes entre Marguerite et *Hamlet* —, a oublié la jeune fille, n'est pas présent lors de sa mort et ignore jusqu'à cette mort. La novation consiste à clore le récit — ce sont les toutes dernières phrases de la fiction de Crespin et Dhoyen — par les propos d'un enfant, qui, de manière sibylline, déclare à Johannès qu'une «*jeune fiancée est morte*» : «*Elle t'accompagnera malgré toi, Johannès... et toi, tu as le devoir de vivre.*» (II, 64). Nulle damnation ni salut de Faust, mais l'explication, sans doute, du sous-titre, ambigu, du premier volume de la bande dessinée : «Le Remords de Dieu». Johannès, on peut le supposer, va donc vivre accablé par le remords, une mort sur la conscience. Aucune intervention ni divine ni maléfique, mais l'aventure d'un homme ayant abandonné une femme qui s'est suicidée. Le canevas, sans intervention surnaturelle ou fantastique, est donc humain, trop humain... En somme, la nouveauté de cette bande dessinée est de présenter un Faust ni diabolique, ni se rangeant à Dieu, ni charlatan, ni vraiment sorcier mais un être aux sentiments banals : un Faust qui a subi, au terme de son parcours, une authentique humanisation.

Johannès n'a pas fait le choix du Bien ni du Mal, et, si Célina est abandonnée, c'est parce qu'elle représentait un obstacle sur le chemin de la connaissance. Plutôt que de s'arrêter aux côtés de la femme, Johannès a pris le parti de suivre Tritheim à Spire, convaincu que ce dernier lui permettra d'augmenter sa science. Il a sacrifié, en somme, l'amour à sa carrière de professeur («*Je serai... Herr Doktor...*» (II, 8)), *scenario* social et professionnel révélateur d'une mentalité et d'un *ego* à l'évidence actuels.

Imbriquer une mentalité contemporaine dans un contexte ancien, celui de la Renaissance, là réside, sans doute, toute la modernité de l'œuvre de Crespin et Dhoyen. En insistant sur l'enfance et la jeunesse de leur héros, en reconstituant un Moyen Âge en partie ésotérique et fidèle à l'image que l'Histoire comme la littérature nous ont laissée, le tandem Crespin-Dhoyen a d'ailleurs peut-être mieux que quiconque, dans la floraison des

"Faust" actuels et le regain d'activité et d'intérêt que le personnage inspire, trouvé le moyen le plus sûr, le plus original de *rajeunir* le mythe. Le tour de force consiste dans le fait de faire participer à la diégèse, alors que cela n'a aucun rapport avec le canevas mythique originel, des figures référentielles qui ancrent le récit dans un contexte ou, plutôt, un co-texte. En effet, l'essentiel du personnel de la fiction emprunte les noms et les traits de personnages qui n'appartiennent aucunement au mythe, mais qui, en deçà de celui-ci, ont écrit sur le Faust historique ou ont été ses contemporains. Le personnage de Tritheim, réadapté puisque le Trittheim de l'Histoire considérait Faust comme un charlatan, devient le Maître, en somme, de Johannès, mais l'on croise encore d'autres noms, des plus illustres, et qui permettent alors un nouvel éclairage du récit mythique par l'érudition des allusions essaimées au gré de la fiction : si Johannès ambitionne de devenir « *Georgius, Sabellicus, Faustus-Junior* » (II, 8), la formule est issue du plus ancien témoignage que nous possédons : la lettre de Trittheim, déjà citée, qui rapporte que Faust s'est auréolé du titre de « Maître Georges Sabellique, Faust *junior* ». En outre, Johannès est étudiant aux côtés d'un Johan Meïer, bachelier en théologie (II, 13). À une lettre près — renversement du "M" en "W", pratique satanique de l'inversion s'il en est... —, ce Johan Meïer est forgé à partir de la documentation dont Crespin et Dhoyen ont eu connaissance : en 1568, un certain Johann Weier a publié *De Praestigiis Daemonum*, un ouvrage dans lequel il rapporte des témoignages au sujet du Faust historique. Weier, en outre, luttait contre les procès intentés aux sorciers et démythifie Faust. Johannès, on l'a dit, est bien plus un lettré qu'un magicien, ce pour quoi Weier s'est justement battu : faire la part entre science et magie à une époque qui amalgame très facilement les deux[21]. Plus curieux, et ce qui semble confirmer la connaissance d'une documentation importante des auteurs de la bande dessinée, Weier rapporte un voyage de Faust avec Agrippa von Nettesheim, alors que Johannès, précisément, rencontre « *Henri Cornélis Agrippa de Nettensheim* » (II, 59). Comme pour l'insertion de Trittheim dans le récit, Crespin

et Dhoyen opèrent un amalgame entre Faust et ces figures : Cornelius Agrippa était tout à la fois savant, astrologue et magicien et, quoique ses ouvrages érudits fussent reconnus par ses contemporains, le lettré restait perçu par le peuple tel un sorcier diabolique, à l'imitation des légendes colportées autour de Faust — qui, lui, devait être un authentique charlatan. À titre anecdotique, mais la source vient sans doute de là, les vignettes montrent un chien aux côtés d'Agrippa alors que celui-ci passait effectivement pour être accompagné d'un chien, incarnation du démon. La même anecdote, d'ailleurs, a dû être reprise au sujet de Faust lui-même que l'on disait toujours suivi par son chien, le diable (cf. aussi le « barbet » chez Goethe). Crespin et Dhoyen ont fort bien compris comment une légende s'élabore, le mythe de Faust, à ses origines, étant constitué d'un agrégat de sources diverses, d'emprunts à maintes figures et anecdotes colportées un peu partout. Si l'ami qui aide Johannès s'appelle encore Conrad, peut-être y a-t-il également un écho d'un autre contemporain de Faust : Conrad Mutianus, un lettré qui, en 1513, laissa comme Trittheim un féroce portrait de Faust, le considérant tel un vantard et un fou... La technique d'insertion dans la fiction serait alors exactement similaire à celle qui a fait de Tritheim un ami de Johannès, alors que les deux hommes se détestaient : Trittheim aussi bien que Mutianus refusaient tout amalgame avec le fanfaron de l'Histoire quant à leurs prétentions scientifiques et intellectuelles. Quoi qu'il en soit des distorsions entre fiction et réalité — au sujet de laquelle nous ne possédons d'ailleurs que très peu de choses —, Crespin et Dhoyen ont le mérite de replacer le récit dans un contexte qui se veut tout à fait vraisemblable et de se servir de sources — documents rédigés par les personnes interférant dans cette fiction et devenues, dès lors, des personnages — relevant de l'érudition ou de la critique génétique et ne pouvant que passer inaperçues (aucune explication n'est fournie au sujet d'aucun des personnages, seuls leurs noms sont convoqués) à un lecteur n'ayant pas connaissance du mythe et, surtout, des textes historiques.

Alors que le mythe de Faust est obéré par tant de réécritures, que la très grande majorité des auteurs s'empruntent mutuellement maints éléments, certains emprunts allant jusqu'au plagiat, que d'aucuns s'inspirent aussi de l'hypotexte constitué par le *Volksbuch* — hypotexte en partie oublié au fil des siècles —, Crespin et Dhoyen renouvellent le récit, non seulement en recourant à nouveau à ce *Volksbuch* quelque peu délaissé au gré du temps, mais, surtout, en remontant aux origines mêmes de la création d'une légende, à des textes antérieurs au récit populaire. La vision de Faust est aussi largement humanisée : l'enfant, puis le jeune homme qui nous sont racontés sont sans doute plus proches du lecteur contemporain — *a fortiori* du lecteur amateur de bande dessinée — que ne l'est le Faust moralisé des premières versions scripturaires ou le Faust tourmenté de la période romantique. Si, par ailleurs, le *Volksbuch* évoque l'enfance de Faust, il ne le fait naturellement que très brièvement, d'une manière tout informative — et parcellaire. Les versions littéraires ne songeront que peu souvent, elles, à retracer la carrière de Faust à partir de l'enfance : en général, la formation de Faust est déjà faite — et les auteurs saisissent le personnage dans son découragement à n'en savoir que trop peu —, notamment au théâtre. En somme, cette réactualisation de Faust est des plus originales, car, non seulement elle échappe à Goethe dont le drame paraît incontournable à tous ceux qui se sont essayés à un *"Faust"* après lui, mais, de surcroît, Crespin et Dhoyen réussissent à donner une version nouvelle selon une technique simple : faire du nouveau avec de l'ancien mais, ici, le plus ancien, puisqu'ils retracent, de fait, la préhistoire de la personnalité de leur héros. D'ailleurs, faire du neuf avec de l'ancien, n'était-ce pas déjà l'une des clefs de la littérature au XVIe siècle qui consistait, précisément, à s'inspirer au plus près des Anciens, et ce, afin de renouveler les Lettres modernes ?

1. *Faust, le Remords de Dieu* (première époque) (Issy-les-Moulineaux, Éditions Vents d'Ouest, septembre 1995) et *Faust d'Heidelberg, l'Étudiant* (Casterman, janvier 1998).

Le changement d'éditeur et la publication des deux volumes à trois ans d'intervalle sont le fait des auteurs. Nous n'en connaissons pas les raisons car nous n'avons pu interviewer Dhoyen (Crespin, quant à lui, est subitment décédé, à l'âge de 45 ans, le 14 février 2001).

2. Les auteurs, cependant, s'ils respectent la stricte chronologie, évitent la linéarité plate en empruntant au cinéma un montage alterné ou parallèle des séquences, de manière qui met souvent judicieusement en avant poursuites et oppositions sourdes au héros.

3. Cf. Melanchton dont les propos ont été rapportés par Johannes Manlius en 1563 dans *Locorum communium collectanea*, [...] *ex lectionibus D. Philippi Melanchtonis*.

4. Bachelier en théologie à Heildeberg en 1509, toujours selon Philippe Melanchton. Selon Hans Henning, dans son édition du récit populaire de 1587, *Historia von D. Johann Fausten, dem weitbeschreyten Zauberer und Schwartzkünstler* [...] (Halle, [s. n.,] 1963), pp. xii–xv de son introduction, Faust n'aurait pas étudié à l'université de Heidelberg entre 1505 et 1509...

5. Le texte orthographie *Tritheim* avec un seul *t* ; nous en mettons deux lorsqu'il s'agit du personnage historique.

6. Cette lettre, adressée à Johann Virdung et datant du 20 août 1507, figure dans l'ouvrage d'André Dabezies : *Le Mythe de Faust* (Paris, Armand Colin, « U2 », 1988), pp. 328-9.

7. Propos rapportés par Johannes Manlius (*op. cit.*[3]), pp. 42-4. Un extrait du texte de Melanchton peut être consulté dans l'ouvrage de A. Dabezies (*op. cit.*[6]), pp. 330-1.

8. « *Le temps estoit encores ténébreux et sentent l'infélicité et calamité des Gothz, qui avoient mis à destruction toute bonne littérature* », *Pantagruel* (Éd. de V. L. Saulnier ; Genève, Librairie Droz, 1965), p. 43. Les humanistes développent une légende de la « nuit gothique » : l'opposition Moyen Âge/Renaissance, sous l'image ténèbres/lumière, est une invention des premiers pionniers de l'imprimerie et daterait de 1470 (voir les notes 76 et 77 de V. L. Saulnier).

9. Notons, toutefois, que les auteurs ne s'en tiennent nullement à une vision humaniste béate ou par trop simpliste. Si « *[l]e Savoir fait peur à l'homme ordinaire* » (II, 8), comme en avertit l'oncle, Tritheim, quant à l'avenir, demeure sans illusion : « *Ce monde que je sens venir ne me paraît pas propice à la Sagesse autant que nous l'avons pu croire.* » (II, 10).

10. Dans le Panthéon grec, Hélios, la lumière et la chaleur donnant la vie, entre en opposition avec les ténèbres et la mort.

11. « *[...] le peuple est stupide et se réjouit d'obscénités !* » (II, 10), déclare Tritheim.

12. Cf. II, 25 : « *Le monde n'est pas prêt.* » La quatrième de couverture du premier volume l'affirme d'ailleurs nettement : « *La quête* » de Faust est celle « *du savoir à un âge où refuser les dogmes est une hérésie* ». Faust est donc bien, pour les auteurs, le personnage d'une *epokhê*. Ils rejoignent par là les récits qui ont pu attribuer à Faust... l'invention de l'imprimerie ou de l'artillerie !

13. Voir la vignette de la page 6 du second volume où Faust évoque « *le fou*

rongé par son espérance du désespoir », que suit aussitôt une vignette en plan moyen de l'« homme noir ».

14. Faire affirmer à l'enfant qu'il « joue » au sorcier est bien, somme toute, le meilleur moyen d'un désamorçage de tout commerce avec une sorcellerie avérée.

15. Ce démembrement en douze morceaux « *rappelle de vieux récits hébreux* » (II, 51), selon Tritheim. Ces « vieux récits », pour ce personnage de savant qui travaille l'art des chiffres occultes, la « *stéganographie* » (II, 26), sont sans doute les Livres de la Bible. Le nombre *douze*, chiffre de Dieu, crypte tous les récits bibliques : c'est celui de la Jérusalem céleste (12 portes, 12 apôtres, 12 assises, etc.), des douze fils d'Israël ancêtres des douze tribus du peuple hébreu, des douze fruits de l'arbre de vie, des douze étoiles de la couronne de la femme de l'Apocalypse, etc. Le *douze*, ici, représente, lors du combat de Johannès avec l'« homme noir », l'Église triomphante mais de manière toute cryptée et implicite. Johannès prononce le nom de « Eloïm » mais non pas celui de Iahvé : en effet, Elohim est un pluriel en hébreu, qui désigne toute divinité, plus spécialement le Dieu unique d'Israël, et cette appellation des divinités au sens large est antérieure à la révélation effective de Dieu à son peuple, à la révélation de son nom propre, Iahvé. Cela n'est pas un détail, bien au contraire : jamais Johannès ne prie et la religion ne fait pas partie de ses préoccupations, *a contrario* du *Volksbuch* où Faust interroge Méphistophélès sur l'enfer, les anges, la création. Johannès, en dépit de ses études (dont le contenu n'est jamais mentionné, tout au plus sait-on qu'il a une « licence de théologie »), ne se pose aucune question relevant de la théologie, de l'âme ou de la religion. Rien n'est dit quant à sa foi ou son athéisme...

16. S'il est besoin de se convaincre de la pléthore d'œuvres consacrées au vampirisme, voir *Dracula*, recueil d'articles sous la direction de Jean Marigny (Paris, Éd. Autrement, « Figures Mythiques », 1997).

17. Voir la nécrologie de Crespin, publiée dans *Le Monde* (dimanche 18–lundi 19 février 2001) : « [...] *Peintre de la nature, inspiré par le Moyen Âge (*Troubadour*) [...] ou par l'adaptation [...] de la légende de Faust, [Michel Crespin] avait été couronné par le Grand Prix du Festival de Blois en 1999. Cet aquarelliste avait toujours travaillé seul, scénario et dessin* [les deux volumes que nous étudions prouvent le contraire...], *jusqu'à sa récente association avec une scénariste, Laurence Harlé, pour une saga* [...] *dont le premier volume devait sortir, chez Dargaud, à la fin de l'année.* ».

18. Le prêtre renégat, luxurieux et assassin, est aussi topique du roman noir qui, d'ailleurs, plonge ses racines dans le Moyen Âge : les *gothic novels*, songeons au *Moine* de Lewis, aux *Élixirs du Diable* de É.T.A. Hoffmann, ou encore au *Confessionnal des Pénitents noirs* de Ann Radcliffe, distillent les mêmes ingrédients : moines vampiriques et sataniques, luxurieux et défroqués, violeurs de jeunes filles dans des monastères labyrinthiques et gothiques.

19. Outre le latin perçu comme langue de la démonologie, de l'exorcisme — au XVIᵉ siècle, tous les érudits communiquaient entre eux et échangeaient leurs travaux grâce à cette langue véhiculaire —, le Tritheim de la bande dessinée entretient une correspondance avec Bostius — autre personnage historique et référentiel de cette bande dessinée — (II, 26) pour lui exposer, justement, ses travaux sur une langue cryptée, indéchiffrable du commun : la « stéganographie »

(art d'écrire en chiffres et d'expliquer cette écriture, du grec *stegano* : « qui sert à couvrir [étymologiquement : le "toit"], opaque »). La mention est avérée : Bostius comme Trittheim a travaillé la stéganographie.

20. L'on songe à *Au nom de la rose* : l'argument de U. Eco, dans un cadre d'ailleurs médiéval et gothique, en 1327, est précisément constitué par la perte d'une œuvre, *La Comédie* d'Aristote. Eco développe, en outre, l'incendie de la bibliothèque de l'abbaye.

21. Le Meïer de la bande dessinée démythifie justement la sorcellerie ou la magie, ce à quoi Weier visait. En compagnie de Philippe, un autre camarade d'études, ils déclarent : « *Nous ferons tenir quelques gouttes d'Élixir de Jouvence et peut-être un morceau de Pierre Philosophale* », ajoutant : « *quand nous les aurons trouvés* » (II, 20)...

BIBLIOGRAPHIE

Historia von Dr. Johann Fausten, dem weitbeschreyten Zauberer und Schwartzkünstler [...], édité par SPIESS. Francfort, 1587.

Ce *Volksbuch* dit « initial » a été traduit en français :

L'Histoire du docteur Faust. Traduction par Joël LEFEBVRE. Paris, Belles Lettres, 1970. Coll. « Bibliothèque de la Faculté des Lettres de Lyon », n° 17.

Voir, également :

L'Histoire du docteur Faust, traduction de l'allemand et adaptation de Patrick KERMANN. Paris, Casterman, 1995. Coll. « Épopée », n° 22.

BIBLIOGRAPHIES FAUSTIENNES

Une bibliographie sur Faust compterait plusieurs volumes. Pour des références critiques ou d'œuvres, on se référera aux bibliographies suivantes.

Faust-Bibliographie. Hans HENNING *ed.* Berlin und Weimar, Aufbau-Verlag, Teil I, 1966 ; Teil II, 1968 ; Teil III, 1976.

Faust-Blätter, cahiers de la *Faust-Gesellschaft*, Karl THEENS *ed.*, Stuttgart, 1967 pour le n° 1.

DABEZIES, André. *Visages de Faust au XXᵉ siècle.* Paris, P.U.F., 1957.
   Bibliographie : pp. 517–39.

DABEZIES, André. *Le Mythe de Faust.* Paris, Armand Colin, 1972. Coll. « U2 ».
   Bibliographie : pp. 365–85.

QUELQUES OUVRAGES CRITIQUES SUR FAUST

Ne sont mentionnés que des ouvrages importants. Pour les articles, on trouvera les références dans les notes de chacune des contributions.

BALDENSPERGER, Fernand. *Goethe en France.* Paris, Hachette et Cⁱᵉ, 1904.

BIANQUIS, Geneviève. *Faust à travers quatre siècles.* Paris, 1935 ; Éd. revue et augmentée : Paris, Aubier - Montaigne, 1955.

BITTNER, Konrad. *Beiträge zur Geschichte des Volksschauspiels vom Doktor Faust*. Reichenberg, [s.n.,] 1922.

CAMPOS, Haroldo DE. *Dieu et le Diable dans le "Faust" de Goethe*. São Paulo, Éd. Perspectiva, 1981.

CREIZENACH, Wilhelm. *Versuch einer Geschichte des Volksschauspiels von Doktor Faust*. Halle, [s.n.,] 1878.

CUNIN, Maurice. *Faust à l'Opéra*, thèse soutenue sous la direction Pierre BRUNEL. Université de La Sorbonne-Paris IV, 1993.

DABEZIES, André. cf. *supra*.

DÉDÉYAN, Charles. *Le Thème de Faust dans la littérature européenne*. Paris, Lettres Modernes, 1954–1967 (6 vol. avec une importante bibliographie). Coll. « Thèmes et mythes ».

Europe [Paris], n° 813-814 : *"Faust"*, janvier-février 1997.
> DABEZIES, André, « Miroirs du mythe », pp. 3–9 ; MAGRIS, Claudio, « Les Métamorphoses de Faust », pp. 10–4 ; GÜNTHER, Mahal, « Le Personnage historique de Faust », pp. 15–21 ; THINÈS, Georges, « La Trahison du disciple », pp. 22–6 ; PICCIOLA, Liliane, « Le Drame ambigu de la magie démoniaque », pp. 27–38 ; HENNING, Hans, « Goethe et la tradition de Faust », pp. 39–46 ; DABEZIES, André, « Les Structures du drame de Goethe », pp. 47–53 ; DABEZIES, André, « Interprétations du drame de Goethe au XIXe siècle », pp. 53–8 ; CAMPOS, Haroldo DE, « La Trans-création du *Faust* de Goethe », pp. 59–65 ; GARNIER, Hilse, « Démesure de Grabbe », pp. 66–72 ; « *Don Juan* et *Faust* — extraits de Christian Dietrich Grabbe », traduits de l'allemand par Pierre Garnier, pp. 73–7 ; FLAMANT, Françoise, « Le *Faust* de Goethe et le romantisme russe », pp. 78–91 ; MIES, Françoise, « Avertissement à l'Europe — Les *Faust* de Klaus et Thomas Mann », pp. 92–105 ; FLAMANT, Françoise, « Un grand roman faustien : *Le Maître et Marguerite* de M. Boulgakov », pp. 106–16 ; JARRETY, Michel, « Valéry : Faust écrit », pp. 117–23 ; VANOYE, Francis, « Résonances faustiennes au cinéma », pp. 124–31 ; BANCQUART, Alain, « Un Mythe pour le théâtre lyrique ? », pp. 132–43 ; DABEZIES, André, « Faust, mythe du XXe siècle ? », pp. 144–54.

FUCHS, Albert. *Le Faust de Goethe*. Paris, Klincksieck, 1973.

Goethes Faust : Peter Stein Inszenierung in Bildern. Photographien von Ruth WALZ. Köln, Dumont, 2001.

HAGEN, Ernst August. *Geschichte des Theaters in Preussen*. Königsberg, E. J. Dalkowski, 1854 (réédition en 1976, à Leipzig, de l'édition de Königsberg de 1854 — fac-similé).

LECOURT, Dominique. *Prométhée, Faust, Frankenstein. Fondements imaginaires de l'Éthique*. Le Plessis-Robinson, édité par Synthélabo, 1996. Coll. « Les Empêcheurs de penser en rond ».

LHOTE, Marie-Josèphe. *Le Faust valéryen, un mythe européen*. Berne, Éd. Peter Lang, 1992. Coll. « Publications Universitaires Euro-péennes ».

MAHL, Bernd. *Goethes Faust auf der Bühne (1806–1998). Fragment, Ideologiestück, Spieltext*. Stuttgart-Weimar, Metzler, 1998.

MIES, Françoise. *Faust ou l'autre en question*. Namur, Presses Univer-sitaires de Namur, 1994. Coll. « Philosophie ».

MILNER, Max. *Le Diable dans la littérature française de Cazotte à Bau-delaire*. Paris, Corti, 1960.

Peter Stein inszeniert "Faust" von Johann Wolfgang Goethe. Das Pro-grammbuch Faust I und II. Édité par Roswitha SCHWAB avec la col-laboration de Anna HAAS. Köln, Dumont, 2000.

PICAT-GUINOISEAU, Ginette. *Une Œuvre méconnue de Charles Nodier, Faust imité de Goethe*. Paris, Didier, 1977.

Die Puppenspiele vom Doktor Faust. [Sans nom d'auteur.] AVENARIUS und MENDELSSOHN eds. Leipzig, 1850.

ROHMER, Éric. *L'Organisation de l'Espace dans le "Faust" de Murnau* (thèse de 3ᵉ cycle, 1972). Paris, J.-J. Pauvert éditeur, 1977. Coll. « 10/18 ».

ROUCHOUSE, Jacques. *Hervé, père de l'opérette*. Paris, Michel de Maule, 1994.

THINES, Georges. *Le Mythe de Faust et la dialectique du temps*. Lau-sanne, L'Âge d'Homme, 1989.

TILLE, Alexander. *Die Faustspieler in der Literatur des XVIᵉ bis XVIIIᵉ Jahrhunderts*. Berlin, E. Felber Verlag, 1900.

ESSAI DE CHRONOLOGIE

Cette chronologie ne propose que quelques jalons parmi les textes littéraires et d'autres œuvres à trame faustienne. Elle inclut, également, des *"Faust"* dans la musique, l'opéra et le ballet, ainsi qu'une filmographie. Naturellement, elle reprend aussi les œuvres citées dans les contributions de ce recueil.

1587   *Historia von Dr. Johann Fausten, dem weitbeschreyten Zauberer und Schwartzkünstler* [...], édité par SPIESS. Francfort.

1588–92   MARLOWE, Christopher. *The tragical History of D. Faustus.* London, 1604 (première édition connue).

1599   WIDMANN, Georg-Rudolph. *Erster Theil der Warhafftigen Historien von den grewlichen und abschewlichen Sünden und Lastern* [...] : *So D. Johannes Faustus* [...]. Hambourg.

1612   MIRA DE AMESCUA, Antonio. *El Esclavo del Demonio.* Espagne (comédie).

1637   CALDERÓN DE LA BARCA, Pedro. *El Mágico prodigioso* (1663 pour la publication en Espagne).

1667   MILTON, John. *Paradise Lost.* Londres.

1770–75   GOETHE, Johann Wolfgang VON. *Urfaust.*

1772   CAZOTTE, Jacques. *Le Diable amoureux.* Paris.

1775   WEIDMANN, Paul. *Johann Faust. Ein allegorisches Drama.* Prague.

1786   LESSING, Gotthold Ephraïm, « Scénario de Berlin ».

1790   GOETHE, Johann Wolfgang VON. *Faust, ein Fragment.* Leipzig.

1791   KLINGER, Friedrich Maximilian VON. *Fausts Leben, Thaten und Höllenfahrt.* Leipzig.

1792–94   KLINGER, Friedrich Maximilian VON. *Geschichte Giafars des Barmeciden, ein Seitenstück* [...]. Leipzig.

1793   KLINGER, Friedrich Maximilian VON. *Geschichte Raphaels de Aquilas, ein Seitenstück zu Fausts Leben, Thaten und Höllenfahrt.* Leipzig.

1794   LEWIS, Matthew Gregory. *The Monk.* Londres.

1797   KLINGER, Friedrich Maximilian VON. *Der Faust der Morgenländer, oder Wanderungen Ben Hafis Erzählers der Reisen von der Sündfluth.* Leipzig.

1804   CHAMISSO, Adelbert VON, « Faust, ein Versuch », in *Musenalmanach.* Berlin.

1808	GOETHE, Johann Wolfgang VON. *Faust, Der Tragödie erster Theil.* Tübingen.
1809	VOGT, Nikolaus. *Der Färberhof oder die Buchdruckerei in Mainz.* Francfort.
1812	BOUILLY, Jean-Nicolas *et* Théophile DUMARSAN. *Robert-le-diable*, comédie (Paris, Théâtre du Vaudeville, 31 décembre).
1814	SPOHR, Louis. *Faust*, opéra (Allemagne ; joué à Paris en 1830).
1815	STRAUSS, J.. *Fausts Leben und Thaten.* Singspiel.
1816	BYRON, George Gordon. *Manfred,* poème dramatique. Londres.
1817	SHELLEY, Mary. *Frankenstein or the Modern Prometheus.* Londres (1818 pour l'édition).
1820	MATURIN, Charles Robert. *Melmoth the Wanderer.* Londres.
1821	BYRON, George Gordon. *Cain*, tragédie en vers. Londres.
1822	GRABBE, Christian Dietrich. *Don Juan und Faust, eine Tragödie* (ne sera publié — Francfort — et joué qu'en 1829).
1825	SAUR, Joseph-Henri DE *et* Léonce DE SAINT-GENIÈS. *Les Aventures de Faust et sa descente aux enfers* (à partir du texte de KLINGER). Paris.
1827	THÉAULON (Léon DE). *Faust* (Paris, Théâtre des Nouveautés, 27 octobre).
1828	BERLIOZ, Hector. *Huit scènes de Faust* mises en musique. Paris.
	BÉRAUD, Antony *et* *** [Béraud a sans doute été aidé par Jean-Toussaint Merle tandis que les astérisques cachent Charles Nodier qui aurait aussi collaboré à l'œuvre], *Faust,* drame sur une musique de PICCINI (Paris, Théâtre de la Porte Saint-Martin, 29 octobre).
	Eugène DELACROIX exécute dix-sept lithographies pour la réédition du *Faust* de Goethe dans la traduction d'Albert STAPFER (la première traduction et publication de Stapfer date de 1823). Paris.
	NERVAL. Nouvelle traduction en prose et vers du *Faust* de Goethe. Paris (Dondé-Dupré).
1829	HOLTEI, Carl VON. *Doktor Johannes Faust* (édité à Wiesbaden en 1832).
	ROUSSET D^r. *Faust ou les premières amours d'un métaphysicien romantique.* Paris.
	BRAZIER, Nicolas, MÉLESVILLE, François-Adolphe CARMOUCHE. *Le Cousin de Faust* (Paris, Théâtre de la Gaîté, 15 mars ; édité la même année).
1830	*Fausto*, opera semi-serio, [sans auteur,] (Paris, Théâtre Italien, 8 mars).
1832	WAGNER, Richard. *Sieben Kompositionen zu Goethes Faust.*
	LESGUILLON, Jean-Pierre. *Méphistophélès, le diable et la jeune fille* (drame satirique, donné à Paris le 7 avril, qui avait été interdit par la censure en 1829).
1833	ADAM, A. *et* M. DESHAYES. *Faust, a pantomimic Ballet.* Londres.
1834	PELLAERT, P.. *Faust*, opéra. Bruxelles.

1835	BRAUN VON BRAUNTHAL, J.K.. *Faust, eine Tragödie*. Leipzig.

1835   BRAUN VON BRAUNTHAL, J.K.. *Faust, eine Tragödie*. Leipzig.
        LENAU, Nikolaus. *Faust, ein Gedicht*. Stuttgart (publié en 1836 ;
        1840 pour la version définitive).
        BALZAC, Honoré DE. *Melmoth réconcilié*. Paris (roman).

1836   DUMAS, Adolphe. *Fin de la comédie, ou la mort de Faust et de Don
        Juan*. Paris.
        GORDIGIANI, L.. *Fausto*, opéra. Florence.

1838   SAND, George. *Les Sept Cordes de la Lyre*. Paris.

1841   GAUTIER, Théophile, « Deux acteurs pour un rôle » (in *Le Musée
        des familles*, juillet).

1846   HESEKIEL, George. *Faust und Don Juan*. Allemagne (roman).
        BERLIOZ, Hector. *La Damnation de Faust*, oratorio. Paris (monté à
        l'Opéra-Comique).

1849   *La Nuit de Walpurgis, comédie politique du temps présent*. [Sans
        nom d'auteur.] Publication à Paris chez Michel Lévy frères.

1851   HEINE, Heinrich. *Doktor Faust, ein Tanzpoem* [...]. Hambourg.
        (texte publié à Paris et en français en 1852).
        NERVAL, Gérard DE. *L'Imagier de Harlem*, drame légende à grand
        spectacle en 5 Actes. Paris, Librairie théâtrale.
        SCHUMANN, Robert. *Szenen aus Goethes Faust*, musique et chœurs.

1854   HALFORD, J.. *Faust and Margaret, or the Devil's Draught*. Londres
        (opéra parodique).

1857   LISZT, Franz. *Eine Faust-Symphonie in drei Charakterbildern*.

1858   BOURDOIS, Achille *et* Armand LAPOINTE. *Faust et Framboisy*
        (Paris, Théâtre des Délassements Comiques, 27 novembre ; publi-
        cation la même année).
        ENNERY, Adolphe D'. *Faust*, musique de M. ARTUS (Théâtre de la
        Porte Saint-Martin, 27 septembre).

1859   GOUNOD, Charles. Jules BARBIER, Michel CARRÉ. *Faust*, opéra.
        Paris.

1868   BOITO, Arrigo. *Mefistofele*, opéra. Milan.

1869   CRÉMIEUX, Hector *et* Adolphe JAIME, sur une musique de HERVÉ. *Le
        Petit Faust* (Paris, Théâtre des Folies Dramatiques, 23 avril).
        HERVÉ. *Faust passementier* (Paris, Folies-Bergère, 4 juin).

1869-70 VILLIERS DE L'ISLE-ADAM, Auguste DE. *Axël* (première partie lue à
        des amis) ; 1872 pour la publication d'un fragment en feuilleton.
        Villiers retouche l'œuvre constamment, jusqu'à sa mort, tout en
        publiant de multiples fragments. Éd. posthume, Paris, 1890.

1878   BOUCHOR, Maurice. *Le Faust moderne, histoire humoristique en
        vers et prose*. Paris.

1880   VILLIERS DE L'ISLE-ADAM, Auguste DE. *L'Ève future*. Paris (publi-
        cation en feuilleton ; 1886 pour l'édition).

1888   GARNETT, Richard, « Madam Lucifer », in *The Twilight of the Gods*
        (Londres, édité en 1927).

1890   MENDÈS, Catulle. *Méphistophéla*. Paris (roman).

BOIS, Jules. *Les Noces de Sathan*. Paris (roman).

1891   WILDE, Oscar. *The Picture of Dorian Gray*. Londres.

1893   MAURRAS, Charles, « Pour Psyché », *Revue hebdomadaire*, Paris, n° 53, mai.

1895   ROUSSET, Pierre. *Parodie de Faust* (Théâtre lyonnais de Guignol).

1896   LUMIÈRE, Louis *et* Auguste. *Faust et Méphisto* (film).

BOIS, Jules. *L'Ève nouvelle*. Paris (roman).

1897   JARRY, Alfred. *Gestes et opinions du Docteur Faustroll, pataphysicien* (1911 pour la publication).

MÉLIÈS, Georges. *Faust et Marguerite, les amours passionnées d'un grand savant. La Damnation de Faust. Le Cabinet de Méphistophélès* (film).

1900   MONRÉAL, Hector *et* Henri BLONDEAU. *Madame Méphisto*. Paris (pièce éditée en 1902).

1903   MÉLIÈS, Georges. *Faust aux enfers* (film).

1904   MÉLIÈS, Georges. *Faust et Marguerite* (film).

1906   GAUMONT, Léon. *Faust* (film).

1909   MÉLIÈS, Georges. *Faust* (film).

1910   CASERINI, M.. *Faust*, Italie (film).

1911   LEROUX, Gaston. *L'Homme qui a vu le diable* (drame représenté à Paris sur la scène du Grand-Guignol le 17 décembre).

1912   MAHLER, Gustav. *Symphonie der Tausend* (*8ᵉ Symphonie*). Munich.

1918   BENAVENTE, Jacinto. *Mefistofela*. Madrid (comédie opérette).

1922   LHERBIER, Marcel. *Don Juan et Faust*. Paris (film inspiré de Grabbe).

1923   CARRÉ, Albert. *Faust en ménage*, fantaisie lyrique, sur une musique de Claude TERRASSE. Paris.

1925   BUSONI, Ferrucio. *Doktor Faust* (créé à Dresde ; achevé par son élève P. JARNACH).

1926   MAC ORLAN, Pierre. *Marguerite de la nuit*. Paris (film).

MURNAU, Friedrich Wilhelm. *Faust*. Berlin (film, scénario de Hans KYSER).

1928   GHELDERODE, Michel DE. *La Mort du second Faust* (Paris, Théâtre Art et Action, 21 janvier).

1931   RIBEMONT-DESSAIGNES, Georges. *Faust*. Paris.

1932   SARDIN, Edmond. *Méphistophélès* (pièce publiée à Niort).

1936   MANN, Klaus. *Mephisto. Roman einer Karriere*. Hambourg.

REUTTER, H.. *Doktor Johann Faust*, opéra. Mayence.

1940   BOULGAKOV, Mikhaïl Afanasievitch. *Le Maître et Marguerite* (1966 pour l'édition posthume).

1941   VALÉRY, Paul. « *Ébauches* » de *"Mon Faust"* » (1945 pour le texte définitif).

1942   HERMANN, H. *et* M. SILL-FUCHS. *Paracelsus*, opéra. Hambourg.

TOURNEUR, Maurice. *La Main du Diable* (film).

CARNÉ, Marcel. *Les Visiteurs du soir* (film).

VARIOT, Jean. *La Drolatique histoire de Fauste* [sic] *le magicien* (théâtre). Paris.

1943 REYNOLDS, E. R.. *Mephistopheles and the Golden Apples*. Cambridge (poème dramatique).

1945 GRAINDORGE, Roger. *Le Nouveau Faust* (Paris, parodie musicale).

1947 MANN, Thomas. *Doktor Faustus, das Leben des deutschen Tonsetzers Adrian Leverkühn*. Stockholm.

ARTUS, Louis. *Doktor Jedermann ou le Neveu de Faust* (roman). Paris.

1949 BÉGUIN, Guy. *Monsieur Faust, Madame et l'autre*. Bruxelles (tétralogie).

STRAVINSKI, Igor, W. A. AUDEN et G. KALLMAN. *The Rake's Progress* (opéra).

CLAIR, René et Armand SALACROU. *La Beauté du diable* (film).

1952 EISLER, Hanns. *Johann Faustus* (publication du livret d'un opéra que Hanns Eisler ne montera jamais). R.D.A.

1955 TARDIEU, Jean. *Faust et Yorrick*. Paris.

AUTANT-LARA, Claude. *Marguerite de la nuit* (film).

1957 GRÜNDGENS, Gustav. Mise en scène du *Faust* de Goethe. Allemagne.

1960 PODSKALSKY, Zdenek. *Quand le diable s'en mêle* (film polonais).

1962 BUTOR, Michel et Henri POUSSEUR. *Votre Faust, Fantaisie variable*. Paris.

1963 DURRELL, Lawrence. *An Irish Faustus*. Londres.

1964 BÉJART, Maurice. *La Damnation de Faust*, ballet d'après BERLIOZ. Paris.

1967 BURTON, R.. *Doctor Faustus*. Angleterre (film).

1970 *Mon Faust* de Daniel GEORGEOT et Pierre FRANCK avec P. FRESNAY P. DUX et D. DELORME. ORTF 2, 1er décembre 1970 (variations sur « "Mon Faust" » de Valéry)

1974 *Président Faust*, de Jean KERCHBRON, sur un scénario de Jean KERCHBRON et Louis PAUWELS. ORTF 1, 12 janvier 1974.

PALMA, Brian DE. *Phantom of the Paradise*. États-Unis (par le biais du roman de Gaston LEROUX, *Le Fantôme de l'Opéra*, film).

1977 PEYMANN, Claus. Mise en scène du *Faust* de Goethe. Stuttgart.

1979 VOUTCHO, Vouk. *La Femme Faust*. (Paris, roman traduit du serbo-croate par A. RUSTENHOLZ et l'auteur.) Lausanne.

1981 VITEZ, Antoine. Mise en scène du *Faust* de Goethe. Paris.

1983 LAUN, Rudolf VON. *Mephistopheles über die Universitäten, eine Faust-Parodie*. Hamburg.

1985 BŒHMER, Konrad. *Docteur Faustus*, opéra.

CLAUS, Uta et Rolf KUTSCHERA. *Der Tragödie erster Teil* (parodie publiée en 1989 dans *Faust-Parodien*).

1986 KUNARD, R.. *Le Maître et Marguerite*, opéra.

NYE, Robert. *Faust*. Paris (fiction traduite de l'anglais en 1986).

1987	WENDERS, Wim. *Himmel über Berlin*. Allemagne (*Les Ailes du Désir*, film).

1987   WENDERS, Wim. *Himmel über Berlin*. Allemagne (*Les Ailes du Désir*, film).

           PARKER, Alan. *Angel Heart* (film d'après le roman de W. HJORTSBERG, *Falling Angels*).

1989   DESHOULIÈRES, Christophe. *Madame Faust*. Paris (roman).

           Faust-Parodien, recueil de textes (de diverses dates : œuvres de 1941, 1968, etc.) réunis par Waltraud WENDE-HOHENBERGER *et* Karl RIHA. Frankfurt-am-Main, Insel Verlag.

1989–91   STREHLER, G.. Mise en scène du *Faust* de Goethe au Piccolo Teatro.

1990   FELLINI, Federico. *La Voce della Luna* (film).

           ENGEL, Wolfgang. *Faust*. Mise en scène d'après GOETHE. Dresde.

1993   MARTHALER, Christoph. *Goethes Faust* $\sqrt{1+2}$, mise en scène de vers extraits des deux parties du *Faust* de Goethe. Hambourg.

1995   ARIAS, Alfredo. *Faust argentin* (spectacle musical créé à La Cigale, édité la même année à Paris).

           SCHNITTKE, Alfred. *L'Histoire du Docteur Johann Faust*, opéra créé à Hambourg.

           OLIVEIRA, Manoel DE. *Le Couvent*. Portugal (film).

           CRESPIN, Michel *et* Karel DHOYEN. *Faust-Le Remords de Dieu*. Paris (bande dessinée).

1997   PRATCHETT, Terry. *Faust Eric* (Nantes, traduction de l'anglais en 1997).

           HACKFORD, Taylor. *The Devil's Advocate*. États-Unis (*L'Associé du Diable* pour le titre français du film). Film réalisé d'après le roman d'Andrew NEIDERMAN : *L'Avocat du diable*, publié en France en 1993.

           SWANWICK, Michael. *Jack Faust*. États-Unis (roman de science-fiction traduit en français en 2000).

           WISNIEWSKI, Janusz. *Faust*. Mise en scène d'un montage du *Faust I-II* de Goethe. Düsseldorf.

1998   DROUIN, Isabelle. *Faust amoureux* (drame fantastique). Paris.

           CRESPIN, Michel *et* Karel DHOYEN. *Faust d'Heidelberg-L'Étudiant*. Paris (bande dessinée).

1999   Pour le 250e anniversaire de Goethe, les mises en scène de *Faust* se multiplient en Allemagne (Francfort, Weimar, Brême, Magdeburg, Leipzig, Hanovre, Hambourg, Tübingen, Rostock, Cologne, Bielefeld, Göttingen, etc.).

           La Fura dels Baus (troupe d'artistes catalans de Barcelone), mise en scène de *La Damnation de Faust* d'Hector Berlioz, Festival de Salzbourg.

2000   CALAFERTE, Louis. *Maître Faust* [sans mention de genre]. Paris.

2000-01   STEIN, Peter. Mise en scène des *Faust I-II*. Hanovre et Berlin.

2001   ORLIN, Robyn. *F... untitled*. Chorégraphie librement adaptée du *Faust* de Goethe (Théâtre de Remscheid, le 20 octobre ; du 3 au 11 novembre : Paris, Théâtre de la Cité Internationale).

TABLE

avant-propos, par Pascal NOIR.   3

1. Échos de l'*ego* — le démon de Faust ou l'homme et ses démons, par Pascal NOIR.   15
2. Faust, miroir des artistes et intellectuels du XXe siècle, par Michel PEIFER.   83
3. Faust au cinéma ou les démons du talent, par Anne-Marie KOSMICKI.   107
4. Le Mythe de Faust à l'opéra — la rédemption de Faust ou le mythe de *l'éternel féminin*, par Virginie SLUSARSKI.   127
5. Parodies de *Faust*, par Henri ROSSI.   149
6. *Faust I* et *II* : une pièce pour le futur (à propos des mises en scène de Christoph Marthaler, Janusz Wisniewski et Peter Stein), par Sieghild BOGUMIL   191
7. *Jack Faust* : d'une science sans conscience à la ruine de l'homme (une uchronie faustienne dans un roman de science-fiction), par Véronique ZAERCHER.   221
8. L'Enfance de Faust ou comment rajeunir un mythe (Faust en bande dessinée), par Pascal NOIR et Michel PEIFER.   249

BIBLIOGRAPHIE   279

ESSAI DE CHRONOLOGIE   282

LA REVUE DES LETTRES MODERNES

publiée sous la direction de Michel J. MINARD,
fut à l'origine (1954) une revue d'« histoire des idées et des littératures ».
Jusqu'aujourd'hui cette collection s'est déployée en un ensemble de
monographies constituées de volumes indépendants répartis en Séries,
notamment :

Bernanos (1960). Dir. M. ESTÈVE
Apollinaire (1962). Dir. M. DÉCAUDIN
Claudel (1964). Dir. J. PETIT †
   (1983). Dir. M. MALICET
   (2001). Dir. D. ALEXANDRE
Barbey d'Aurevilly
   (1966). Dir. J. PETIT †
   (1983). Dir. Ph. BERTHIER
Camus (1968). Dir. B.T. FITCH
   (1989). Dir. R. GAY-CROSIER
Cocteau (1970). Dir. J.-J. KIHM †
   (1994). Dir. M. DÉCAUDIN
Gide (1970). Dir. C. MARTIN
Malraux (1971). Dir. W. G. LANGLOIS
   (1988). Dir. C. MOATTI
Giono (1973). Dir. A. J. CLAYTON,
   L. FOURCAUT
Mauriac (1974). Dir. J. MONFÉRIER
   (2001). Dir. P. BAUDORRE
Valéry (1974). Dir. H. LAURENTI
   (2001). Dir. R. PICKERING

Verne (1975). Dir. F. RAYMOND †
   (1992). Dir. C. CHELEBOURG
Jouve (1981). Dir. D. LEUWERS
   (1988). Dir. C. BLOT-LABARRÈRE
Ramuz (1982). Dir. J.-L. PIERRE
Hugo (1983). Dir. M. GRIMAUD †
   (1998). Dir. C. MILLET
Cendrars (1985). Dir. M. CHEFDOR,
   C. LEROY.
   (2000). Dir. C. LEROY
Joyce (1987). Dir. C. JACQUET
Bloy (1989). Dir. P. GLAUDES
Gracq (1991). Dir. P. MAROT
Simon (1993). Dir. R. SARKONAK
Roussel (1993). Dir. A.-M. AMIOT,
   C. REGGIANI
Conrad (1994).
   Dir. J. PACCAUD-HUGUET
Artaud (1999).
   Dir. O. PENOT-LACASSAGNE

De façon complémentaire, par un retour aux sources de la RLM d'origine,

— l'icosathèque (20th), sous la direction de M. J. MINARD, poursuit l'exploration
critique du XXᵉ siècle : l'avant-siècle, le siècle éclaté, le plein siècle, au jour le siècle,
l'intersiècle, le « Nouveau Roman » en questions (Dir. R.-M. ALLEMAND).

— écritures contemporaines assure la continuité vers l'étude de la littérature
du XXIᵉ siècle, sous la direction de D. VIART.

LETTRES MODERNES MINARD

est la marque éditoriale commune des publications de

éditorat des lettres modernes, minard lettres modernes, librairie minard

10, rue de Valence, 75005 PARIS   45, rue de St-André, 14123 FLEURY/ORNE
Tél. : 01 43 36 25 83   Tél. : 02 31 84 47 06
e-mail :
editorat.lettresmodernes@wanadoo.fr   minard.lettresmodernes@wanadoo.fr

collection

LA REVUE DES LETTRES MODERNES
ISSN 0035-2136
L'ICOSATHÈQUE (20ᵗʰ)
ISSN 0337-324X

FAUST 20ᵉ
échos de l'ego
le Démon de Faust ou l'homme et ses démons
textes réunis et présentés par Pascal NOIR

SOUSCRIPTION GÉNÉRALE
à toutes les Séries existantes et à paraître
le prix de vente de chaque volume étant variable
son prix de souscription est calculé en **Unités** *de Gestion*
FRANCE-ÉTRANGER : **175,32 €/1150 F**
(= 50 Unités pour des volumes **à paraître**)
(tarif valable à partir d'août 1998)
+ **frais de port** (juin 2000)
suivant zones postales et tarifs en vigueur à la date de facturation
France : **13,87 €/91 F**   Étranger : zone 1 (Europe, Algérie, Tunisie, Maroc) : **9,91 €/65 F**
zone 2 (autres pays) : **16,46 €/108 F**

cette collection n'étant pas un périodique
les souscriptions ne sont pas annuelles et ne finissent pas à date connue
(possibilités de Suites notées/Standing orders, par Série, sur demande)

services administratifs et commerciaux
MINARD — 45, rue de Saint-André — 14123 Fleury-sur-Orne
Fax : 02 31 84 48 09   Tél. : 02 31 84 47 06
e-mail : minarddistribution@wanadoo.fr

ce volume est décompté aux souscripteurs pour 7 Unités   [UG#587593]

ISBN 2-256-91032-6 (12/2001)
MINARD 160F/24,39 €/ (12/2001)

exemplaire conforme au Dépôt légal de décembre 2001
bonne fin de production en France
Minard 45 rue de Saint-André 14123 Fleury-sur-Orne

20_th_

l'icosathèque

Faust-Scriptum

FAUST 20ᵉ
échos de l'*ego*
le Démon de Faust
ou l'homme et ses démons

textes réunis et présentés par

PASCAL NOIR

1. Échos de l'*ego* — le démon de Faust ou l'homme et ses démons, par Pascal NOIR.
2. Faust, miroir des artistes et intellectuels du XXᵉ siècle, par Michel PEIFER.
3. Faust au cinéma ou les démons du talent, par Anne-Marie KOSMICKI.
4. Le Mythe de Faust à l'opéra — la rédemption de Faust ou le mythe de *l'éternel féminin*, par Virginie SLUSARSKI.
5. Parodies de *Faust*, par Henri ROSSI.
6. *Faust I* et *II* : une pièce pour le futur (à propos des mises en scène de Christoph Marthaler, Janusz Wisniewski et Peter Stein), par Sieghild BOGUMIL.
7. *Jack Faust* : d'une science sans conscience à la ruine de l'homme (une uchronie faustienne dans un roman de science-fiction), par Véronique ZAERCHER.
8. L'Enfance de Faust ou comment rajeunir un mythe (Faust en bande dessinée), par Pascal NOIR et Michel PEIFER.

BIBLIOGRAPHIE — ESSAI DE CHRONOLOGIE

Faust-Scriptum

Aux fidèles qui suivent la RLM depuis ses origines, je rappellerai qu'il y aura bientôt cinquante ans que commençaient à circuler en Sorbonne entre Institut de Littérature comparée, Institut de Français et Groupe d'études de Lettres Modernes des feuillets présentant un projet éditorial qui devait aboutir en ses ramifications à ce que sont devenues les Éditions Lettres Modernes.

Du projet au programme et du polycopié baveux au propectus imprimé se précisait l'élaboration structurée des domaines que je me donnais à explorer sous couvert d'une « histoire des idées et des littératures ». De façon précise, un paragraphe concernait la prospection des grands thèmes/mythes, tant dans leur histoire littéraire que dans leur permanence au cœur de la conscience de l'homme contemporain — au premier rang desquels Faust.

Un hasard (?) académique voulut que le thème de Faust fût retenu pour le programme du Certificat de Littérature comparée ; c'est ainsi que commença en novembre 1953 un feuilleton d'histoire littéraire qui s'étira dans les premières livraisons du périodique qu'était alors La Revue des lettres modernes. *Au terme de cette longue et minutieuse recension des œuvres littéraires ayant illustré le thème, j'eus le sentiment d'avoir été frustré de toute une prospection analytique au cœur du mythe et aux marges de la littérature.*

C'est donc avec plaisir que j'ai accepté de lire en juillet 2000 la première mouture d'un collectif conçu par Pascal Noir. Après en avoir pris minutieusement connaissance pour bien situer les limites du champ et les modes de prospection, j'ai accordé à son projet d'édition une confiance d'autant plus active que je pouvais m'investir pour tenter de mener à bien, après plus de quarante ans, la clausule de mon projet fondateur — autant que faire se pouvait en un délai raisonnable, en fin de carrière éditoriale.

3

Fin de carrière.

Avec un clin d'œil de connivence, plus que par un immodeste effet de mimétisme, amusons-nous de ceci : Goethe a conservé la Deuxième partie de son Faust *dans ses tiroirs jusqu'à sa mort, pendant plus de cinquante ans. Théophile Gautier a été préoccupé sa vie durant par la figure de Faust. Fellini et Autant-Lara ont produit des "Faust" en fin de carrière. Busoni n'a pas terminé son opéra. Ghelderode a louvoyé pendant près de trente ans. Julien Green a repris sa « randonnée fantastique » pendant quelque cinquante ans. Michel Leiris travaille dans la durée. Villiers de L'Isle-Adam retouche* Axël *jusqu'à sa mort. Thomas Mann repense son "Faust" pendant quarante ans. Valéry pendant près de vingt ans.* Maître Faust *de Calaferte est l'œuvre d'un auteur vieillissant. Peter Stein met dix ans à réaliser le montage intégral de* Faust.

La maturation faustienne donnerait des fruits tardifs, sinon posthumes même. Les "Faust" seraient-ils des œuvres testamentaires ? — des sommes à tout le moins, c'est sûr, pour le plus grand nombre, la pause dans le rétroviseur. Pour ma part, simplement, sur « la banquette arrière » des œuvres, en hors champ rétrospectif.

Rétrospectif.

Pascal Noir a voulu « s'interroger sur la prégnance d'une figure qui, au XXe siècle, et à l'aube du troisième millénaire, offre de nouvelles perspectives ». Au moment où le calendrier a mis un terme temporel à son champ d'investigation désormais inéluctablement rétrospectif, « l'Icosathèque (20th) » se devait de recueillir cette vingtième prise d'un spectacle multimédia à l'avenir non bouché. Instant charnière d'un Faust « non plus seulement rétrospectif » mais « prospectif ». Utilité impérative de jeter encore et maintenant un dernier regard d'ensemble sur ce qui a été fait, au danger de ne pas déjà voir distinctement ce que va être ce « Faust en devenir ».

La fécondité passée atteste la pérennité du mythe tant il est co-existant à l'homme (occidental) : il a su focaliser, on l'a fait focaliser les éclats aléatoires des multiples facettes reflétant la conscience historique des préoccupations et des nouveaux désirs de nos Ego en création continuée.

Déjà les siècles derniers avaient vu la superposition sinon le mélange des grands mythes (Prométhée, Don Juan, Peter Schlemihl...) en une savante intrication des thèmes ; le Bien/le Mal, le Savoir/le Pouvoir, la Conquête/la Perte, la Jeunesse/la Vieillesse, la Luxure/le Sentiment... se structuraient sous contrôle du Diable dont le pacte fut à l'origine l'un des constituants du mythe de Faust. Néanmoins un double mouvement l'affectait : une déviance vers l'emphase sur le pacte qui a pu devenir prévalant et même constitutif d'œuvres à lui seul ; mais aussi une dérive contraire vers la dévalorisation de son entité diabolique, la prise de conscience que le démon était en nous.

De fait, si Faust et Méphisto par moment n'ont fait qu'un (à la réflexion, l'alternance des rôles dans La Beauté du Diable *n'est pas qu'anecdote anodine de casting), ils sont aussi devenus interchangeables (Valéry, Klaus Mann, Calaferte) au grand dam de Diables blasés ou floués à qui on apporte des « âmes usées dont le Ciel ne veut plus » — de l'ironie de Julien Green au pessimisme de Swanwick, ce n'est pas là si grand écart.*

Grand écart.

Si les acrobatiques développements qui, à l'aube du troisième millénaire, prennent appui sur le tronc historique littérairement commun de Faust laissent bien augurer de la pérennité du mythe, la chronique de demain, passant du recensement des recours avérés à la détection du prétexte implicite, sera plus difficile et plus subtile à formuler : chronique d'une dé-littérarisation — quoi qu'en aient les tenants d'une expression du mythe par le truchement du texte. Si les Faust du XXᵉ ont plutôt été des idéologues, on peut supputer que ceux du XXIᵉ passeront de la formalisation littéraire à une intériorisation dont le besoin d'expression prendra une forme autre qui se voudra globalisante ; les mises en scène de Marthaler, de Wisniewski ou de

Stein ont pu donner un avant-goût de cet exubérant spectacle total à venir — telle la délirante image que nous donne déjà la troupe de Robyn Orlin malgré le déréférencement voulu du titre F... (untitled).

À l'inverse, la décantation du pacte avec le Diable épuré jusqu'à le rendre implicite a pu innerver une Science-Fiction dont l'explicite serait de montrer qu'on ne peut pas ne pas risquer de vendre son âme dans les compromissions avec les Systèmes qu'on tente d'infiltrer sans le regretter toute sa vie. Certes le F.A.U.S.T. de Serge Lehman ne relève pas littérairement du corpus des "Faust" en ce sens que l'auteur n'a pas voulu prioritairement explorer le « mythe canonique ».

Faust référence. Faust prétexte. Faust alibi. Faustisme généralisé ? Il n'est pas sans intérêt pour qui ausculte en sa dérive la mouvance psychologique du thème de suivre l'insidieuse métastase du référent faustien migrant de l'œuvre vers l'auteur, petit à petit.

Référent faustien.
Il s'origine au plus profond de l'Ego comme postulat à l'acte du créateur ou, à minima, comme prédicat, tenu secret, au personnage, ce qui inviterait à une lecture analytique.

Il semble que les modalisations explicites du thème soient en voie de raréfaction, sinon d'extinction, tant on lui a déjà fait dire tout ce qui pouvait être extrait de ses constituants, catalogage sans fin d'extrapolations et de variantes.

En revanche, le pré-supposé faustien comme support d'une réflexion qui s'origine dans un des constituants du mythe annonce une descendance foisonnante où l'histoire littéraire ne retrouvera plus ses petits.

Si le cliché obligé du créateur(-personnage) faustien (les subtils analyseront le je ne sais quoi qui l'a fait se substituer au créateur prométhéen par un retour peut-être des valeurs morales d'un humanisme occidental christianisé) a déjà sa généalogie, et si tout acte créateur peut être en soi vécu comme un pacte ou un anti-pacte avec le démiurge ou son challenger, l'artiste-

auteur devient ou Dieu ou « singe de Dieu », anti-démon ou son complice promu à la conduite des hommes — par substitution, par assimilation, par délégation. Que Satan fasse erreur sur la personne et la parodie d'un manichéisme primaire double la leçon sclérosée de l'ancestrale lutte du Bien et du Mal mesurée à l'aune faustienne, aune télescopée : À Faust, Faust et demi. *Mais Zelazny et Sheckley invitent le lecteur à se poser la question : là haut, au plus haut des Cieux, qu'est-ce qu'IL fait ? — à moins que, joycien, il ne se cure les ongles non plus arbitre des choix des hommes mais spectateur de leur folie sans limite...*

Pulvérisation des mythèmes — à l'image démultipliée du Diable parmi nous — et, partant, feu d'artifice du désir faustien qui part dans tous les sens, les contresens : on peut tout faire.

Désir faustien.
Faust était resté dans son expression goethéenne une tension dans l'effort. « Tant que je suis, je dois être actif. » L'effort faustien du désir d'action, fondé sur une pensée rigoureuse remise à neuf : « faire table rase de tout (philosophie, métaphysique, goûts, croyances...) ». Paraphrase du célèbre monologue ? Non, lettre de Daumal à Paulhan dans une certaine équanimité mêlée d'indifférence blasée, teintée d'orientalisme, avoir tout testé soi-même de ce qu'on croit pour ne rien exclure des possibles dans la création continuée du Moi. L'amorce est là, d'une dynamique de puissance, bientôt volonté de puissance et, partant, de possession — d'un empire ou d'une âme (« Mon enfant savez-vous ce que c'est que désirer une âme ? ». Lettre apocryphe de M. Ouine trouvée dans les papiers secrets d'un adolescent bernanosien ? Non. Prémisses d'un troc diabolique : le Monde/la Jeunesse. "Si j'étais vous" j'y reconnaîtrais l'obscur désir de Julien Green de « déménager corps et âme »).

De la programmation du savoir total à la programmation du pouvoir absolu : le temps d'un retournement sur soi de l'Ego-Janus. Les grands travaux d'aménagements écologiques prévus par Faust (II) pour le bien de l'humanité, et l'apocalypse tech-nologique de Jack Faust *né de la folie de l'homme occidental*

7

relèvent pourtant de la même confusion des pouvoirs, à un éclairage près, recto-verso. Satan est alors en filigrane de Faust. Si le Faust contemporain semble encore vouloir le bien, il échoue à ne faire finalement que le mal.

Le dévoiement du désir d'agir faustien pour incarner toujours au plus haut les idées en actes est le premier pas vers la violence comme préalable fondateur. De la volonté d'action comme valeur morale à l'acte violent comme antivaleur — de l'activité à l'activisme.

La réverbération narcissique de cette soif d'agir (Faust/ Méphisto) peut conduire à l'auto-destruction du kamikaze (bien étonné si on lui parlait de Faust, fût-il Japonais ou Afghan), à la violence comme apothéose, apocalypse. Paradoxe. Si l'acte de création a pu être assimilé, en ses derniers avatars, au pacte avec le Diable, l'acte de destruction n'en devient-il pas la contre-épreuve du siècle à venir, pacte avec soi-même devenu son propre Satan à berner en une ultime parodie, une désespérance transcendée.

La violence du fanatisme est en vue avec sa diabolisation de l'ennemi en mal absolu. « L'Occident c'est Satan. » On le retrouve comme aboutissement à la violence pure comme fin en soi : « On a creusé trop profond, Oussama », déclare un personnage d'un dessin de Serguei (Le Monde, 9-10 décembre 2001) face à un diable rouge au trident blanc. Le Diable est partout.

Le Diable est partout.

« Là où il n'y a pas Faust, il n'y a qu'attente de Faust », affirmait Calaferte. Dans un entrelacs de plus en plus diffus aux mailles incertaines est-ce à dire aussi que Faust serait partout ?

À l'heure de la mondialisation technique Faust surferait-il sur Internet ? Cette question méritait bien d'être posée à titre de vignette anecdotique, pour illustrer les échos socio-ludiques d'un vénérable référent.

Résultat d'une enquête express par Éric MADIGNIER ;

« *Le problème n'était pas à proprement parler pour nous de constituer un fonds documentaire, mais d'établir un relevé à l'image des cartes météorologiques d'impacts de la foudre. Faut-il préciser que toutes les occurrences relevées ne sont pas pertinentes pour le chercheur érudit, loin de là — ne serait-ce, déjà au départ, que par la présence parasitaire des homonymies patronymiques ! À l'inverse, de même qu'un relevé fait à partir d'un Index des films ne peut recenser la thématique faustienne si celle-ci n'est pas explicitement énoncée dans le titre, de même ici le repérage n'est qu'énonciatif des occurrences du mot.*

Nous avons traqué le mot clé Faust *sur la Toile grâce à divers moteurs de recherche (Google, Alta Vista et WiseNut). Au 16 septembre 2001, toutes langues confondues, Google propose 364 000 pages, Alta Vista 159 148, WiseNut 288 236.*

Google nous propose par exemple parmi ses tout premiers choix mondiaux le site FAUST, autrement dit le « Forum des Arts de l'Univers Scientifique et Technologique, 1998 — Parc des Expositions de Toulouse » (www.faust.ascode.fr). *Parfait pour s'informer sur les évolutions des nouvelles technologies mais assez éloigné du Faust de Goethe. Encore plus incongru, la « Doctor Faust Painting Clinic »* (www.paintingclinic.com) *apprend aux internautes intéressés à peindre des figurines miniatures, type soldats de plomb. Comme la culture et la littérature sont pleines de surprises, on évoquera aussi le site consacré à Frederick Faust* (www.maxbrand-faust.com), *qui écrivit de nombreux westerns et autres romans populaires sous divers pseudonymes durant la première moitié du XXe siècle. Peut-être faisait-il partie de la grande famille Faust, mais pour s'en assurer, il faudrait consulter l'arbre généalogique, également disponible sur Internet* (www.betterthanmost.com/faust). *Et si cette profusion de Faust, vrais ou faux, vous plongeait dans la confusion et vous donnait des maux de tête, peut-être devriez-vous consulter le docteur Faust, qui dirige une clinique psychiatrique au Texas* (http://www.faustclinic.com).

Plus sérieusement, on peut trouver d'excellents sites — généralement anglophones ou germanophones — consacrés au mythe de Faust et aux œuvres de Marlowe et de Goethe. Cette page (www. csuchico.edu/~goulding/faust/faustlinks.htm) *extraite du site du Département d'allemand de l'Université de Californie propose par exemple des liens pertinents. De nombreux universitaires proposent égale-*

9

ment à leurs étudiants des cours sur les diverses facettes du mythe. On pourra citer par exemple celui du professeur Brian, du Département d'anglais de la Washington State University (www.wsu. edu:8080/~brians/hum_303/faust.html), ou celui du professeur Ashliman, de l'Université de Pittsburgh (hwww.pitt.edu/~dash/faust.html). Mais Internet ne donne pas seulement accès à des cours. On peut aussi y trouver les textes intégraux des œuvres de Marlowe (www. perseus.tufts.edu/Texts/Marlowe.html) ou de Goethe (www.gutenberg.aol.de/ goethe/faust1/faust_to.htm).

Enfin, puisque la seule relecture d'œuvres anciennes est de peu d'intérêt pour une culture vivante, qui montre au contraire sa vivacité et son dynamisme dans sa capacité à réactualiser ses vieux mythes, on s'intéressera aussi aux avatars les plus récents du mythe de Faust sur Internet. On trouve ainsi sur un site consacré à Jan Svankmajer (www.filament.illumin.co.uk/svank/index.html) des informations sur le film éponyme de cet artiste, tourné en 1994 d'après les œuvres respectives de Marlowe et de Goethe, l'opéra de Gounod et le roman de Christian Dietrich Grabbe, Old Czech Puppet Plays. Dans un registre nettement moins raffiné, pour ne pas dire franchement grand-guignol, l'Espagnol Brian Yuzna décline lui aussi le thème dans un film intitulé Faust (www.movies.fantasticfactory.com/faust) directement inspiré de la bande dessinée américaine de Tim Virgil et David Quinn, Faust: Love of the Damned (www.multimania. com/faust) et mettant en scène un Faust en collant, super-héros très tourmenté et tout à fait damné. On s'éloigne de plus en plus de Goethe, Marlowe et autres.

Heureusement, on y revient avec un opéra rock prévu pour 2003, et qui se propose d'adapter le Faust de Goethe à l'esthétique rock (« Goethe goes Rock'n Roll » peut-on lire sur le site (www.faust.cc/faust-en/index.html)). Choc culturel garanti ! Peut-être devrait-on plutôt se fier au jeu vidéo Faust (www.cryo.fr/site/faust), qui reste formellement bien plus classique tout multimédia qu'il soit, pour édifier les jeunes générations et faire vivre le mythe.

N'oublions pas, bien sûr, le Faust, désormais incontournable, de Peter Stein (www.faust-stein.de). Ce site, entièrement en allemand, très réussi graphiquement, à l'architecture sophistiquée et l'iconographie très riche et dynamique, propose une présentation du metteur en scène et de sa démarche artistique. »

On notera le curieux besoin des créateurs actuels d'indexer Faust, d'y faire référence dans des œuvres qui, de manière obvie, ne sont pas dans la descendance reconnue du mythe — fruits de liaisons cachées. À la question de savoir si la présence des points dans le titre F.A.U.S.T. *cachait une secrète abréviation, Serge Lehman répond avec un gros clin d'œil :*

« Franchement. Après Une Sérieuse Tentation », non.

Retenons qu'un romancier reconnu de SF trouve normal de recourir au mot même, « symbole frontal destiné à donner le ton aux lecteurs » — ce qui prouverait son « indémodable caractère paradigmatique ».

L'acte faustien fondateur reste en pointillé. L'historien littéraire lâche sa proie indécise. Le psychanalyste, le psychologue, le sociologue, l'historien des idées, le chroniqueur des faits de société s'empareront de ces dérivés manipulés.

Si le démon n'est qu'en nous *(le personnage* et *son créateur), seul un pacte avec* soi-même *(le personnage* ou *son créateur) pourra réguler et moduler l'acte absolu, juge et partie confondus sous l'emprise dictatoriale de l'acte comme Pouvoir — la peau de chagrin du libre-arbitre laissé à la transaction avec soi-même, dérivant vers la compromission au risque pris d'être phagocyté à l'instar du pseudo-Faust que Lehman lance dans une quête déviante d'un contre-Éternel féminin, fantôme de lui-même.*

Transiger, transgresser. Explicite, implicite, le pacte pose le problème de la limite jusqu'à remettre en cause cette limite, jusqu'à la subsumer dans l'ivresse du « pouvoir faire ». Dans le champ clos des limites de l'ordre, l'action se libérait en toute conscience. Mais le dialogue avec l'Autre s'exténue. « Laïcisation » des valeurs : on est passé de vendre son âme à vendre ses talents, son savoir-faire au prix peut-être de la perte du regret comme paramètre possible d'un avenir rédimé.

Sont dérivés faustiens les problèmes d'éthique scientifique dans la volonté effrénée du toujours plus loin, du no limit *aux travaux pratiques du savoir : l'homme bionique, le clonage humain sont la descendance sous X de l'Homunculus goethéen.*

Sont dérivés faustiens, ces hallucinants mixtes de biologie et d'art que sont les plastinats *de Gunter von Hagens ; mis en sursis dans des bains d'acétone au laboratoire moderne d'un Dr Faust d'après le monologue, ils sont ensuite pérennisés en sculptures sérielles. Cadavres polymérisés, dernier point de la recherche en embaumement ; découpe lamellisée à grande échelle de ce qui fut des corps humains ; mise en scène « esthétique » d'un exhibitionnisme macabre ; mise en spectacle avec exposition et catalogue de ces « Körperwelten ». Reste-t-il trace d'une conscience de l'homme dans cette instrumentalisation du matériau humain déconstruit ? Tomographie de l'instant de mort prolongé d'une éternité de silicone. « Verweile doch ! du bist so schön ! »*

Les créatures artefacts et les savants inquiétants ne sont plus que dans les livres — ou dans les mises en scène (les savants de Marthaler travaillent de façon répétitive sur des poissons désséchés, au cas où...). Fixer à jamais le dernier instant ou perpétuer l'identique, deux dérives d'un faustisme underground *toujours en mal d'une maîtrise du monde — humain, trop humain.*

« Tu es, au reste... ce que tu es », disait Mephisto.

Mes auteurs et collaborateurs auront remarqué avec réprobation le peu de cas que j'ai fait ici des pratiques que je leur impose pour la bonne tenue des textes d'eux que je publie : citations vérifiées et référencées, coordonnées bibliographiques et tous autres attributs éditoriaux caractéristiques d'un travail de recherche bien édité et qui apporte à son lecteur des éléments de connaissance.

Or ces lignes sont tout sauf une étude. Elles n'apportent aucun élément de connaissance mais suscitent plutôt la connivence : elles relèvent du clin d'œil et non de la didactique. Ce pour quoi elles n'avaient pas place dans le corpus, même si elles en sont des retombées, des brèves de plateau pendant la vingtième prise du feuilleton Faust.

Michel MINARD

QUIZ faustien :

« Tout pouvoir pour tout vivre, tout vivre pour tout connaître, tout connaître pour tout comprendre, tout comprendre pour tout exprimer : quelle récompense le jour où, nous regardant, nous nous verrons comme dans un miroir de la création, et nous concevrons Dieu à l'image de l'homme. »

Indice : ces lignes sont d'un écrivain français du XXe siècle dont le nom n'a jamais été cité ni dans le corpus, ni dans les notes, ni dans ce post-scriptum.

Question subsidiaire : dans quel ouvrage publié aux Lettres Modernes Minard peut-on les lire en citation ?

DISCRÉDITS :

un mauvais point *à un Directeur de collection qui ne se souvenait pas du projet dans lequel se situait une collection qu'il avait lui-même dirigée cinq ans plus tôt ;* un bon point *pour s'être racheté en me permettant d'établir un contact efficace*

un zéro pointé *aux Éditions Casterman et à deux de leurs collaborateurs : personne n'a daigné répondre à une demande de précision bibliographique concernant une série publiée par eux*

un zéro pointé *aux Éditions Vents d'Ouest et à leur Directrice de la communication pour n'avoir pas répondu à un fax et à une lettre concernant des précisions éditoriales sur un de leurs livres*

un zéro pointé *aux Éditions Fleuve noir pour une visite suivie d'un courrier personnalisé — sans suite*

peut mieux faire *pour le service relations/communication/ secrétariat de l'Université Paris X qui semblait ignorer l'existence en ses murs d'un colloque sur « Faust aujourd'hui » (pourtant annoncé dans la presse), et qui était dans l'incapacité de nous fournir un calendrier et à plus forte raison le programme de cette manifestation — obtenu hors délai, photocopié par un correspondant sur place.*

CRÉDITS :

Remerciements aux Éditions J'ai lu pour avoir pris la peine de faire une recherche éditoriale concernant un volume épuisé

à Éric Madignier pour sa cordiale coopération

à Hervé Jubert pour son entremise efficace

à Serge Lehman pour avoir pris le temps de s'intéresser aux questions que nous nous posions depuis un certain temps, et avoir immédiatement réagi dès que le contact a pu être établi avec lui

à Jean-Louis Trudel SFFranco pour la rapidité du dispatching auprès des internautes compétents

à Jean Millemann et Jean-Jacques Girardot pour leurs éléments d'informations pertinents

Remerciements enfin aux plus de 2500 auteurs et collaborateurs à des collectifs qui m'ont tant instruit et que j'ai bien sûr TOUS lus minutieusement et édités au mieux de ma compétence — ensemble concourant à l'élaboration du renom maintenant associé à notre image de marque éditoriale

Lettres Modernes Minard

supplément hors commerce à
Faust 20ᵉ : échos de l'ego — le Démon de Faust ou l'homme et ses démons
édité par Pascal NOIR

tirage réservé
aux Souscripteurs permanents à la collection « La Revue des lettres modernes »
aux Souscripteurs sélectifs à « L'Icosathèque (20*th*) »
et aux collaborateurs de l'Éditorat des Lettres Modernes